일제하 유아보육사 연구

The History of Children's Edu-care during the Japan's occupation of Korea

Lee Yun-Jin

연세국학총서 74

일제하 유아보육사 연구

이 윤 진

혜안

序 文

출산율의 저하 정도가 심각한 단계를 넘어 국가적 위기를 암시하는 단계에까지 온 것 같다. 경제 성장에 따른 가치관 인생관의 변화가 젊은 세대들 사이에서는 이미 보편적 현상으로 자리 잡은 지 오래이다. 그렇기 때문에 우리 사회의 낮은 출산율이 요즘 들어 새삼스럽게 나타난 갑작스런 현상이랄 수만은 없다. 더구나 출산율 저하가 우리나라만의 문제라고 단정할 일은 아닐 수도 있다 — 등등의 구실이나 변명으로 속 편하게 생각하고 지내기에는 뭔가 조짐이 심상치 않다는 느낌을 지워 버릴 수 없는 것이 최근에 급속도로 확산되고 있는 젊은 세대들의 자녀 출산과 양육 거부 문화가 아닐까 싶다. 자식 없이 더욱 행복할 수 있는 부부만의 결혼생활에 대해 여러 가지 그럴듯한 구실과 이론으로 변명하고 정당화하는 소리를 종종 들어 온 입장에서 솔직한 느낌을 말하란다면, 요즘 젊은 부부들은 자녀 출산보다는 양육에 대한 공포감에 사로잡혀 있는 경우가 대부분인 것 같다. 우리나라에서 아이를 키우는 일이 두렵고 끔찍하게 느껴지기 때문에 대부분의 젊은 부부들이나 예비부부들이 아이를 낳지 않기로 미리부터 작정을 하고 일생의 계획을 세우는 것이 흔히 볼 수 있는 요즘의 결혼 풍토다. 자식 낳아 키우는 일이 뭐가 그리도 무섭단 말이냐고 묻는 이가 있다면 아마 그는 대한민국에서 살아본 경험이 없는 사람일 것이다. 우리들 모두가 알고 있는 자녀 양육과 관련된 젊은 부부들의 공통된 두려움의 정체, 그것은 출산 직후부터, 심한 경우에는 임신 초기부터 전방위적으로 부모를 압박하는 자녀교육 경쟁에서의 실패에 대한 두려움이 라고 요약할 수 있다. 그런데 이 자녀교육 경쟁의 첫 단계가 영·유아기 때부터 시작된다고 믿는 것이 요즘 우리 사회의 분위기이다. 한마디로 영아원 유아원 유치원에서부터 경쟁은 시작된다고 말할 수 있다.

그런데, 영·유아를 위한 보육 내지 교육시설이 국가적 차원에서 일관된 정책과 체계를 지니지 못한 채로 여러 관련 부처들 간의 이해 다툼거리 노릇을 해 온 역사가 하도 오래이다 보니까 결과적으로 사회적 수요를 훨씬 밑도는 열악하고 영세한 영·유아 보육 내지 교육 수준에서 벗어날 가망이 없어 보이는 것이 오늘의 현실이다. 이런 현실을 직접 체험하면서 절망하고 좌절하는 선배들의 자녀양육 결혼생활을 보는 젊은 신혼부부들이 아이 안 낳고 안 기르기를 결심하는 것을 어느 누가 탓할 수 있단 말인가! 한마디로 우리나라에서는 정상적인 정신을 가진 젊은 부부라면 편한 마음으로 두세 명의 자녀를 양육하면서 살아가는 인생설계를 하기가 거의· 불가능한 실정이라고 할 수 있겠다. 그리고 그 가장 큰 이유는 우리 사회의 열악하고 영세할 뿐만 아니라, 그나마도 태부족하기까지 한 영·유아 보육 내지 교육시설의 현황, 그리고 일관성도 통일성도 없는 영·유아 관련 제도와 정책에 있다고 할 수 있다.

이 책을 쓴 이윤진 박사는 학부에서는 역사를 전공했고 대학원에서는 교육학을 전공한 재원이다. 그는 우리나라에서 영·유아 탁아 및 보육 문제가 사회적 관심사로 취급되기 시작한 역사를 20세기 초 이래 기독교의 교세확장 노력의 영향과 일제 식민지 체제 아래에서의 도시와 농촌의 여성인력 동원 내지 활용 정책에까지 소급하여 추적 분석하고 있다. 이 책에서 저자가 추적 분석한 근대 한국의 유치원 및 탁아소의 설립과 운영 실상은 한마디로 오늘날 우리 사회의 유치원 및 어린이집의 설립과 운영 실상에 비해 크게 다를 바가 없어 보인다. 유치원도 탁아소도 시대적 사회적 강자 집단의 이익 위주로 설립되고 운영되었다는 점에서 그러할 뿐 아니라, 강자 집단의 종류와 성격이 다름에 따라 유치원도 탁아소도 그 설립과 운영의 원칙과 체제에서 애초부터 일관성이나 통일성이 있을 수 없었던 역사의 유산이 오늘날의 유치원 및 탁아소 정책과 실상에까지 변치 않고 이어져 오고 있다는 점에서 그러하다.

그러니까 저자는 오늘의 우리 사회의 고민인 출산율 저하의 원인 중 제일 큰 부분이라 할 수 있는 영·유아 탁아 및 보육 정책 실패의 근원을 나름대로 진단하고 있는 것이다. 아마도 우리나라 유치원 및 탁아소의 발생과 역사를 이런 안목으로 통찰하고 천착한 최초의 연구가 아닐까 싶다. 저자가 이런 연구를 할 수 있었던 원인 중에는 저자 자신이 자녀를 출산하여 양육하는 소수의 용감한 젊은 부부 편에 서기로 작정한 것도 포함되어 있을 듯싶다. 만삭의 몸으로 이 책의 초고가 된 박사학위 청구논문 최종 심사장에 들어서던 저자의 고집스런

용기와 공부 욕심이 낳은 첫 결실로 『일제하 유아보육사 연구』가 태어난 것이 지도교수의 처지에서는 오직 반가울 뿐이다.

2006년 7월
김 인 회

책을 내면서

한국사회에서 아이를 키우는 것이 속된 말로 '장난 아니다'고 이야기들 한다. 그래서 요즘 여성들은 결혼을 해도 아이를 낳지 않으려고 한다. 필자 역시 지금까지 살아오면서 가장 힘들고 어려운 일이 육아인 것 같다. 육아 그 자체만으로도 버거운데 거기에 직업이 보태진다면 그 삶의 무게는 말할 나위 없다. 근래 공(公)보육 어쩌고저쩌고 하지만 여전히 육아는 여성의 몫이다. 따라서 육아와 직업을 병행해야 하는 수많은 여성들은 때로는 하소연하면서, 때로는 아이에게 죄책감을 가지면서 고단한 일상을 살아가고 있다. 그리고 결국에는 직업을 그만두는 경우가 허다하다. 직업의 궁극적인 목적은 개인의 자아실현에 있다고 학교 다닐 때 배운 것 같은데 그렇다면 직업을 포기한 여성은 자아실현을 포기한 것이 아닌가! 한때는 결혼한 여성은 직업은 그만두고 아이 낳고 살림하는 것이 지극히 당연한 것으로 생각했었다. 필자가 그 상황에 직면하기 전까지는.

돌을 갓 넘긴 어린아이를 어린이집에 맡기면서 박사과정을 다녔다. 석사과정 때처럼 학업과 조교일에 전념할 수 없었다. 학업과 육아, 그 어느 것 하나도 제대로 하지 못하는 생활로 인해 몸과 마음이 늘 피곤했다. 그러면서 자연스레 우리 사회의 '형편없는' 보육제도에 눈을 뜨게 되었고 결국 필자가 겪은 일상의 불만들이 연구주제가 되었다.

다행인지 불행인지 한국유아보육사를 체계적으로 연구한 논문이 그동안 거의 없었다는 것을 알게 되었다. 학부에서 사학을 전공한 것,

석·박사과정 동안 '여성'이란 주제에 관심을 가졌던 것, 그리고 보육제도에 불만을 갖게 되었던 것 등등이 어우러져서 『일제하 유아보육사 연구』라는 책을 쓰게 되었다. 앞에서 다행이라 한 것은 새로운 영역을 개척했다는 나름대로의 자부심을 가질 수 있는 연구영역을 갖게 되었다는 감사함 때문이다. 그리고 일상과 유리되지 않아 필자와 비슷한 상황에 있는 일반인들도 쉽게 공유할 수 있는 문제의식이 녹아 있는 연구를 하게 되었다는 것도 감사할 일이다. 소위, 지식인들만이 공유하는 지식은 현학적이고 공허할 수 있다는 것이 평소의 생각이었기 때문이다.

그러나 '새로운 것'이 반드시 '좋은 것'만은 아니다. 일시적인 관심은 불러일으킬 수 있지만 이 주제를 가지고 제도권에 뿌리내리기에는 동료 지원군이 없기 때문에 무척 외롭다. 한 예를 들어서, 교육학과가 있는 우리나라 대학에서 '유아보육사'라는 강좌를 개설한 학교는 찾기 어려우며, 교육학과를 전공한 필자가 유아관련된 학과—유아교육학과, 아동학과, 영유아보육학과—에서 이와 유사한 강좌를 개설하는 것 자체가 힘든 것이 엄연한 현실이다.

'유아보육사'라는 주제는 현재 우리 학계나 관련 연구소에서 그다지 관심을 두지 않는 외로운 분야이다. 아무도 주목하지 않는 '유아보육사'라는 주제를 택한 필자는 불행하다고 할 수 있다. 세상과 소통하지 못하는 지식이나 이론 역시 현학적이고 공허할 수 있기 때문이다.

그러나 늘 곁에서 애정어린 마음으로 지켜봐주시는 여러 선생님들, 동학(同學), 가족이 있기에 지금까지 걸어온 길을 후회하지 않으며, 후회하지 않도록 더욱 매진하려고 한다. 예전에 TV에서 가파른 절벽의 최고지점에서 처음 비상(飛上)을 눈앞에 둔 새끼 독수리를 보면서 내 자신을 투영해 보았다. 어리고 약한 새끼가 건강하게 자라서 세상을 힘차게 날 수 있는 저력과 세상을 보는 안목, 학문적 토대를 마련해 주신 김인회 선생님은 필자의 어미새이다. 다소 낯선 새로운 세계를 두렵지만 비상할 수 있는 것은 어미새의 지속적인 격려와 질책 덕분이다. 그 밖의 부심 선생님으로 논문으로 꼼꼼하게 지도해 주신 이동원 선생님, 연문희 선생님, 강상진 선생님, 김혜숙 선생님 및 교육학과의 모든 선생님들께도 이 책을 통해 감사의 마음을 전하고자 한다.

그리고 졸업 후 자칫 방황하기(?) 쉬운 시기에 곁에서 도움을 주신 여러 선생님들께도 감사드리고 싶다. 특히, 제2의 지도교수님이라고 할 수 있을 정도로 여러 모로 꼼꼼하게 챙겨 주시는 사학과의 김도형 선생님께 머리 숙여 감사드린다. 따뜻한 마음과 차가운 이성을 겸비하신 김도형 선생님 덕분에 졸업 후에도 필자는 꾸준히 연구할 수 있었다. 그리고 매주 한번씩 만나서 이제는 학문적 동지 그 이상의 우정을 쌓게 된 '근·현대교육 스터디'의 강명숙, 김경미, 이명실, 이윤미, 임후남, 정선이, 정혜정 선생님들께도 고마운 마음을 전하고자 한다. 일일이 열거할 수는 없지만 항상 곁에서 도움과 즐거움을 주는 '한국 교육정신사 모임'의 모든 선생님들께도 감사드린다.

이렇게 많은 주위 분들에게 신세를 지고 쓴 이 책은 식민지 시기의 유치원과 탁아소의 내용을 담고 있다. 이에 관한 내용은 책 한권의 분량으로 다뤘기에 여기서는 생략하겠다. 탁아소는 필자의 학위논문에 해당되는 부분이며 여기에 유치원 부분을 덧붙여서 연세대학교 국학연구단의 연구비를 지원받아 출판하게 되었다. 부족함이 많았던 학위논문을 수정·보완해서 완벽한 책을 내겠다는 초심(初心)이 기한에 쫓기면서 점차 퇴색되었고 여전히 아쉬움을 남긴 채, 필자의 손을 떠나 세상 밖으로 나오게 되었다. 솔직히 많이 겁난다. 그러나 독자 여러분의 질책보다 더 무서운 것은 무관심일 것이다. 독자 여러분의 애정어린 질책을 언제든지 기쁜 마음으로 받아들이겠다. 촉박한 시간에다 필자의 이런 저런 요구를 맞춰주신 혜안 출판사의 김태규 선생님을 비롯해서 모든 분들께도 감사드린다.

어린 두 아이의 엄마인 필자가 여기까지 올 수 있었던 것은 가족의 전폭적인 지원과 배려가 있었기에 가능한 일이었다. 항상 절대적인 믿음과 사랑으로 지켜봐 주시는 부모님과 부족함이 많은 며느리를 넉넉한 마음으로 감싸주시는 시부모님께 감사드린다. 마지막으로 바쁘다는 이유로 제대로 챙겨주지 못하는 한결이, 새결이 그리고 남편에게 나의 마음을 이 책에 담아 전한다. 미안해요 그리고 사랑해요.

2006년 8월
이윤진

일러두기

이 책에서는 "보호없는 교육없고, 교육없는 보호없다"는 명제에 동의하는 입장과 앞으로 유(幼)·보(保)는 통합된 방향으로 나가야 한다는 입장에서 유아의 교육과 보호를 모두 포괄하는 개념으로서 '보육'이란 용어로 통일해서 사용하겠음. 현재 보육계에서 사용하고 유아교육계에서 사용하지 않는 편협된 용어가 아님을 밝혀둠.

차 례

Ⅰ. 서 론

1. 연구의 필요성

1) 연구의 사각지대 : 논의되지 않고 있는 이야기

(1) 유치원 보육사

한국의 학문시장에서 유아를 연구대상으로 하는 학계—유아교육학과, 아동학과, 영유아보육학—에서 1차 사료를 자료로 삼아 문헌연구를 하는 역사적 연구를 찾아보기란 꽤 어렵다. 다시 말해서 '한국 유치원 역사' '한국 탁아소 역사' '한국 보육의 역사'와 같은 논문제목을 찾기란 힘들다는 것이다. 유아교육사에 대한 홀대는 교육사학이나 역사학에서도 예외는 아니다. 인문사회학 그 어디에서도 유아교육사는 관심대상이 되지 못하고 있다. 왜일까? 이러한 의구심을 가지고 1990년대 이후 변화된 연구경향에 대해 교육사학계를 중심으로 고찰해 보도록 하겠다.

근대의 산물인 냉전 이데올로기의 패러다임이 해체되고 1990년대 이후부터 포스트모더니즘의 패러다임으로 전환되면서 학계는 '근대'라는 주제에 주목하기 시작했다. '근대'라는 거대담론의 반성적 성찰, 해체 그리고 재구조화 등을 화두로 삼으면서 학계에서는 기존 연구들에 대한 비판적인 검토 내지는 새로운 관점으로부터의 연구들이 등장하기 시작했다. 이러한 맥락에서 1990년대 중・후반부터 식민지 시대학교교육을 다룬 연구들의 첫 번째 특징은 1970~80년대의 경직된 이분법적인 도식[1]에서 벗어났다는 점이다. 대표적인 학위논문들로는 일제 강점기 초등교육 부분의 오성철,[2] 중등교육 부분의 박철희,[3] 고등교육 부분의 정선이[4]가 있다. 이들의 연구는 한국교육사에 있어 근대교육이 본격화하는 시점을 일제 식민지 시대로 보고 한 연구자가 초등, 중등, 고등교육 중 특정 학교단계를 연구대상으로 삼아 미시적 접근을 통한 심층적인 분석을 시도함으로써 기존 연구들에서는 드러내지 못했던 학교교육의 실상들을 규명했다는 데 그 의의를 찾을 수 있다.[5]

1970~80년대 교육사 연구들이 근대교육의 전체적인 밑그림을 그린 작업이었다면, 1990년대는 보다 심층적인 연구들이 한 조각씩 모이면서 '일제 식민지 학교교육'이라는 그림이 완성되는 퍼즐 맞추기 작업으로 비유할 수 있다. 이러한 일련의 연구들은 식민지 시대 학교교육의 총체적인 모습과 그 특질을 체계적으로 드러내 주었고, 현대교육과의 밀접한 관련성을 밝혀주고 있다는 점에서 의의가 크다.

---

1) 1970~1980년대까지 식민지 시기의 조선교육사 연구는 황국신민화를 목적으로 한 일제의 식민교육과 이에 저항하면서 한국인의 정신을 지키기 위한 민족교육이라는 이분법적 구도 틀에서 연구가 되었다(노영택, 1978, 1979 ; 손인수, 1984 ; 정요섭, 1971 ; 정재철, 1985). 일제의 황국신민화 교육과 조선인의 저항이라는 이분법적 구도는 관립학교는 황국신민화 교육을 실시하는 학교, 사립학교는 이에 저항하는 민족주의 교육을 하는 학교라는 또 하나의 이분법적 도식화를 낳았다.

2) 오성철, 『1930년대 한국 초등학교 연구』, 서울대학교 교육학과 박사학위논문, 1996 ; 오성철, 『식민지 초등교육의 형성』, 서울 : 교육과학사, 2000.

3) 박철희, 『植民地期 韓國 中等教育 研究-1920~30年代 高等普通學校를 中心으로』, 서울대학교 박사학위논문(미간행), 2002.

4) 정선이, 『경성제국대학의 성격 연구』, 연세대학교 교육학과 박사학위논문, 1998 ; 정선이, 『경성제국대학 연구』, 서울 : 문음사, 2002.

5) 이외에도 근대 주체의 형성과정을 학교에서 행해진 각종 '규율'이라는 개념으로 연구한 김진균・정근식・강이수의 연구가 있다(『근대주체와 식민지 규율권력』, 서울 : 문화과학사, 1998).

두 번째 특징은 그동안 '저항' '민중'이라는 거대담론 속에 파묻혀 있었던 대다수 일상을 살아간 평범한 조선인들을 연구대상으로 지목했다는 데 있다.[6] 일상적인 삶을 살았던 조선인들의 학교교육에 대한 인식·행위 등에 관심을 갖기 시작하면서, 종전의 연구들과는 차별되는 다른 내용의 결론을 내리고 있다. 이들 연구의 공통적인 결론으로는 1920년대 이후부터는 학교교육, 그것도 관·공립학교에 한국인들이 적극적으로 입학하려 했으며 그 결과 관·공립학교 입학을 위한 치열한 입시경쟁과 입학시험이 존재했었다는 점이다. 이들의 이런 당혹스러운 교육행위를 윤해동은 '회색지대'라는 용어를 가져와서 침착하게 설명한다. 그는 일본 제국주의의 악랄하고 무자비한 지배를 통한 수탈과, 이에 대응한 한국인의 광범위한 저항운동이라는 양분법으로 역사를 보는 사관을 '열정적인' 민족주의라고 비판하면서 식민지 시대에는 양분법으로는 설명할 수 없는 광범위한 '회색지대'가 존재했었다고 주장한다. 그리고 바로 이 회색지대에 일상을 살아가던 대다수 한국인들이 분포하고 있었는데, 이들의 행위방식을 '협력'이란 개념으로 해석한다.[7] '협력'[8]은 '친일'[9]과는 구별되는 개념으로 겉으로 협력의

6) 이 역시 포스트모더니즘 사조의 영향이라 볼 수 있다. 1980년대 초에 인도출신의 연구자들로 구성된 서발턴 연구집단(subaltern studies group)은 계급, 카스트, 연령, 젠더, 직위 등의 측면에서, 혹은 그 밖의 다른 모든 측면에서 종속적인 상태에 있는 인도의 인민을 '서발턴'으로 개념화하면서, 기존의 지배적인 역사 담론에서 주변화되어 왔거나 배제되어 온 그들의 고유한 의식과 행동을 재현하고 엘리트 정치와는 구별되는 '인민의 정치'의 영역을 드러냄으로써 서발턴 역사를 (재)구성하고자 했으며, 따라서 서발턴 연구집단이 시도하고자 하는 서발턴의 역사는 '비판으로서의 역사'의 의미를 지닌다(김택현, 「근대사의 새로운 인식-서발턴 연구의 시작」, 『당대비평』 13·겨울호, 서울 : 삼인, 2000, 203쪽).

7) 윤해동, 「식민지 인식의 '회색지대' 일제의 '공공성'과 규율권력」, 『당대비평』 13·겨울호, 서울 : 삼인, 2000, 135~160쪽.

8) 한국인들이 학교교육에서 보여줬던 '협력'행위의 대표적인 사례로 초등교육 확충을 위한 한국인들의 집단적 요구를 거론할 수 있겠다. 오성철은 식민지 초기였던 1910년대에는 초등학교 취학률이 4%를 넘지 않았던 것이 1920년

양태를 띠고 동조하는 모습을[10] 보이지만 동시에 무저항적 저항이나 내면적 저항 등 다양한 방식의 저항을 포괄하는 이중성을 갖고 있는 행위방식이다. 따라서 회색지대의 대다수 한국인들은 겉으로는 협력의 양태를 띠고 동조하는 모습을 보이지만 이것이 지배를 내면화하는 것까지를 의미하는 것은 아니었기에[11] 일제의 식민지 통치 및 식민지 교육체제는 구조적인 모순과 불안정성을 지닐 수밖에 없다는 것이 공통적인 결론이다.

세 번째 특징은 학교교육의 수혜자는 대부분 중간계층의 유산자(有

대 접어들면서 지속적으로 상승하다가 1934년 23.6%가 되었으며 1941년에는 52.1%로 급격히 치솟은 사실을 주목하면서 1930년대 한국인들의 초등교육 요구가 개인적 수준뿐만 아니라 집단운동 형태로 전개되었음을 부각시켰다(오성철, 앞의 책, 2000, 75~220쪽). 아울러 그는 이러한 집단운동은 한국인들의 교육에 대한 강한 집념을 증명하는 것으로서 1930년대 초등교육이 급격히 확대된 이유에 대해 통상적인 설명들, 즉 초등교육이 급증한 이유는 조선총독부가 식민지 지배에 필요한 '일본인처럼 교화된 저급 노동력'을 확보하기 위해 초등교육확대 정책을 폈기 때문이다(渡部學, 1981 ; 이만규, 1988)라는 설명은 1930년대 한국인들의 교육요구를 무시하고 있기 때문에 부분적으로만 타당할 뿐이라고 주장하면서 1930년대 초등교육이 급증하게 된 데에는 한국인들의 적극적인 교육요구가 관철되어 나타난 결과의 측면을 드러내었다.

9) '친일'이란 주체적 조건을 상실한 맹목적 사대주의적 추종이고, 나아가 매국적이라는 의미까지를 함축하는 개념이다(윤해동, 앞의 글, 2000, 145쪽).

10) 당시 뜨거웠던 교육열을 '협력'이라는 행위방식에서 비롯된 것으로 해석할 수 있다. 모든 국민에게 '교육기회균등'이라는 근대교육의 정신은 그동안 학교교육에서 배제되었던 계층들에게는 특히나 매력적인 것이었다. 학교교육만 받으면 귀속지위와는 상관없이 사회 상층부로 진입할 수 있다는 희망은 하층계급으로 하여금 학교교육에 집착하는 기제로 작용한다. 그러나 이들은 학교교육이 실제로는 중간계급 유산자들에게 유리한 '불공정한 경기규칙'이라는 것을 깨닫지 못했다. 그 결과, 교육을 통한 경쟁으로 표출되어 전체사회로 볼 때 엄청난 교육팽창을 가져왔고 계급을 불문하고 교육열이 고조될 수 밖에 없었다(오욱환, 『한국사회의 교육열 : 기원과 심화』, 서울 : 교육과학사, 2002, 154쪽).

11) 윤해동, 앞의 글, 2000, 145~146쪽.

産者)였다는 점이다. 당시 학교교육 특히, 중등교육기관 이상을 다녔던 학생은 사회적 희소성을 갖는 한국인으로서 이들 대부분은 중간계층 이상 유산자(有産者)계층의 자녀들이었다는 점이다. 이들의 사회·경제적 배경은 입학뿐만 아니라 졸업까지도 보장하는 요건이었다. 졸업장은 다음 단계의 상급학교 진학에 필수조건이므로 이들 계층에서 상급학교 진학자가 나올 수 있는 가능성이 매우 높다. 전통적인 귀속주의에서 개인의 업적주의로 패러다임이 바뀐 '근대'에서 학교교육은 사회적 성공을 위한 가장 중요한 자원이 되었지만 바로 이러한 학교교육이 유산자 계층에 우선적으로 분배되었다.

이처럼 1990년대 중·후반 이후 교육사학계는 포스트모더니즘이라 새로운 사조에 영향을 받아 이전 시기와는 다른 해석의 연구들이 쏟아져 나오고 있다. 그러나 1990년대 중·후반 이후 일련의 '일제 식민지 학교교육'라는 퍼즐 맞추기 연구에서 유아교육 부분은 아직 빈 그림으로 남아있는 상태이다. 일제 강점기의 유치원 연구는 최한수,[12) 이상금[13) 이후 거의 단절된 상태이다. 최한수는 해방 전의 유치원 역사를 처음 시도했던 선구자로서, 그리고 이상금은 방대한 사료와 구술자료 일부를 동원해서 근대 유치원 교육사를 체계적으로 집필한 이 분야의 독보적인 학자로 평가할 수 있다. 그러나 이들의 연구는 앞서 살펴본 새로운 연구동향에 비추어 봤을 때 전면적으로 재해석해야 할 내용들이 많다. 유치원 교육사를 체계적으로 연구한 이상금의 연구를 비판적으로 검토한다면 크게 두 가지로 집약할 수 있다. 먼저, 유치원을 민족주의 교육기관으로 해석한 부분이다.

이상금은 해방 전 한국유치원의 본질은 민족어·민족문화 말살의 일제통치 암흑기에 유치원에서만은 유일하게 우리말 동요를 부르고 우리말 이야기를 할 수 있었던 민족교육기관이자 동시에 일제하에서

---

12) 최한수, 「韓國幼稚園教育의 變遷過程에 關한 考察」, 중앙대학교 석사학위논문, 1982.

13) 이상금, 『한국 근대 유치원 교육사』, 서울 : 이화여자대학교출판부, 1987.

아동중심주의를 실시할 수 있었던 유일한 교육장소였다고 주장하였다. 이러한 관점에서 유치원이 급속도로 보급되기 시작하는 시점인 1920년대 이후 유치원의 급증 원인을 "신교육의 중요성 인식"[14]과 "교육구국주의"로[15] 보고 있다. 특히, 3·1운동 이후 한국인의 "애국적 교육열"을[16] 표출하는 공간으로 유치원을 설립했다는 것을 강조함으로써 유치원이 민족교육기관이었음을 재차 강조하였다.

다음으로 검토해야 할 부분은 유치원을 서민교육기관으로 해석한 내용이다. 식민지 시대 이미 제기되었던 유치원의 귀족성 문제[17]에 대해 이상금은 강하게 비판하면서 유치원은 오히려 보다 넓게 일반 서민으로부터 지지받고 후원을 받은 서민에 가까운 교육기관이었다고[18] 주장하였다. 이러한 주장의 근거로 교회부설 유치원을 언급하였다. 한국의 기독교 선교가 상류계급보다 주로 근로자 계급과 부녀자를 대상으로 전도하는 정책이었으며 지역분할 선교정책으로 산간벽지에 이르기까지 교회가 설립되었기 때문에, 서민을 대상으로 세워진 교회 내에 운영한 유치원 역시 서민적인 성격을 지닐 수밖에 없다는 것이[19] 그의 논리이다. 요컨대, 해방 전 한국 유치원은 민족주의 교육기관이며 대부분 기독교 유치원이었는데, 교회의 신도들이 주로 특수층이 아닌 일반 서민들이었기 때문에 유치원 원아들의 상당수가 서민층 신도들의 자녀들이었을 것이고, 따라서 유치원은 서민적 성격의 교육기관이었다는 것이 그의 연구 요지이다.

그러나 기존의 유치원 연구는 최근의 연구동향과는 맞지 않거나 때로는 상반되기까지 한다. 1920년대 이후 한국인이 보여줬던 뜨거운 교

---

14) 이상금, 위의 책, 1987, 166쪽.
15) 이상금, 위의 책, 1987, 177~180쪽.
16) 이상금, 위의 책, 1987, 178쪽.
17) 이상금, 위의 책, 1987, 294~295쪽.
18) 이상금, 위의 책, 1987, 295쪽.
19) 이상금, 위의 책, 1987, 154~156쪽.

육열은 '사회적 성공'과 맞물려 있는 것이며, 이 성공이 식민지 체제를 전제로 하는 한,[20] 한국인의 교육행위를 민족주의 관점에 입각해서 교육구국주의로 해석하는 것은 이미 낡은 해석이 되어 버렸다. 따라서 기존의 유치원 연구는 전면적으로 검토되어야 하겠다.

(2) 탁아소(어린이집) 보육사

유치원의 역사는 1980년대에 그나마 연구가 되었지만, 어린이집의 효시라 할 수 있는 탁아소의 역사는 지금까지 제대로 다루지 않았다고 해도 과언은 아니다. 오늘날 한국사회에서 보육문제가 국가적 수준의 문제로 확대되고 이와 관련된 정책 및 실천적인 연구들이 활발하게 진행되고 있으나, 정작 우리사회에서 언제부터 탁아소가 등장하게 시작되었는가에 대한 역사연구는 오랫동안 방치되어 왔다. 진부한 말이지만 현재의 문제를 정확하게 인식·규명하고 미래의 나아갈 방향을 정하기 위해서는 그 문제에 관한 역사적 탐색은 기본요건이다. 현재는 바로 과거에서 기인한 것이므로, 과거를 정확하게 규명할 필요가

20) 김경미a, 「식민지교육 경험 세대의 기억」, 『韓國敎育史學』 27권 1호, 한국교육사학회, 2004. 일제 강점기의 파시즘 체제시기에 최고 명문학교의 하나인 경성공립중학교를 경험한 졸업생들의 회고담 자료를 분석한 이 논문은 당시 최고의 수재인 한국인 학생지식인들의 모순성을 드러내 주었다. 논문의 주요 요지는 다음과 같다. 이 학교의 졸업생들 대부분은 이와무라 교장을 훌륭한 교육자 또는 민족을 초월한 진정한 교육자로 기억하고 있었는데 그 이유는 그가 '순수하게' 학업에 몰두할 수 있는 공간을 제공했기 때문이었다. 그러나 이 시기 학생들이 열중했던 '순수한' 학업의 공간이란 다름 아닌 '황민(皇民)'으로 만들기 위한 내용으로 가득 찬 식민지적 교육공간이었으며, 이와무라가 뛰어난 한국인 제자를 사랑하고 마음껏 능력을 발휘하여 조선사회의 엘리트가 되기를 바랐던 것도 일본제국의 '황민'을 전제로 한 것이었다. 조선을 위해 학업에 열중했다고 하지만 결과적으로 일본제국을 공고히 하는 모순된 결과를 낳게 된 것이다. 그러면서 저자는 해방 이후 한국사회의 지배층을 형성한 이들 지식인의 의식구조는 "한국민족의 정신세계에 남긴 깊은 상처"라고 결론을 맺고 있다.

여기에 있으며,[21] 탁아소의 역사를 탐색하려는 필요성이 바로 여기에 있다. 보육이 국가차원에서 해결해야 할 중대한 현안이 되고 있는 만큼 보육문제의 역사적 뿌리를 밝히는 것은 무엇보다도 선결되어야 할 과제인 것이다.

탁아소의 효시에 관한 내용은 보육정책사와 관련된 연구들 속에서 간단하게 기술되어 있는 수준이다. 보육정책사 연구들은 교육학과, 유아교육학과, 사회복지학과 등에서 유아교육정책사와 함께 다루어 왔다.[22] 이들 연구 대부분이 시간의 추이에 따라 정책들을 나열·기술하고 있으며 그 내용도 대동소이하다. 이들 연구들의 가장 큰 맹점은 보육정책의 출발을 일제 시대로부터 보고 있지만, 이 시기를 간략하게 서술하는 수준에서 처리하고 있으며 그 내용 역시 무비판적으로 기존 연구를 인용하고 있다는 점이다.[23] 선행 연구에 대한 비판적인 검토

---

21) 김인회, 『교육사·교육철학 강의』, 서울 : 문음사, 2002, 83~94쪽.

22) 김문옥, 「한국의 영유아보육법령의 변화에 관한 고찰」, 광주대학교 경상대학원 사회복지학과, 1999 ; 문태열, 「우리나라 유치원 교육정책의 변천에 관한 연구」, 고려대학교 교육대학원 교육행정 석사학위논문, 1998 ; 김미래, 「유아교육제도의 변천과 그 발전방향 모색에 관한 연구」, 한성대학교 행정대학원 교육행정 석사학위논문, 1997 ; 이선희, 「한국 유아교육 정책의 변천에 관한 일연구」, 경상대학교 교육대학원 교육행정석사학위논문, 1994 ; 박명숙, 「한국 탁아정책의 전개과정에 관한 연구」, 성심여자대학교 사회사업학과 석사학위논문, 1994.

23) 그 내용이란 다음과 같다. "우리나라의 탁아사업은 서울에서 처음 태화사회관에서 탁아프로그램을 개설함으로서 시작되었다. 1921년 당시 총독부는 사회과를 설치하여 사회사업 분야의 지도 및 통제를 관할시키게 하였다. 본격적인 탁아소는 1926년 부산공생탁아소와 대구탁아소의 2개 시설이 설치, 운영되었고, 1937년에서 1941년 사이에 서부·용강·성동·영등포 인보관이 설치돼 요보호자(要保護者)에 대한 보호구제사업을 담당하게 되어 이 인보관에서 프로그램의 하나로 탁아보호사업을 실시했으리라고 짐작된다. 1939년 총독부에 설치되어 있었던 '사회복지연합회'의 통계를 보면, 11개소의 공·사립 탁아소가 있었는데, 아동은 435명, 관립 1개소, 부·읍·면 2개소, 재단 3개소, 종교단체 1개소, 사립 1개소, 기타 3개소로 되어 있으며 유·무료를 보면, 11개 중 무료 4개 시설, 유료 7개 시설로 기록되어 있다."(임종운,

작업을 하지 않은 채, 재인용을 되풀이한다는 것은 역사인식의 부재를 단적으로 보여주는 것이다.

이밖에 사회학과나 여성학과에서 여성주의 입장으로 보육정책을 다룬 연구들이 있다.[24] 이들 연구도 연구주제 및 전개과정이 유사하다. 보육정책을 1980년을 기점으로 나누어 분석하면서, 1980년 이전의 보육정책은 기존의 연구들을 대부분 인용하면서 개략적으로 정리한 수준에 그치고, 1980년 이후는 영유아보육법이 제정되는 과정에서 여성—모성이데올로기—이 어떻게 반영되었으며 여성의 요구들을 어느 정도 반영했는지 등을 주로 다루었다. 이들 연구는 '여성'이란 변인과 '여성주의'라는 관점으로 보육정책을 분석했기 때문에 보육정책사를 평면적으로 서술한 것보다는 입체적인 해석을 할 수는 있었으나, 역사인식의 부재는 극복하지 못했다. 이상의 선행 연구를 통해 드러난 문제점을 정리하면 다음과 같다.

첫째, 오늘날 보육기관의 시원(始原)이라 할 수 있는 탁아소에 대해 면밀하게 규명한 연구는 그동안 거의 없었다. 일제 강점기 보육정책 연구로는 강정숙의 연구가 유일하다.[25] 이 논문은 일제 강점기 탁아정책을 1차 사료를 가지고 고찰했다는 점에서 큰 의의를 지닌다. 그러나 여성주의 입장에서 여성정책의 일환으로 탁아소를 연구했기 때문

「우리나라 탁아사업의 발전과정」, 『社會福祉』 통권83호, 1984 겨울, 102~122쪽). 이 내용은 지금까지 일제 강점기 보육정책을 언급하고 있는 거의 모든 글에서 일률적으로 인용하고 있는 구절이다(예를 들어 이용환・이정숙, 『영유아보육론』, 서울 : 대학출판사, 2001, 34쪽 ; 한국유아교육학회, 김종해 외, 「한국 유아교육・보육 관련법과 제도의 역사와 미래」, 『한국유아교육과 보육의 자리매김』, 한국유아교육학회2005 창립30주년기념식 및 정기학술대회 자료집, 2005. 10, 49쪽).

24) 유정은, 「탁아정책 형성과정에 나타난 모성이데올로기 영향에 관한 연구」, 효성여자대학교 여성학과 석사논문, 1995 ; 장미경, 「한국탁아정책의 변화요인에 관한 연구」, 강원대학교 문학석사논문, 1993.

25) 강정숙, 「일제말(1937~1945) 조선여성정책-탁아정책을 중심으로」, 『아시아문화』 제9호, 강원 : 한림대학교, 1993, 1~22쪽.

에 여전히 보육정책의 중요한 한 축인 아동과 관련된 부분은 거의 다루지 못했으며, 소논문이기 때문에 심도있게 분석하지 못한 한계가 있다.

둘째, 기존 연구들은 전공에 따라 여성과 아동을 이분화해서 연구하였다. 다시 말해서 교육학과, 유아교육학과, 아동학과, 사회복지학과에서는 아동 중심의 연구를, 여성학과나 사회학과에서는 여성을 중심으로 보육연구를 다루었다. 그러나 보육문제는 여성과 아동 모두를, 더 나아가 가족을 포함하는 다면적이고 복합적인 문제이다. 보다 통합적인 관점으로 접근할 필요가 있다.

2) 뿌리 깊은 보육문제

오늘날 유아교육 내지는 유아보육계는 소위, 유(幼)·보(保)라는 제도로 이원화되어 있다. 이 연구를 하면서도 '유아교육'이라 해야 할지 '영유아보육'이라 해야 할지 내내 혼돈스러웠다. 현실에 엄연히 존재하는 이 두 용어는 편의에 따라 사용할 수 있는 것이 아니라 어떠한 용어를 쓰느냐에 따라 그 사용자의 입장이 드러나는, 상당히 민감한 문제이다. 즉, 유아교육은 '유치원'을 중심으로 하는 연구자와 종사자들이 사용하는 용어로서 대개 만3세~취학전 유아를 대상으로 하며, 영유아보육은 '어린이집'— 포괄적으로 보육시설이라고도 함 —을 중심으로 연구하는 학자나 종사자들이 사용하는 용어로서 대개 0세~취학전 영유아를 대상으로 한다. 용어 사용이 얼마나 민감한 상항인지는 1997년도 교육개혁위원회(이하, 교개위)의 교육개혁안에서 '법조문 제정'[26]이나 '연령별 역할체제 논쟁'[27]에서 여실히 드러났다.

---

26) 법 조문상의 유아교육과 보육 용어의 정의문제는 유아교육법의 제정 최종단계까지 논쟁이 되었던 사항으로, 유아교육법의 정의에 '보호'라는 용어를 포함할 것인가 제외할 것인가의 문제였다. 유아교육계는 보호를 포함해야 한다는 입장이었으며 보육계는 보호를 제외하여야 한다는 입장이었다. 특히

그러나 유(幼)·보(保) 두 기관은 용어 사용에까지 예민한 반응을 보이면서 첨예하게 대립하지만, 현실에서의 두 기관은 기능면이나 역할면에서 그 차이가 점점 모호해지고 있다. 오늘날 교육중심의 유치원과 보호중심의 어린이집(탁아소)의 경계가 흐려지고 있는 가시적인 현상으로 예를 들어 1990년대 중·후반부터 반일제로 주로 운영해 오던 유치원에서 종일반 운영을[28] 한다든가, 유치원의 교육프로그램과

한국보육시설연합회의 반대가 심했다. 이에 대해 교육부는 영유아보육법에서는 교육을 제외하여야 한다고 주장하기도 하였으나, 유아교육계에서는 이미 보육현장에서도 교육이 이루어지고 있다는 점에서, 또 영유아의 발달상 교육이 필요하다는 점에서 교육부의 의견에 동의하지 않았다. 보육계의 강한 반발에 부딪힌 유아교육계는 유아교육법의 제정이 더 중요하며, '교육이라는 용어에 이미 보호의 의미가 포함되어 있다'는 판단에 따라 보호를 삭제하는 것에 합의하였다(한국유아교육학회, 『한국 유아교육과 보육의 자리매김』, 한국유아교육학회2005 창립30주년기념식 및 정기학술대회 자료집, 2005. 10, 79쪽).

27) 이는 1997년 교개위 4차 교육개혁안에서 나온 제안으로 유치원과 보육시설의 기능이 유사하다고 판단, 0~2세는 보건복지부 산하의 보육시설로 단일화하고 3~5세는 교육부 산하의 유아학교로 단일화하여 연령별로 2원화된 체계를 구축하자는 안이다. 이러한 연령별 분담체제안에 대해 보육계는 보육, 특히 영유아보육까지 축소될 수 있다고 강하게 반발하였고, 갈등이 유아교육계와 보육계만이 아니라 정부 부처간, 관련 학제와 사회단체간에까지 확대되었다(한국유아교육학회, 위의 책, 2005, 79쪽).

28) 교육부는 1994년 1월 11일 「유치원종일반 운영지침」을 마련하여 전국 유치원에 시달하였다. 교육부가 이 운영지침을 마련한 것은 취업모 자녀의 유아교육기회 제공과 취업모의 안정적 경제적·사회적 활동을 위하여 종일반 운영을 확대한다는 것이었다. 종일반을 운영하기 위해서는 별도의 시설·설비·교육내용·교육비 등이 추가로 소요된다. 이러한 내용의 유치원 종일반의 세부 운영지침을 중심으로 개관하면 다음과 같다. 시설·설비－시설은 취침식(유희실 겸용 가능), 난방시설, 조리실(병설 유치원은 가급적 급식시설 활동), 교육·내용－오전에는 정상적인 유치원 교육과정 운영, 오후에는 연령에 적합한 교육과 보육, 취원대상아－취업모자녀를 우선 취원시키되 수용가능한 범위 내에서 비취업모 자녀 중 취원의 필요가 인정되는 유아, 반편성－유치원의 실정을 고려하여 편성(종일반 편성 또는 오후 종일반 편성)토록하고 반당 인원을 15~25명으로 하되 지역 및 유치원 실상에 따랄 조정 *운

별반 차이가 없는 어린이집에서의 교육기능 강화가 그것이다. 그럼에도 불구하고 유(幼)·보(保) 두 기관의 분명한 '경계선 긋기' 식의 영역싸움은 유(幼)·보(保) 이원화 문제가 하루아침에 형성된 것이 아니라 오랜 시간을 통해 형성되어 오면서 고착된 역사적 산물임을 말해주는 것이다.

오늘날 보육정책과 관련해서 또 하나의 문제를 제기하려 한다. 보육정책이 중요한 국가정책으로 추진되고는 있지만 우리나라 부모들은 사(私)보육에 전적으로 의존하고 있는 실정이다. 이는 유치원, 어린이집 모두 마찬가지이다. 2005년 11월 현재 보육시설 25,319개소 중에서 국공립 보육시설은 1,344개소로서 5.3%, 민간 보육시설은 23,741개소로 93.8%, 직장 보육시설은 234개소 0.9%의 비율로[29] 민간 보육시설이 절대다수를 차지하고 있다. 유치원의 경우 시설수는 공립유치원이 4,409개로 사립의 3,863개보다는 조금 더 많지만 원아수를 비교해 보면 공립은 124,030명 사립은 417,320명으로 사립유치원이 압도적으로 많다.

<표 1> 2005년도 유치원 현황 (단위 : 개원, 명, %)

구 분	시설수	원아수	교원수
국 립	3 (0.4)	253	17 (0.5)
공 립	4,409 (53.28)	124,030 (22.90)	6,929 (22.33)
사 립	3,863 (46.68)	417,320 (77.05)	24,087 (77.62)
총 계	8,275 (100.00)	541,603 (100.00)	31,033 (100.00)

*출처 : 교육인적자원부, 2005년 유치원 현황(한국유아교육학회, 『한국 유아교육과 보육의 자리매김』, 2005. 10, 61쪽에서 재인용)

영시간－1일 운영시간은 8시에서 18시를 기준으로 하되 지역 실정에 맞게 조정, 운영경비－종일반 운영에 필요한 경비(인건비, 중·간식비)는 수익자 부담 원칙에 따라 학부모 부담, 교직원 배치－담임교사 1명 이외에 종일반 1학급당 교사 또는 시간강사 1명, 취사 담당 일용직(시간제 근무) 1명 추가 배치 권장.

29) http://www.mogef.go.kr(검색일 2005. 11. 15).

이러한 현실은 수많은 보육정책이 나오고는 있지만 공(公)보육으로 안착되지 않고 있다는 것을 의미하는 것으로 보육문제의 중요성을 역설하고 있는 국가의 불안정하고 모순된 태도를 보여주는 대목이기도 하다. 보육정책은 유아만을 대상으로 하는 유아정책이 아니다. 한 나라가 어떠한 보육정책을 펼치느냐에 따라 유아뿐만 아니라 여성, 그리고 그 가족의 삶에까지 영향을 미치는 복합적인 정책이다.[30] 21세기 무한한 경쟁사회에서 여성인력—특히, 대졸이상의 여성고급인력—의 활용이 절대적으로 필요한 시대로 바뀌고 있는 상황에서[31] 국가는 국가경쟁력 확보와 경제발전을 위해서 양질의 여성고급인력을 적극적으로 노동시장에 유인해서 이들의 노동력을 최대한으로 활용해야만 하는 시대적 과제에 직면하게 되었다. 그리고 이를 위한 가장 필요한 조건이 다름 아닌 보육정책이다.

---

30) 우리나라는 2004년부터 보육정책 소관이 보건복지부에서 여성부(2005년도 여성가족부로 개칭)로 이관되었다. 또한, 2005년 12월 정부산하의 기구로 '육아정책개발센터'가 개원하였다. 이 센터는 그간 한국교육개발원, 보건사회연구원, 여성개발원의 3개 기관에서 나누어 수행해 오던 보육·유아교육 정책 연구사업을 종합적·체계적으로 수행을 목적으로 설립되었는데, 이는 보육정책의 일원화를 지향하겠다는 국가의 의지표명이라 볼 수 있다.

31) 미국의 주요 컨설팅업체의 하나인 맥킨지가 발표한 「맥킨지보고서」는 한국의 향후 경제발전을 위해서 다음과 같이 조언하고 있다. "한국이 2010년까지 세계10위권의 1인당 국민소득을 자랑하는 선진국이 되기 위해서는 구매력 평가를 기준으로 1인당 국민소득을 3만 1,000달러까지 끌어올려야 한다. 이를 달성하기 위해 한국은 2010년까지 매년 6.1%의 고도성장을 유지해야 하는데 이는 구조조정뿐만 아니라 향후 10년에 걸친 전반적인 산업구조의 '대전환'없이는 불가능한 목표이다. 2010년까지 서비스업과 지식사업을 중심으로 산업구조를 일대 혁신하는 과정에서 약 300만개의 일자리가 새로이 창출될 것으로 전망되며 이 중 전문직 일자리는 120만개에 달할 것이다. 이러한 전문직 일자리는 대졸이상 인력으로 대부분 채워지는데 현재의 인력공급 구조상 남성인력 전원이 충원되어도 인력공급은 모자랄 전망이다. 따라서 현재 54%에 불과한 대졸 여성의 경제활동참가율을 획기적으로 높여 새로운 산업구조에 기여해야 한다."(맥킨지, 『우머코리아보고서』, 서울 : 매일경제신문사, 2001, 16~17쪽).

미래를 책임져야 할 유아의 보육, 국가경제발전에 일익을 담당해야 하는 여성, 직업을 통한 여성의 경제적 자립과 자아실현, 그리고 국가의 기초단위인 가정의 행복을 위해서 보육정책은 국가차원에서 적극적으로 추진해야 할 과제라는 주장은 이미 진부한 말이 돼버렸다. 그럼에도 불구하고 해방 이후 60년이 지나고 세기가 바뀐 지금까지 공(公)보육 시스템을 구축하지 못해 온 혹은 하지 않는 근원적인 이유는 무엇일까? 이 물음에 대한 답 역시, 유아보육사의 연구를 통해 구하고자 한다.

2. 연구목적 및 연구내용

학계에서 홀대 받아온 유아보육사를 최근의 연구동향에 발맞춰 탐색하려는 욕구, 오늘날의 뿌리 깊은 유(幼)・보(保) 이원화 문제, 많은 노력에도 불구하고 공(公)보육으로 재편되지 않고 있는 문제 등의 본질적인 원인을 규명하고픈 호기심이 이 연구의 원동력으로 작용하였다. 이를 위해 유치원과 탁아소가 생겨나기 시작하는 일제 강점기를 연구시기로 잡고 유치원과 탁아소를 고찰・분석하려 한다.

연구내용은 크게 Ⅱ부의 유치원 보육사와 Ⅲ부의 탁아소 보육사로 구성되는데, 먼저 유치원 보육사를 다룬 Ⅱ부의 연구내용은 다음과 같다. 유치원에 대한 본격적인 고찰 이전에 새로운 유치원 보육사를 쓰기 위해서는 무엇보다도 새로운 관점—사관(史觀)—이 필요하다는 것을 제기하면서 이에 대한 내용을 Ⅱ부의 1장에서 다룬다. 여기서 고찰한 내용을 토대로 식민지 시기의 유치원보육사 연구에 본격적으로 착수한다.

Ⅱ부의 2장에서는 한국인 유치원 연구의 애로점에 대해 간략하게 언급한 다음, Ⅱ부의 3장과 4장에 걸쳐 식민지 시기 유치원의 변화과

정을 고찰한다. 1910년대, 1920년대, 1930년대에서 일제 말기까지의 3시기로 구분해서 시간의 흐름에 따라 유치원의 양적 규모, 설립주체, 특징이 어떻게 변화되어 갔는지를 중심으로 한국인 유치원을 고찰한다. 이 과정에서 개신교를 주요 변인으로 두고 개신교를 둘러싼 정치·사회적 변화와 이에 따른 개신교의 대응 속에서 유치원이 어떻게 변화되어 갔는지를 살펴본다. 개신교를 주요 변인으로 둔 것은 본문에서 다루겠지만, 한국인 유치원과 개신교는 동전의 양면과 같은 관계에 있었기 때문이다.

Ⅱ부의 5장에서는 유치원의 수요자인 한국인에 초점을 맞춰 살펴본다. 자녀를 유치원에 보낸 이유는 무엇이며, 이들 가정의 특징은 무엇인지를 규명하고 이를 토대로 유치원의 의의와 한계점을 짚어본다.

Ⅱ부의 6장에서는 유치원의 운영방식과 교육과정에 대해 개신교를 위시로 한 종교계 유치원과 비종교계 유치원으로 나누어서 고찰한다.

탁아소를 다룬 Ⅲ부의 내용 구성은 다음과 같다. Ⅲ부의 1장에서는 탁아소에 대한 당시 사회적 담론을 먼저 살펴 본 다음에 탁아소 실태를 고찰함으로써 탁아소의 이상과 실제와의 간극을 드러내고자 한다. 탁아소의 경우는 다시 도시형과 농촌형의 두 유형으로 분류되는데, Ⅲ부의 2장에서는 도시상설탁아소를 다룬다. 도시상설탁아소과 관련해서 당시 사회사업의 일환으로 추진된 방면제도 및 인보사업(隣保事業)의 도입 배경·목적·전개·실태 등을 전반적으로 살펴본다. 다음으로 도시상설탁아소가 등장하게 되는 사회적 맥락을 살펴보면서, 도시상설탁아소의 등장 원인과 수탁아동들의 사회·경제적 배경, 운영했던 보육프로그램, 시설 정도를 중심으로 고찰한다. 일제 말기 군국주의 강화 속에서 도시상설탁아소의 전개를 살펴보고 이를 토대로 1920~30년대와 1940년대의 탁아소를 비교·분석해 본다.

Ⅲ부의 3장에서는 농번기탁아소에 대해 1930년대와 1940년대로 시기를 구분해서 고찰한다. 농번기탁아소가 등장하게 된 배경·설립목

적・운영실태를 중심으로 고찰하며 1940년대 이후 농번기탁아소가 변화되는 원인과 내용을 검토한다. 그리고 농번기탁아소에서 수탁아동들에게 제공한 보육이 있었는지, 있었다면 그 내용과 성격이 무엇인지를 규명한다.

Ⅳ부에서는 신여성 직업의 하나인 '보모(保姆)'를 다룬다. 보모는 당시 보육 교사를 지칭하는 용어이다. 유치원 및 탁아소가 등장하면서 이 기관에서 실질적으로 보육을 담당하게 될 사람이 필요하게 되면서 보모양성이 대두되었다. 보모는 어떠한 교육기관에서 어떠한 교육과정을 거쳐 양성되었는지를 고찰하고, 보모 탄생의 의미를 여성주의 관점에서 짚어보도록 하겠다.

Ⅴ부에서는 지금까지 고찰한 유치원과 탁아소의 연구결과를 토대로 서론에서 언급한 문제제기와 관련지어 보육과 여성, 그리고 국가와의 관계를 여성주의 관점으로 종합적으로 논의한다.

마지막 Ⅵ부에서는 본문 내용을 요약, 정리하면서 결론을 맺는다.

3. 연구방법 및 연구범위

이 연구는 문헌연구방법을 사용한다. 우선, 조선총독부에서 간행한 관련 자료들을 분석대상으로 삼는다. 유치원과 관련해서는 『官報』, 『朝鮮諸學校一覽』, 『朝鮮統計年報』 등의 정기간행물이 주된 분석대상이다. 아울러 선교사들이 남긴 자료를 분석한다. 감리교・장로교의 연합 잡지인 *The Korea Mission Field*를 비롯해서 *The Korea Magazine*, *Woman's Missionary Friend*, *The S. S. MAGAZINE*, *Woman's missionary council*, 『그리스도 신문』, 『朝鮮監理年會錄』 등을 면밀히 검토한다.

탁아소 연구와 관련해서는 『朝鮮社會事業要覽』, 『朝鮮の社會事

業』, 『朝鮮社會事業』, 『調査月報』, 『社會事業講習會講演錄』, 『農繁期託兒所開設の手引』, 『朝鮮農會報』, 『朝鮮彙報』 등의 조선총독부에서 나온 사료를 분석한다.

일제가 편찬한 사료의 한계를 보완하기 위해서 민간에서 간행한 각종 신문과 잡지를 활용한다. 탁아소와 유치원은 상대적으로 사료가 충분하지 않을 뿐더러 현존하는 사료들 중, 수치의 불일치 등등 연구의 어려움이 많기 때문에 민간에서 나온 다양한 자료들을 적극적으로 검토할 필요성이 크다. 따라서 『동아일보』, 『조선일보』, 『매일신보』, 『조선중외일보』, 『신가정』, 『別乾坤』, 『신여성』, 『신생활』, 『여성』, 『批判』, 『東光之光』 등 다양한 잡지와 신문들을 활용한다. 이외에도 당시 유치원의 교사인 보모를 양성했던 보육학교에서 간행한 책자도 중요한 분석대상이다. 이와 관련해서 『梨花女子專門・梨花保育學校一覽』, 『梨專・梨保 동창회보』등이 있으며, 일제 강점기의 유치원 및 보육학교를 해방 이후 계승한 여러 학교에서 간행한 학교사(學校史) 책자도 연구의 자료로 이용한다.

Ⅱ. 유치원 보육사

1. 유치원 보육사를 바라보는 새로운 관점

유치원을 본격적으로 다루기 전에 역사를 보는 관점, 사관(史觀)에 대해 이야기하고자 한다. 후술하겠지만 개신교를 언급하지 않고는 유치원의 역사를 말하는 것은 어불성설(語不成說)이다. 이 책에서는 내한(來韓) 선교사 및 선교정책을 하나의 중요한 사회현상으로 규정하고 이를 당시 정치적 역학관계 속에서 분석·고찰함으로써 기존의 호교론적(護教論的) 관점과[1] 이러한 관점에서 연구한 기존 개신교 교육사 연구들의 한계점을 드러내고자 한다.

일반적으로 한국교육사에서 근대학교의 설립주체를 정부, 민간인, 선교사 3가지 범주로 분류하고 있을 만큼 선교사가 한국 근대교육 형성에 미친 영향력은 지대하다고 할 수 있다. 격동의 한말, 새로운 교육—근대교육—은 풍전등화(風前燈火)였던 조선을 구원해 줄 수 있는 희망으로 인식되었으며 개신교계 학교, 이 학교들을 세운 선교사, 문

---

1) 이 논문에서 '護教論的 관점'이란 개신교를 탈역사적·탈사회적인 '순수하고 좋은 것'으로만 환원시키는 연구자의 관점을 의미한다. 이에 대해 '脫호교적 관점'은 개신교를 여러 사회현상들 중의 하나로 보고, 당시 정치·사회·외교·통상 등의 사회적 맥락 속에서 비판적으로 파악하려는 연구자의 관점을 뜻한다. '脫'이란 접두사에는 '反'의 개념이 내포되어 있기는 하지만, 도식화된 이분법적 인식의 틀을 넘는다는 보다 포괄적인 의미로서 '脫'을 사용하였다.

명개화의 표상인 개신교는 '좋은 것'으로 평가 받았다. 개신교를 호교론적 관점으로 연구한 대표적인 교육사 연구자로는 오천석, 손인수, 이상금 등을 꼽을 수 있다. 다음은 손인수가 개신교계 학교를 평가한 대표적인 구절이다.

> "기독교계 학교의 건학정신은 모두가 다 전근대적인 봉건성과 유교적 사대사상을 탈피하지 못하고 있던 당시의 우리 사회에 사랑과 자유와 봉사를 표방하는 기독교의 정신을 널리 전함으로써 이웃과 사회를 위하여, 나아가 민족과 국가를 위하여 헌신할 수 있는 참된 민족의 역군을 기르고, 낡은 사회질서를 개혁하여 민주적인 새로운 질서를 세우는 동시에 자주·자립하는 적극적인 정신적 자세를 기르는 데 두었다."[2]

이상금의 연구에서도 이와 유사한 호교론적 사관이 강하게 녹아 있다. 그에 의하면, 일제 강점기의 유치원은 마지막까지 한국어를 사용할 수 있는 유일한 공간[3]으로서 "민족교육의 숨통을 막아 놓은 식민지시대 전시기를 통해서 교육구국주의를 계승 발전시키고 그 원형을 보존한 곳은 유치원밖에 없었다"[4]고 평가하면서 유치원을 철저하게 민족교육을 실시했던 기관으로 규정하고 있다. 호교론적 관점은 선교사에도 그대로 적용된다. 이화학당을 설립한 스크랜튼(M. F. Scranton) 부인이 "우리의 목표는 이 여아들로 하여금 우리 외국 사람들의 생활, 의복 및 환경에 맞도록 변하게 하는 데 있지 않다. 우리는 단지 한인을 보다 나은 한국인으로 만드는 데 만족한다"라고 한 것을 액면 그대로 받아들여 "이들이 한국인을 위해 진력을 다했으며", 더 나아가 "선교사들은 명목상이 아니라 한국독립을 위한 실질상의 챔피언들"[5]이

2) 손인수, 『韓國近代敎育史』, 서울 : 연세대학교출판부, 1971, 39쪽.

3) 이상금, 앞의 책, 1987, 339~342쪽.

4) 이상금, 위의 책, 1987, 178쪽. 이외에도 이 책의 많은 부분에서 이와 유사한 글을 쉽게 발견할 수 있다.

라고 선교사들을 위인(偉人)에 가깝게 규정한 것은 연구자 저변에 흐르고 있는 개신교에 대한 호교론적 태도에서 비롯된 것이다. 그리고 이와 같이 호교론적 관점에서 연구한 유치원을 비롯한 기타 개신교 학교와 관련된 연구들에 대해 그간 교육사학계에서는 별 문제제기를 하지 않았다. 그러나 이러한 연구들은 다음과 같은 문제점들을 내포하고 있다.

첫째, 개신교 및 개신교의 교육활동을 순수한 종교적 활동으로만 파악했다는 점이다. 그러나 개신교 및 개신교 교육의 성격을 정확하게 규명하기 위해서는 선교사 및 선교정책의 틀 속에서, 더 나아가 이들을 둘러싸고 있는 당시 정치·사회·외교라는 커다란 틀 속에서 분석되어야 한다. 왜냐하면 선교사들은 개인적 차원으로 조선에 온 것이 아니라 자신이 속한 교단에서 파견되었으며, 그 교단은 국가에 속해 있는 구조였으며 그 국가는 거의가 식민지 개척에 앞장 선 제국이었기 때문이다. 19세기 이후 개신교가 전 세계로 확장하는 그 이면에는 자국(제국)의 정치적 힘의 논리가 강력하게 작용하고 있었다. 언더우드(H. G. Underwood)가 "한국은 1882년이 되어서야 서방에 문호를 개방하였으며, 그것도 미국 해군의 슈펠트 제독에 의해서 였다. 이것은 서양 교회에게는 한국에 들어가 개신교를 전파하라는 분명한 신호였다."[6]라고 말한 것이나, 장로교 외국선교부의 엘린우드(Ellinwood)가 "장차 수십 년간의 우리의 선교사업은……외교와 상업의 영향을 더 밀접하게 받지 않을 수 없을 것이다"[7]라는 기록들은, 개신교의 팽창에는 정치·외교·통상과 같은 세속적인 일과 밀접하게 관련되어 있었다는 것을 시사한다.

---

5) 이상금, 위의 책, 1987, 147~148쪽.

6) H. G. Underwood, 한동수 역, 『와서 우릴 도와라』, 서울 : 기독교문서선교회, 2000, 149쪽.

7) F. H. Harrington, 이광린 역, 『開化期의 韓美關係』, 서울 : 일조각, 1973, 109쪽.

이처럼 개신교의 해외선교에는 제국의 국력이 '보이지 않은 손'으로 작동하고 있었다. 당시 제국열강들의 지배 이데올로기란 양육강식, 적자생존이란 사회적 진화론을 바탕으로 한 제국주의였다는 것은 주지의 사실이다. 이와 유사한 문제제기는 일찍이 있어 왔다. 김인회는 제국주의 팽창과 개신교의 상관성을 간파하면서, "미국 선교사들의 교육활동은 한국인들의 지적 수준의 향상이나 민족적·국가적 독립의식의 확대보다는 개신교 선교라고 하는 궁극적 목적과 미국의 국익이라고 하는 절대기준 밑에서 전개될 수밖에 없었다"[8]면서 호교론적 태도를 경계했다.[9]

둘째, 일면(一面)을 전체로 보는 오류를 범해왔다는 점이다. 인문사회과학 연구에서는 어차피 전체를 다루는 것은 불가능하므로 부분을 선정해서 전체를 해석할 수밖에 없지만, 문제는 무엇을 부분으로 잡느냐는 것이다. 당시 한국에는 다양한 국적과 교파의 개신교들이 들어왔지만 분명 한국 선교의 헤게모니를 장악한 주요 세력은 있었다. 따라서 해석의 오류를 최소화하기 위해서는 이들을 대상으로 해서 분석하는 것이 최선의 방법일 것이다. 1990년대 이후 학계는 포스트모더니즘, 탈식민주의라는 새로운 사조 속에서 '근대' 그 자체에 대한 비판적 검토와 반성을 하게 되었고 교육사학계도 이러한 흐름 속에 있다.[10]

---

8) 김인회, 『교육과 민중문화』, 서울 : 한길사, 1984, 96쪽.

9) 윤건차도 근대 기독교계 학교들의 긍정적인 평가– 계급사상 타파, 여성교육을 통한 남녀평등 실천 등 –를 하면서 동시에 "한국의 근대교육을 담당한 가장 큰 존재였던 기독교적 학교는 일본의 침략에 대항하는 민족적 에네르기를 창출하는 기능을 맡았으면서도, 그 종교적 친미적 요소 때문에 민족적 주체성의 형성에 일정한 편향을 가져와 결과적으로 한국 근대 부르조와 민족운동을 적지 않게 왜곡시켰다"는 부정적인 평가도 함께 내리는 비교적 균형있는 시각을 보여주었다(尹健次 저, 심성보 역, 『한국근대교육의 사상과 운동』, 서울 : 청사, 1987, 197쪽).

10) 대표적인 연구로는 이윤미 논문이 있다. 그는 '탈'(beyond)식민주의 관점에서 '식민지 수탈론'과 '식민지 근대화론' 모두 서구의 시선으로 동양을 규정한 '오리엔탈리즘'에 입각한 서구 제국주의 국가의 '근대기획'이란 한계를 지

'근대, 서구화, 문명개화=좋은 것'이란 기존의 믿음에 균열이 생기고, 이는 서구 문명화의 상징이었던 개신교를 비판적으로 연구할 수 있는 토대를 제공해 주고 있다.

1) 내한(來韓) 선교사의 주류

우리에게 친숙한 선교사들을 꼽는다면, 1884년 9월 최초로 한국에 온 북장로교 선교사 알렌(H. N. Allen), 이듬해 북장로회의 언더우드(H. G. Underwood), 북감리교의 아펜젤러(Appenzeller)가 있다. 이들의 공통점은 미국인이라는 것이다. 이처럼 미국 선교사들의 내한을 가능하게 했던 가장 중요한 계기는 1882년 체결된 '한미수호통상조약'이라 하겠다. 실제로 이 조약이 체결된 이후부터 미국 선교사들이 한국에 오기 시작했다. 선교사들의 내한에는 국가 간의 통상·외교라는 정치적 측면이 밀접하게 연관되어 있음을 알 수 있다. 이 조약에서 미국인들에게 치외법권의 특권을 보장하였는데 이러한 안전장치가 미국 선교사들의 내한 및 선교활동을 촉진시켰던 것이다.

> "제4조 조선에 거주하는 미합중국 공인으로서 평화롭게 자기 일에 종사하는 자는……모든 것에 대해 조선의 정부로부터 보호를 받을 것이며, 해당국은 종류 여하를 막론하고 일체의 능욕과 훼손으로부터 그들을 보호한다.……미합중국 공민으로서 그가 해안 또는 상선에서 조선 국민의 인신을 능욕하거나 괴롭히거나 가해하거나 혹은 재산을 훼손하는 자는 미합중국의 영사 또는 해당 권한을 가진 기타의 관리가 미합중국의 법률에 의거하여 체포하고 처벌한다."[11]

적하고, 한국 식민주의의 연속성을 비판적으로 논의하였다(이윤미, 「식민지 교육의 연속성에 대한 관점과 식민주의의 '근대성'에 대한 논의」, 한국교육사학회, 『한국교육사학』 제26권2호, 2004, 193~220쪽).

11) F. A., Mckenzie, 신복룡 역, 『대한제국의 비극』, 서울 : 집문당, 1999, 부록편, 261쪽.

미국인 선교사들은 수적으로 영국, 캐나다, 호주에서 파견된 선교사들과는 비교도 안 될 정도로 압도적 우위를 차지했으며 한국의 선교시장은 이들 미국 개신교 교단들이 거의 독점화하였다.[12] 내한 선교사들의 또 다른 특징은 대부분이 장로교와 감리교 소속이라는 것이다.[13] 장로교와 감리교는 한국에 진출할 무렵 모두 자국에서 중산층 종교로서 미국의 기존질서와 문화 속에 잘 통합되어 있었으며, 이 교파들에서 파견된 선교사들은 중산층 배경에서 성장했다는 점에서 내한 미국 선교사들은 미국의 지배적인 문화와 이데올로기를 내면화한 사람들일 가능성이 매우 높다고 볼 수 있다.[14] 그러나 무엇보다도 내

---

12) 이만열, 「한국 기독교와 미국의 영향」, 『한국기독교와 민족의식』, 서울 : 지식산업사, 1991, 445쪽. 1893년부터 1983년까지 한국에서 활동했던 개신교 선교사는 총 1,952명으로 이 가운데 87.6%에 해당되는 1,710명이 미국인이었다.

13) 강인철, 「한국교회 형성과 개신교 선교사들 : 1884~1960」, 『한국학보』 제75집 여름, 서울 : 일지사, 1994, 177쪽의 <표 2> 참조.

14) 강인철, 위의 논문, 1994, 188쪽. 한국에 온 개신교 선교사들은 거의 전부가 대학 졸업 이상의 학력을 갖고 있었다. 예를 들어, 조선 최초의 선교사 알렌은 1881년 오하이오 웨슬리언 대학 신학부, 1883년 마이애미 의대를 각각 졸업한 후, 이듬해 주한 미국공사관 공의신분으로 내한했다. 장로교의 초대 복음선교사였던 언더우드의 조부는 런던에서 의학관계서적 출판업자였고, 외조부는 신학박사로서 '런던선교협회'의 창설에 참여하고 28년간 이 단체의 심사위원장을 역임했다. 그의 부친은 왕립예술원의 훈장을 받은 과학자이자 발명가로서 한때 사업에서도 큰 성공을 거뒀으며, 삼촌인 존슨목사는 런던선교협회의 총무였다. 언더우드 자신은 13세 때 가족을 따라 미국으로 이민간 후, 1881년 뉴욕대학을 졸업하고 뉴브룬스윅 신학교에 입학하였고, 한국에 오기 전 해인 1884년 신학교를 졸업함과 동시에 뉴욕대학에서 문학석사학위를 받았다. 감리교의 초대 복음선교사였던 아펜젤러는 펜실베니아주의 농촌출신으로, 프랭클린마샬대학을 졸업한 후 1881년 드루신학교에 입학하여 1885년 졸업 직후 목사안수를 받았다. 감리교 최초의 의교선교사 스크랜튼은 코네티컷주 뉴헤이븐 태생으로, 1878년 예일대학, 1882년 뉴욕의과대학을 각각 졸업한 후 클리블랜드에서 개업했다가 1885년에 내한했다. 헐버트는 미들베리대학의 학장이며 목사였던 아버지와 다트머스대학 창설자의 후손인 어머니 사이에 태어났고, 다트머스대학과 유니언신학교를 졸업하고

한 선교사들의 중요한 특징은 근본주의적 신앙으로 무장된 사람들이라는 점이다. 다음 글은 근본주의자들의 특징을 설명하고 있다.

> "한국 문호개방 이후 찾아온 전형적인 선교사는 청교도형(淸敎徒型)의 사람이었다. 그는 성수주일(聖守主日)하기를 우리 조상들(미국인)이 뉴잉글랜드에서 1세기 전에 하듯 한다. 그는 댄스나 흡연이나 카드놀이를 그리스도인들이 할 수 없는 죄로 간주한다. 신학과 성서비판에서는 굉장히 보수적이며 그리스도의 전천년왕국재림설(前千年王國再臨說)을 핵심적인 진리로 믿는다. 고등비판이나 자유신학은 위험한 이단으로 단죄된다."[15]

이처럼 개신교에서 근본주의(fundamentalism)란 신약성서 요한계시록 20장 1절에서 5절에 나타난 '천년왕국의 도래'를 철저하게 믿는 자들로서 당시 구미에서 팽배하고 있는 다윈(Darwin)의 진화론과 진보주의자들의 성경고등비판 등에 대항하기 위하여 일어난 보수적 성격의 신학·신앙운동이라고도 할 수 있다.[16] 따라서 근본주의자들은 보수적 성향을 강하게 띠며, 철저한 '정교분리주의(政敎分離主義)'를 강조한다는 점이 특징이다. 호교론적 입장에서 보면, 경건주의 또는 복음주의(Evangelicals)라고도 칭하는 이들 근본주의자야말로 세속과 종교의 분리를 당연하게 보기 때문에 이들의 선교목적은 종교적으로 순수한 그 자체라고 볼 수 있으며, 따라서 이 계통의 선교사들이야말로 서양의 기독교가 식민주의적인 확장의 앞잡이거나 동맹이라는 오해를 사실상 해소할 수 있었던 유일한 부류의 사람들이었다고[17] 주장하는 근거가 되기도 한다.

1886년 육영공원 교사로 내한했다(강인철, 위의 논문, 1994, 190~191쪽과 192쪽, <표 4> 선교회별 학위소지자 분포 참조).

15) 閔庚培, 『韓國基督敎會史』, 서울 : 연세대학교출판부, 2002, 131쪽.

16) 이만열, 앞의 책, 1991, 391~392쪽.

17) 민경배, 앞의 책, 2002, 144쪽.

그러나 흥미로운 사실은 근본주의자들이 강조한 '정교분리주의'는 아이러니하게도 오히려 친세속적 형태로 나타난다는 것이다. 실제로 근본주의자들은 자국의 팽창주의 정책을 적극 지지했던 사람들이었다. 1860년대 남북전쟁을 겪은 미국은 1868년 알래스카 구입사업을 완결하는 한편, 국내 산업화에 따른 대외팽창의 일환으로 세계 각지에 선교사들을 파견하게 된다.[18] 당시 활발하게 진행되었던 해외선교의 중요한 추동력 중에 하나가 미국의 해외 식민지 개척이라는 '근대기획'과 맥을 같이 하며, 이를 수행한 주요 세력 중 하나가 개신교 근본주의자들이라 하겠다. 한국에 온 미국 선교사들도 이 계통의 사람들이었는데 내한 미국 선교사들이 각종 이권에 깊숙이 개입했다는 사실이 이를 뒷받침해 준다.

미국 선교사들의 이권개입 및 상행위에 대해서는 이미 해링톤(Harrington)이 잘 지적한 바 있다.[19] 그의 연구는 원산의 한 선교사는 장사를 위해 과수원을 경영했으며, 서울의 한 선교사는 여관에서 하숙을 치기도 했으며, 어떤 선교사들은 미국수출업자들의 대리점을 받아들여 미국인 무역회사의 이익을 도모해 주는 등 선교사업과 동양무역이 긴밀한 관계에 있었음을 밝혀 주었다. 언더우드(Underwood)는 석유, 설탕, 농기구 등을 수입했고, 다른 선교사들도 이 같은 일을 했는데, 이들은 자신들의 행위를 옹호하기 위해 자기들이 하는 일이 인류에게 봉사하는 것이라고 주장했다는[20] 것이다. 선교사들의 상업적 경향 때문에 주한 미국인들 사이에 갈등이 빚어졌고, 무역상인 타운젠트(Townsend)는 "하도 답답해서 본국의 어머니를 설득하여 선교

18) 이만열, 앞의 책, 1991, 448~449쪽. 그에 의하면, 해외선교가 활발하게 일어난 주요 원인들을 첫째, 18세기 말부터 일어난 미국의 제2차 대각성(Great Awakening)운동과 일련의 종교적 열정으로서의 선교열 둘째, 백인우월주의에 입각한 기독교문화의 전파 셋째, '대아메리카'의 구상에 의한 해외진출기도 등 3가지를 꼽고 있다.

19) F. H. Harrington, 앞의 책, 1973, 112~113쪽.

20) F. H. Harrington, 위의 책, 1973, 112쪽.

단체에 기부하는 일을 중지하도록 하였다"[21]는 일화는 선교사들이 상업적 이윤에 얼마나 관심이 많았는지를 보여준다. 또한, 언더우드(Underwood)는 1904년 한국의 수입이 800만 달러로 대폭 증가한 것은 새로운 철도부설을 위해 미국으로부터 200만 달러의 자재를 수입했기 때문이라고 하면서, 이를 두고 "국가적 자부심"을 느낀다고 했으며, "산업과 교회가 손에 손을 맞잡고 하나님의 나라가 확장되고……"[22]라는 글에서도 선교사업이 '순수한' 개신교의 전파만은 아니었음을 알 수 있다.

지금까지 내한 선교사들의 특성과 이들이 한국인에게 개신교를 전파하려고 했던 노력들을 순수한 종교적 활동으로만 해석할 수 없음을 드러내고자 했다. 선교사들은 한국인들에게 개신교로의 개종이라는 목적을 수행하기 위해 한국에 왔지만, 동시에 각종 상업적 이권에 깊숙이 개입하고 있었다는 사실은 이들이 자국의 제국주의를 적극 지지했음을 보여주는 대목이다. 이외에도 세계평화는 개신교 신자들인 자신들만이 이룩할 수 있다면서, 세계평화가 도래할 때까지 강대국의 무력사용은 불가피하다는 논리에서도[23] 개신교와 제국주의의 친화성을 읽을 수 있다.

2) 일제의 한국 강점에 대한 선교사들의 태도

한반도와 만주에 대한 지배권 다툼이었던 러일전쟁에서 일본의 승리하는 모습을 지켜보던 미국 루스벨트(Roosevelt) 대통령은 "스스로서 있을 수 없는 철저한 무능력"을 보여 준 한국은 전쟁이 끝나는 대로 일본의 보호령이 되어야 한다고 밝혔고,[24] 잘 알려진 바대로 1905

21) F. H. Harrington, 위의 책, 1973, 113쪽.
22) H. G. Underwood, 한동수 역, 앞의 책, 2000, 32쪽.
23) L. H. U, "Bressed are the Peace-makers", *The Korea Mission Field(*이하 *KMF)*, 1911. 4, 111~112쪽.

년 7월 미국이 러일전쟁의 중재를 맡으면서 필리핀은 미국이, 한국은 일본이 지배할 것을 골자로 하는 '가츠라-태프트 밀약'을 미・일 양국이 체결하게 되면서 한국에 대한 일본의 헤게모니를 국제적으로 인정받게 되었다. 이처럼 미・일 양국은 밀월관계에 있었다. 이러한 정치적 상황 속에서 미국 선교사 및 주요 외국 인사들이 일제의 한국강점에 대해 어떠한 태도를 취했는지 살펴보자.

1906년 3월 이토(伊藤博文)가 초대통감으로 부임하여 당시 일본과 조선 감리교 교회 감독(Bishop)이었던 해리스(Harris)에게 "정치상의 일체의 사건은 불초 이토가 그 책임을 맡겠지만 금후 조선에서의 정신면의 계몽 교화는 원컨대 귀하들이 맡아 달라. 그리하여야만 이 조선 인민의 유도사업(誘導事業)은 비로소 완수할 수 있으리라"라면서 개신교에 대한 자신의 입장을 밝혔고, 이후 이토는 평양에 있는 일본 감리교 교회의 교회당 건축에 금 1만원을 기부하여 동 사업을 원조하였고, 그 밖에도 경성에 있는 한국인 소속 중앙기독교청년회의 사업을 유지하기 위해 매년 1만원을 기부하여 장려하였다.[25] 영국출신의 언론인 맥킨지(McKenzie)는 "1904년 러일전쟁 당시 선교사들 사이에서는 구(舊)정부의 학정과 부패를 개선하기 위해서 일본 정부가 들어서는 것이 한국인들에게는 오히려 다행이라는 느낌이 만연해 있었다"[26]고 하면서, 자신이 한국 내륙지방을 순회하면서 민중들에게 충고한 내용은 한결같이 다음과 같았다고 밝히고 있다.

> "현재 상황을 받아들이십시오. 그리고 여러분 스스로가 더 나은 사람이 되십시오. 지금 무력으로는 아무 것도 할 수가 없습니다. 자녀들

---

24) 류대영, 『개화기 조선과 미국 선교사』, 서울 : 한국기독교역사연구소, 2004, 76쪽.

25) 朝鮮總督府學務局, 『朝鮮の統治と基督教』, 大正10年(1921), 6쪽.

26) F. A. McKenzie, *Korea's Fight for freedom,* 1920(Reprinted in Seoul, Korea : Yonsei University Press, 1969, 210쪽).

을 교육시키고, 가정생활을 개선하고, 당신들의 생활을 더욱 진보시키십시오. 당신들의 행동과 자제력으로 당신들도 일본인들만큼 우수하다는 것을 보여주십시오. 그리고 나라를 이 지경으로 만든 부패와 무관심에 맞서 싸우십시오."[27] (고딕은 연구자)

고종의 신임을 받았던 헐버트(Hulbert)도 한국인의 민족적 이념은 정치적인 것이 될 수 없다고 정의하고, 다만 "순수한 기독교국이 됨으로써 압제에 도덕적으로 항거하여 인종하며, 생활의 청결로 뭉칠 것", "모든 압제의 세력은 꾹 참는 고요한 힘에 의해서 정복된다"[28]고 설교하였다. 이처럼 주요 선교사들은 한국인들에게 오늘날의 불행을 자초한 원인은 일본이 아닌, 바로 무능력한 구(舊)정부(조선 정부)에 있다고 하면서, 인내와 복종으로 일단은 현실을 받아들이고 훗날을 기약하라는 식의 소극적 태도를 취할 것을 주문하였다.

한편, 대한제국의 군대가 해산되던 1907년은 개신교사에서는 전국에 걸쳐 '대부흥회'를 성공적으로 개최한 해이기도 하다. 조선이 좌절감과 치욕감으로 절망의 도가니에 빠져있을 때, 교회가 정치적 소용돌이에 빠져 들어가게 되면 양적 성장을 이룰 수 없다고 판단한 대다수의 선교사들은[29] 조선의 군대가 강제로 해산되는 정치적 소용돌이 속에서도 교회가 반일의 저항지로 요새화되는 것을 극도로 경계하고 한국교회가 정치성을 숙청한 비정치적인 교회로 정착시키기 위해서 1907년에 전국 규모의 부흥회를 대대적으로 개최했다.[30] 교회의 비정치화 선언은 교회는 정치에 일절 관여하지 않겠다는 것으로서, 결국 일제의 한국 강점을 승인한다는 그네들의 속내를 우회적으로 표명한 것이라 할 수 있다.

---

27) F. A. McKenzie, 위의 책, 1969, 210쪽.
28) 민경배, 앞의 책, 2002, 273쪽.
29) 김성건, 『종교와 이데올로기』, 서울 : 민음사, 1991, 251쪽.
30) 민경배, 앞의 책, 2002, 271쪽.

1910년 강점 직후 한 선교사가 한국인 남학생들에게 "한국인 학생들이 불복종 행동을 보였지만, 목사나 선생님의 말씀을 듣고 국가에 충성하고, 법을 지키고 순종하는 영속적인(abiding) 국민이 되기로 통치자에게 약속하였다"[31]고 말한 사실을 통해 선교사나 목사들이 한국 학생들에게 가르친 것은 일제의 부당한 침략에 대한 '거부'나 '저항'이 아니라 '순종'과 '복종'이었다는 것을 추측할 수 있다. 다음 글은 1915년 경성에서 물산공진회가 개최되었을 때 조선에 온 스피어(R. E. Speer) 박사가 한국의 상황을 파악하고 쓴 시찰보고서의 일부이다. 이를 일본의 한 관료가 감복하면서 자신의 글에 인용한 내용이다.

> "우리 선교회가 옛날 사태 아래서 경영하여 온 이들 사업(선교회 소관 학교와 포교를 가리킴)을 다시 새로운 사태에 적응하도록 감리하는 것이 그다지 용이한 일이 아님은 물론이지만, **관헌과 선교회 쌍방에서 공정한 정신으로 이에 대처하면 곤란할 것이 없다.** 하물며 **조선에서 선교회는** 단지 사람들에게 하나의 종교를 전함으로써 **그들로 하여금 법을 지키는 충량한 백성을 만들고, 국민적 진보와 민족적 결합을 조성하도록 하는 것밖에 어떠한 목적도 갖지 않는다.**"[32] (고딕은 연구자)

같은 해에 미국 전도본부로부터 시찰원 자격으로 파견된 부인 두 사람이 조선에 온 것을 기회로 하여 학교 개선에 관한 협의회가 개최되었는데 이 회의에서 두 부인들은 다음과 같은 의견을 피력하였다.

> "오늘날 학교를 정부의 규칙대로 개선하느냐 않느냐 하는 것은 가장 먼저 문제 삼아야 할 것은 아닙니다. 도리어 조선에서 우리 전도회사 소속 학교에서 교육하는 학생은 본래 미국 국민이 아니고 일본제국 신민인 조선인이 아닙니까? **일본제국 신민인 조선인을 교육하는**

---

31) L. H. G, "Korean Mission School Boys", *KMF*, 1911. 7, 203쪽.
32) 宇佐美勝夫, 「朝鮮に於ける基督教」, 『朝鮮彙報』, 1917. 10, 6~7쪽.

데는 일본 정부의 규칙에 합치되는 교육법에 따르지 않을 수 없습니다. 만약 그 규칙에 합치되지 않는 교육법 아래서 조선인을 교육하려면 그 학생의 앞길은 참으로 한심한 것입니다."[33] (고딕은 연구자)

이처럼 선교사들은 일제의 한국 강점을 환영하면서 일제 체제와 공존하여 한국인들이 '법을 잘 지키는 충량한 백성을 만드는 데' 동참하겠다는 의지를 노골적으로 보여주었다. 이외에도 1915년 「개정사립학교규칙」으로 총독부와 논쟁을 벌였던 장로교 선교본부의 브라운은 일본의 조선통치에 대해 "우리들은 총독부와 그 신민들에게 개입할 생각은 말아야 한다. 일본인이 조선을 통치하는 일은 정당한 것이다. 조선인에게는 일본인이 자신들을 통치하는 편이 훨씬 낫다. 조선의 독립은 불가능하다고 확신하고 있다."[34]고 견해를 분명히 밝힘으로서 「개정사립학교규칙」을 둘러싼 총독부와의 분쟁을 종식시키기도 하였다.

총독부 체제가 정착되어 가는 1920년대 들어서면서, 일제의 지배를 찬양하는 강도는 더욱 높아져 갔다. 허버트 웰치(Herbert Welch) 감독은 "합병 전에 만연해 있던 오래된 부패와 극도의 비효율적인 구(舊)정부를 대신해서 활력이 넘치고 정직한 정부가 수립되었다. 사람들의 안락과 안전이 아주 좋아졌으며, 생활과 재산이 보장되었다."[35] 라고 하면서 일제의 통치를 극찬했다. 뿐만 아니라 3·1운동을 'uprising'이란 부정적인 단어를 사용하면서 개신교는 그것과 무관하며 앞으로 일제 당국과 잘 지내기를 바란다는 그들의 친일적 태도를 노골적으로 보여주었다.

---

33) 宇佐美勝夫, 위의 글, 1917, 9쪽.
34) 이성전, 「선교사와 일제하 조선의 교육」, 『한국 기독교와 역사』 3호, 1994, 196~197쪽.
35) R. E. Diffendorfer, *The World Service of the Methodist episcopal church*, 1923, 48쪽.

> “다른 교회와 마찬가지로 감리교 교회도 3·1운동으로 인해 큰 고통을 받았다. 많은 학교들이 문을 닫았으며, 목사들이 감금되고, 교회들은 불탔으며, 수많은 교인들이 고통을 받았다. **마치 폭동(uprising)의 책임이 교회에 있는 것으로 정부 당국은 한동안은 보는 것 같았다.**…
> …그렇지만 당국의 반감은 사라졌다. 일본 정부는 ‘자유를 향한 조선인들의 갈망’(3·1운동)에 대한 책임을 간접적으로 기독교에 돌렸던 것을 바로잡고, **교회와 선교가 법을 준수하고 한국과 일본의 상호이해를 위해 노력을 한다면, 당국과 완전히 공존할 수 있음을 확인시켜 주었다.**”[36] (고딕은 연구자)

대다수 선교사들은 기본적으로 일제의 조선 지배를 환영하고 찬양하는 태도를 견지하였으며, 자기네들은 일본 정부에 적극적으로 협력할 것임을 지속적으로 확인시켜 주었다. 이처럼 근본주의자 선교사들과 한국인 성직자들이 한국교회의 권력을 장악하고 있는 한, 한국교회와 총독부는 우호적인 관계를 유지했으며 따라서 교회와 독립운동과의 관계는 기본적으로 부정적이었다.[37] 그러나 피식민지 국민들에게도 ‘복음전파’와 ‘개종’이라는 본연의 임무를 수행해야 하는 상황에서 선교사들은 ‘식민지의 독립운동’과 ‘이에 대한 제국의 탄압’이라는 난감한 상황에 직면하는 경우가 있었을 것이다. 이에 대해 선교사들은 선교와 정부와의 정확한 관계의 원칙을 1910년 에딘버러에서 열린 세계선교대회에서 강력하게 요청했고, 1913년 7월호 *International Review of Mission*에 다음과 같은 예비적인 선교원칙이 실렸다. 이

36) R. E. Diffendorfer, 위의 책, 1923, 51쪽.

37) 강인철, 앞의 글, 1994, 182쪽. 강인철은 이 논문에서 “조선의 민족독립운동과 상대적으로 긍정적인 관계를 맺었던 선교사들의 한 가지 공통점은 일본에 선교사를 파견하지 않았던 캐나다 장로회 소속이었거나 북장로교 선교회에서 이탈함으로서 ‘선교의 국제성’이란 구속으로부터 일정하게 벗어난 사람들—3·1운동 당시 일본의 만행을 사진에 담아 세계에 폭로한 스코필드(F. G. Scofield) 역시 캐나다장로회 소속이었다—이었다”(183~184쪽)고 밝히고 있다.

원칙의 골간은 다음과 같다.

1) 선교사는 그 자신이 다른 국적의 귀화를 선택하지 않는다면, 선교사 자신의 정부국적으로 남는다.
2) 외국 선교지역에서 개종자는 개종자 정부의 국민으로 여전히 남는다.
3) 선교사의 개종자에 대한 관계는 순전히 종교적이다.
4) 모든 독립국가는 자신의 경계(국가) 내에서 내정규칙에 대해 완전히 통제를 갖는다.
5) 선교사업의 승인 또는 선교사업에 대한 규제도 이 원칙에 예외가 될 수 없다. 어떤 정부에 대해서 한 선교사가 입국할 권리와 그의 선교사업을 추구할 권리는, 본질상 공민적(civil)인 것이지 종교적인 것은 아니다. 다른 어떤 직업의 경우와 동일하게 선교사의 제반 권리 역시 당해 정부로부터 조건지어지고 통제된다.
6) 도덕 및 자연권과 법으로부터의 의무 양자를 구별하는 데 주의가 반드시 필요하다. 선교사를 일종의 영적 의무로부터 복음을 가르치는 것에 대해 법적 권리를 주장해서는 안된다. 두 가지 사이에는 아무런 관련이 없다.[38]

이 원칙을 식민지 한국에 적용한다면 다음과 같다. 조선인 중에 개신교로 개종한 신자는 일본인이며(조항 2), 미국 선교사와 개종된 조선인의 관계는 오로지 선교사와 신도의 관계이며(조항 3), 식민지 조선에서 활동하는 미국 선교사들은 일제의 내정규칙을 최우선으로 철저하게 지켜야 하는 公民이지만(조항 4, 5, 6), 선교는 철저하게 복음만을 하는 비정치적인 것이어야 한다(조항 6)는 내용이다. 식민지 지역에서 피식민지 국민들을 대상으로 전도를 하는 선교사들에게 순수

38) *International Review of Missions*, Vol. Ⅰ, NO. 7, July 1913, 563~566쪽(김성건, 「서구 기독교의 제3세계 선교」, 『基督敎思想』 제34권 6호, 1990. 6, 172~173쪽 재인용).

한 종교적 복음만을 하라는 본부의 지침은 개신교 근본주의의 선교원칙인 '정교분리주의'를 재차 강조하는 것이었다.

3) 교파에 따른 선교정책과 교회구조 : 장로교와 감리교를 중심으로

지금까지 한국 선교사업의 주류를 형성했던 미국 선교사들의 특성과 일제의 한국침략에 대한 그들의 태도를 전반적으로 살펴보았다. 이 장에서는 한국 선교 교단을 독점화한 미국 장로교와 감리교의 선교정책 및 교회구조의 차이점에 초점에 맞춰 고찰하고자 한다.

장로교[39]의 선교정책으로는 우리가 잘 알고 있는 '자전(自傳)', '자치(自治)', '자급(自給)'을 골자로 하는 '네비우스 방식(Nevius Methods)'이 있다. 중국에서 활동하던 네비우스(J. Nevius)목사가 1890년 봄에 서울을 방문해서 한국의 선교사들에게 여러 나라의 교단과 선교사들이 몰려들면서 잘못된 경쟁과 중복을 피하는 방법과 선교방향을 권고한 방식이다.[40] 3년 뒤 1893년 '네비우스 방식'을 견지하면서 핵심적

---

39) 장로교는 감리교보다 근본주의에 보다 철저한 입장에 있었던 교파로서, 일찍이 같은 계열의 선교회가 서로 협력하여 하나로 통합하는데 성공하면서 그 수와 힘에 있어서 가장 큰 성장을 이룩하여 한국 개신교의 성격을 결정지을 정도의 최대 교파로 성장하였다. 장로교파를 중심으로 하는 근본주의 개신교는 우리사회에서 친미세력이라는 기득권층을 배태하였다. 미국 근본주의 계열의 기독교 전래→한국의 신도들, 주로 평안도 출신의 신도들과 결탁됨→이들은 해방 이후 친미세력으로 발전되었다. 이에 관한 내용은 김상태의 논문 참조(김상태, 「평안도 기독교 세력과 친미엘리트의 형성」, 『역사비평』 겨울, 1998, 171~207쪽).

40) (1) 선교사들 하나하나의 복음전도와 광범위한 순회 전도 (2) 자립 선교, 곧 신자 한 사람 한 사람이 다른 사람에게 선교의 교사가 된다. (3) 자립 정치, 모든 신자들은 그들이 선택한 봉급을 받지 않는 지도자 아래에서 전도와 교회경영을 한다. (4) 자립 보급, 모든 교회건물은 그 교회의 교인들(congregation)만에 의해서 장만되고, 교회가 조직되자마자 전도인의 봉급을 지급하기 시작한다. (5) 체계적인 성서 연구와 모든 활동에서의 성서의 중심성을 관철한다. 성서 연구는 반드시 여럿이 함께 한다. (6) 성서의 교훈에 따라 엄격한

인 몇 가지 원칙을 첨가, 확대한 '헨리벤(Henry Venn)선교원칙'을 한국에서의 선교정책으로 정식 채택하였다.[41] 여기서는 장로교 교파의 선교정책의 성격을 보다 더 잘 알 수 있는, 1901년 장로회 공의회에서 '교회의 비정치화'를 선언하면서 내놓은 의결 내용에 주목하려 한다.

1. 우리 목사들은 대한 나라 일과 정부 일과 관원 일에 대하여 그 일에 간섭 아니하기를 작정할 것이다.
2. 대한국과 우리나라와 서로 약조가 있는데 교회 일과 나라 일은 같은 일이 아니며 또 우리가 교우를 가르치기를 교회가 나라 일 보는

생활 훈련과 治理를 한다. (7) 다른 교회나 기관과 협력 및 일치의 노력을 계속하며, 최소한도 다른 기관과는 지역을 피차 뜻에 맞게 분할하여 전도한다. (8) 지역과 프로그램의 분할 이후에는 피차 절대 간섭을 하지 않는다. (9) 그러나 경제나 그 이외의 문제에 있어서는 항상 넓게 피차 돕는 정신을 가져야 한다(閔庚培, 앞의 책, 2002, 195쪽).

41) (1) 상류계급보다는 근로계급을 상대로 해서 전도하는 것이 좋다. (2) 부녀자에게 전도하고 크리스찬 소녀들을 교육하는 데 특별히 힘을 쓴다. 가정주부들, 곧 여성들이 후대의 교육에 중요한 영향을 끼치기 때문이다. (3) 기독교 교육은 시골에서 초등 정도의 학교를 경영함으로써 크게 효력을 낼 수 있다. 그러므로 이런 학교에서 젊은이들을 훈련하여 장차 교사로 보내도록 한다. (4) 장차 한국인 교역자도 결국 이런 곳에서 배출된 것이다. 이 점을 유의하고 있어야 한다. (5) 사람의 힘만이 사람을 개종시키는 것이 아니다. 하나님의 말씀이 하신다. 따라서 될수록 빨리 안전하고도 명석한 성서(번역된 성서)를 이들에게 주도록 해야 한다. (6) 모든 종교서적은 외국 말을 조금도 쓰지 않고 순 한국말로 씌어지도록 하여야 한다. (7) 진취적인 교회는 자급하는 교회가 되어야 한다. 선교사의 도움을 받는 사람의 수는 될수록 곧 줄이고, 자급하여 세상에 공헌하는 그러한 개인을 늘려야 한다. (8) 한국의 대중들은 동족의 전도에 의해서 신앙하게 되어야 한다. 따라서 전도를 우리 자신이 나서서 하는 것보다는 전도자의 교육에 전력해야 한다. (9) 의료 선교사들은 환자들과 오래 친숙하게 지냄으로써 가르칠 기회를 찾게 되고, 또 깊은 마음의 문제에 골몰하는 모범을 보여주어야 한다. 施藥만 가지고서는 별 효과를 낼 수 없다. (10) 병원에서 치료를 받는 사람은 고향의 마을에 자주 왕래하게 해서 의료 선교사들의 인애에 넘치는 간호의 경험을 본받아 전도의 문을 열도록 해야 한다(민경배, 위의 책, 2002, 198~199쪽).

곳이 아니요, 나라 일을 간섭할 것도 아니다.
3. 대한 백성들이 예수교회에 들어와서 교인이 될지라도 그 전과 같이 대한 백성이며 우리가 가르치기를 하나님의 말씀을 충성으로 섬기며 관원을 복종하여 나라 법을 다 순종할 것이다.
4. 교회가 교인에게 사사로이 나라 일 참견하는 것을 가르치는 것이 아니요, 또 교인이 나라 일에 실수하거나 범죄를 저지르거나 하는 경우 교회가 담당할 것도, 숨겨주는 것도 아니다.
5. 교회는 나라 일 보는 곳이 아니라 예배당, 회당, 교회 학당의 교회 일을 위하여 쓸 집이다. 나라 일을 의논할 집도 아니다. 그 집에서 나라 일을 공론하기 위해 모인 것도 아니다. 누구든지 교인이 되어서 다른 곳에서 공론하지 못할 나라 일을 목사의 거처에서 더욱 못할 것이다.[42)]

교회는 정부 일에는 일절 관여하지 않고 오로지 순수한 종교적 활동만을 하겠다는 선언은 동학혁명, 갑오개혁, 청일전쟁, 명성황후 시해사건 등 일련의 위급한 정치적 소용돌이 속에서 개신교 교회는 일정한 거리를 두겠다는 의지를 보여주는 것으로, 어쩌면 당시 조선인들이 절실히 필요로 했던 정치·사회적 문제를 토론하고 고민하는 장소와 기능은 철저히 외면하겠다는 입장을 명확하게 밝힌 것이라고 볼 수 있다. 반면, 감리교의 선교정책은 장로교처럼 문서화된 것은 없었지만, 장로교와 비교해서 두드러진 차이점은 1) 탐색 순회 전도를 원칙으로 했으며, 2) 교육사업에 대해 장로교에 비해 훨씬 높은 관심을 보였으며, 3) 여선교사의 비율이 훨씬 많아 부녀자사업에 많은 공헌을 남겼다는 점을 꼽을 수 있다.[43)]

두 교파는 '복음전파와 조선인 개종'이란 절대 목적에는 동일했지만, 방법론에서는 다소 다른 노선을 추구했다. 감리교보다 상대적으로 '정교분리주의'를 보다 강조한 장로교는 감리교의 적극적인 선교순회

42) 「쟝로회 공의회 일긔」, 『그리스도신문』, 1901. 10. 3.
43) 민경배, 앞의 책, 2002, 201~202쪽.

와 복음 활동을 비판했다. 장로교파였던 알렌(Allen)은 1888년 선교금지령[44]에 대해 "경거망동한 순회전도가 그 기본적인 원인이 되었다"고 반박하면서 언더우드(Underwood)—장로교였지만 감리교적 성향이 강했다—에게 선교와 전도에서 손을 떼고 의료사업과 교육에만 당분간 치중할 것을 종용했었다.[45] 교육사업에 대해서도 장로교 선교사들은 소수의 자유주의자들을 제외하고는 교육이 개신교 신자들에게만 해당된다고 생각하였던 반면에, 근본주의 속성이 장로교에 비해 상대적으로 약했던 감리교 선교사들은 처음에는 장로교와 마찬가지로 '복음화'로서의 교육을 강조하였지만, 이후에는 교육은 받고자 하는 사람들이라면 비신도들에게도 모두 주어져야 한다고 생각할 정도로 교육을 가장 중요한 사업으로 간주하게 되었다.[46]

감리교의 이와 같은 속성은 종교가 개인적인 차원에서 끝나는 것이 아니라 사회제도나 정치적 문제까지도 기독교의 원리로 재편하려는 태도로까지 발전하게 된다. 이는 실력양성으로 점진적 변혁을 통해 민족의 독립을 추구했던 민족개량주의 노선과 맥을 같이 하는데 일제강점기 개신교 신자로서 사회운동을 한 사람들 대부분이 여기에 속한다. 대표적인 인물로 윤치호가 있다. 윤치호는 남감리교회 최초의 세례인, YMCA운동의 지도자, 일제 시기 개신교계의 최고 원로, 친일파의 대부 등의 다양한 칭호에서 알 수 있듯이 한국 근대사에서 몇 안 되는 거물이다. 그는 개신교 중에서도, 특히 감리교를 선택한 이유를 다음과 같이 고백하였다.

"……일을 못해내는 종교는 無宗教보다 훨씬 더 나쁘다.……모든 종교 중에서 나는 기독교를 선택한다. 일을 해내기 때문이다(it

44) 조선정부가 개항 이후 유일하게 취한 기독교 금지령이다. 이에 대한 자세한 내용은 류대영의 앞의 책, 243~254쪽 참조.
45) 민경배, 위의 책, 2002, 204~208쪽.
46) 김성건, 앞의 책, 1991, 288쪽.

works). 기독교 중에서 나는 개신교를 선별한다. 일을 해내기 때문이다. 개신교 중에서 나는 삼위일체론을 우선한다. 일을 해내기 때문이다. 삼위일체론 중에서 나는 감리교를 신앙한다. 왜냐하면 그것은 일을 해내기 때문이다. 감리교 교파 중에서도 감독제도(episcopacy : episcopal)를 선호한다. 왜냐하면 일을 해내기 때문이다."[47]

한국을 문명국가로 만드는 데 감리교가 일익을 담당할 수 있다는 윤치호의 고백에서 앞에서 지적한 '교회의 비정치화'는 감리교에는 적용되지 않는 것 아니냐고 반문을 제기할 수도 있다. 그러나 문제는 개신교(감리교)를 통한 사회참여의 방향과 범위이다. 개신교가 허용했던 사회참여의 방향과 범위는 일제의 '품' 안이었다. 여기서 민족개량주의 노선의 한계가 드러난다. 민족개량주의 노선의 지식인들이 1930년대 이후 대거 친일파로 변질되어 갔다는 사실에서 개신교(감리교)를 통한 사회참여는 말 그대로 '체제로의 참여'이지 '체제의 타파'는 아니었다. 이 계열의 또 다른 대표적인 사람, 신흥우의 글에서도 개신교(감리교) 지식인 신자들의 정서를 알 수 있다.

"……그렇지만 조선을 사랑한다고 하는 것은 일본제국을 사랑하는 것이며, 또한 일본제국의 충실한 신민으로써만 가능한 일이다. 금일의 우리들은 종교인이기 이전에, 조선인이기 이전에, 우선 첫째로 일본인이라는 것을 망각해서는 안 된다……"[48]

감리교 교파의 이러한 친일적 속성과 관련해서 주목해야 할 것이 있는데, "한 명의 선교사가 조선과 일본의 이중의 선교정책을 취한" 일명 '선교의 국제성' 전략인 선교정책이다.[49] 일제의 강점 이전부터 1930년대 이르기까지 한 사람의 미국인 감독(Bishop)이, 일본과 한국

47) 尹致昊, 『尹致昊日記』 三, 서울 : 國史編纂委員會, 243쪽.
48) 신홍우, 「조선기독교의 국가적 사명」, 『東洋之光』, 1939. 2.
49) 강인철, 앞의 글, 1994, 183쪽.

의 감리교인들을 동시에 통할(統轄)한 감리교의 국제적 선교정책은 선교사들이 한국인들의 민족운동을 후원하는 것은 일본에서의 선교를 위태롭게 만들 가능성이 높은 것으로, 이와 같은 딜레마를 초래하는 상황은 선교사들로 정치와의 연계를 회피하는 강력한 구조적 압력으로 작용하였다.[50] 본부에서 파견된 1명의 감독 지휘체제 중심의 감리교 교회는 교회구조에서도 그대로 드러난다. 감리교 교회는 "위에서 아래로 잘 짜여진" 중앙집권적 구조여서, 감리교의 최고위직에 있는 사람은 항상 권력을 갖고 있었다. 이러한 피라미드식 구조를 가진 감리교 교회는 일제 입장에서는 어떠한 다른 기독교단보다도 공략하기가 가장 쉬운 대상이었으며, 장로교에 비해 감리교가 훨씬 더 친일적 태도를 취하게 되는 것도 이러한 맥락에서 이해할 수 있다. 실제로 감리교 교회는 1930년에 '교회의 민족화'라는 위장된 운동 속에서 외국인 선교사들이 축출되고 친일파들이 주도권을 장악했고, 1941년 이후는 경찰이 선임한 임기 4년의 통리사 아래 철저하게 통제되었다.[51]

이에 비해 장로교 교회의 구조는 민주적이며 반(反)감독적이라 볼 수 있다. 장로교의 장로회(長老會), 총회장 및 각종 위원회 위원장들은 '본질적' 권위를 갖고 있지 않기 때문에, 최상위 총회의 결정이 감리교 교회의 그것만큼이나 영향력을 갖지 못했다. 감리교보다 느슨한 민주적 조직을 가진 장로교 교회의 지역 노회들은 일본 경찰이 쉽게 통제할 수 없었다.[52]

지금까지 두 교파간의 선교정책과 교회구조의 차이점을 고찰해 보았다. 그러나 이러한 차이점은 목표 달성을 위한 방법론의 차이였을 뿐이다. 장로교가 상대적으로 '세상과의 거리 두기'의 전략을 택한 것이나, 감리교가 상대적으로 '세상 속으로 스며들기'의 전략을 택한 것이나, 모두 '복음과 개종'이라는 절대 목적을 달성하기 위한 노선의 차

50) 강인철, 위의 글, 1994, 183쪽.
51) 김성건, 앞의 책, 1991, 289쪽.
52) 김성건, 위의 책, 1991, 290쪽.

이였을 뿐이다. 다시 말해서 '한국민족의 독립'이라는 시대적 과업과 개신교는 본질적으로 친화될 수 없었다.

4) 두 교파의 일제 교육정책에 대한 대응방식의 차이점과 그 원인

장로교와 감리교의 이러한 차이는 일제의 교육정책에 대응하는 방식에서도 그대로 드러난다. 일제의 조선 지배를 인정하면서 기본적으로 총독부와 우호적인 관계를 유지해 나갔던 이들 개신교가 선교활동에 있어 암초를 만나는데, 대표적으로 1915년 3월에 발표한 「개정사립학교규칙」과 1930년대 이후의 '신사참배 강요'이다. 교파를 초월해서 이 정책들은 개신교 입장에서는 치명적인 것이지만, 장로교와 감리교의 대응방식은 꽤 큰 차이를 보였다. 여기서는 1915년 3월 24일 발표된 「개정사립학교규칙」에[53] 초점을 맞춰 논의하고자 한다.

당시 총독부 학무국장인 세키야(關屋貞三郎)는 "국민교육의 통일을 도모하기 위하여 학과과정을 정리하고 관계를 분명히 하고 아울러 교원자격에 대한 적극적인 요구가 개정의 두 가지 요점이다."[54]라고 이 법령의 제정 목적을 밝히고 있다. 즉, '사립학교에서 종교교육을 금지하겠다'와 '교원자격을 엄격하게 관리하겠다'는 것이 이 법령의 주된 목적이다. 관련된 조항을 살펴보도록 하자.

> "제6조 2 보통학교, 고등보통학교, 여자고등보통학교, 실업학교 또는 전문학교가 아니고 보통교육, 실업교육, 또는 전문교육을 하는 사립학교의 교과 과정은 보통학교 규칙, 고등보통학교 규칙, 여자고등보통학교 규칙, 실업학교 규칙 또는 전문학교 규칙에 준하여 이를 정해야 함. 전항의 경우에는 보통학교 규칙, 고등보통학교 규칙, 여자고등보통학

53) 조선총독부, 『관보』 제789호, 1915년 3월 24일, 325쪽. 1911년 10월에 공포한 조선총독부령 제24호 사립학교 규칙을 대폭 수정한 것임.

54) 關屋貞三郎, 「私立學校改正の 要旨」, 『朝鮮彙報』, 大正4年(1915). 4. 1, 23쪽.

교 규칙, 실업학교 규칙 또는 전문학교 규칙에 규정한 이외 교육과정을 부가할 수 없음."[55]

각급 사립학교에서는 규칙에 규정된 교과 이외에는 가르칠 수 없다는 내용인데, 예를 들어 보통학교의 경우 규칙에는 "보통학교의 교과목은 수신, 국어, 조선어 및 한문, 산술, 이과, 창가, 체조, 도화, 수공, 재봉 및 수예, 농업초보, 상업초보로 함"[56]이라 해서 종교과목은 명시되어 있지 않았다. 이 규칙이 1911년 제1차 「조선교육령」에서 제정되었다는 점에서 총독부는 처음부터 학교 교육과정에서 종교과목을 인정하지 않았음을 알 수 있다. 데라우치(寺內正毅) 총독은 1차 조선교육령을 발표하면서 "신교(新敎)는 각 사람의 자유지만, 제국의 학정(學政)에서는 국민교육으로서 종교밖에 두는 것을 주위로 한다. 관립공립학교는 물론 특히 법령으로 학과 과정을 규정한 학교에서는 종교상의 교육을 실시하거나 또는 그 의식을 행하는 것을 허락지 않는다."[57]면서 학교에서 종교교육 금지에 대한 입장을 처음부터 명확히 했다. 이 내용을 더욱 강화한 「개정사립학교규칙」의 공포로 그동안 교육사업을 통한 교세 확장에 모든 열정과 노력을 쏟아 온 개신교가 강력하게 반발했을 것임은 쉽게 예상할 수 있다.[58]

그러나 감리교의 배재학당은 「개정사립학교규칙」을 수용해서 1916년 2월 10일자로 종교계 학교로서는 처음으로 정부의 인가를 받은 고등보통학교가 되었다. 이후 송도, 호수돈, 이화, 광성, 정의, 배화, 누씨 등의 감리교 계통 학교들은 차례차례 고등보통학교 또는 여자고등보

55) 『官報』, 朝鮮總督府令 제24호, 1915. 3. 24, 325쪽.
56) 『官報』, 朝鮮總督府令 제109호, 1911. 10. 20, 19쪽.
57) 關屋貞三郎, 앞의 글, 23쪽.
58) 이성전, 앞의 글, 1994, 187쪽. 이 논문은 '개정사립학교규칙' 공포로 인해 장로교 선교본부 해외 전도국 총무 브라운과 총독부 총무부의 고마쓰(小松綠)의 서신교환을 통한 종교와 교육의 분리에 대한 논쟁을 상세하게 다루고 있다(187~199쪽 참조).

통학교로 인가를 받았다.[59] 배재학당의 교장 신흥우는 이러한 조치는 "오로지 학생모집을 위한 것이다.……학생을 끌어들이는 유일한 길은 정부의 인가를 얻는 것이다"[60]라고 그 이유를 밝히고 있다.[61] 여기서 흥미로운 사실은 감리교의 보고서에 의하면, 이 규칙을 준수하는 데 있어 가장 어려운 이유로 종교교육의 금지보다는 '비용'을 들고 있다는 점이다.

> "한국에서 우리의 선교사업은 어려움을 겪고 있는데, 이유는 일본 정부로부터 무엇을 기대할 수 있을지의 불투명성 때문이다. 기독교계 학교들을 정규학교로 인가받으라는(registered) 일본 당국의 지속적인 요구로 인해 현실적인 문제가 생겨나고 있는데, **교육사업을 위한 비용이 훨씬 많아졌다는 것, 그리고 (교육과 분리된) 선교만을 위한 독립된 학교건물을 설립해야 하는 것이다.……**"[62] (고딕은 연구자)

참고로 "교육과 분리된 독립된 학교건물을 설립해야 한다"는 내용은 총독부는 「개정사립학교규칙」을 발표하면서 "관립학교와 사립학교를 막론하고 학생이 학교 밖에서 또한 규정된 수업시간 외에 한 개

---

59) 김경미b, 「일제하 사립중등학교의 위계적 배치」, 『한국교육사학』 제26권 2호, 2004, 37쪽.

60) 이성전, 앞의 글, 1994, 203~204쪽.

61) 일제는 일련의 교육법령들을 발표하면서, 사립 중등학교 체제를 종적으로는 초등, 중등, 고등의 학교를 연계적으로 배열하고, 횡적으로는 관공립학교를 중심부에 놓고 사립의 정규학교, 사립 각종학교를 차례대로 배치하는 모양새를 만들어 나갔다. 이 모양새에서 중심부에 가까울수록 식민지체제에 유리한 고지를 차지하는 것을 의미하는 것으로서, 학생들은 사립보다는 관공립을, 사립에서도 각종보다는 정규학교를 선호하게 되었다. 따라서 개신교학교가 학생들을 어려움 없이 유치하기 위해서는 총독부의 조건을 충족시켜 정규학교로 인가받아야만 했던 것이다(김경미b, 앞의 글, 2004, 31~48쪽 참조).

62) *Woman's missionary council-ninth annual report,* Methodist Episcopal church, South for 1918~1919, 95쪽.

인으로서 교사에게 가서 또는 일요학교, 신학교 혹은 교회학교 같은 특수한 장소에서, 성서를 배우는 것은 완전히 자유다"[63]라면서, 학교 외의 장소에서의 종교교육은 가능하다는 여지를 두었는데, 이러한 맥락에서 나온 것이다. 개신교 학교가 정식인가의 사립학교가 되면서 동시에 종교교육을 계속하려면 별도의 건물을 지어서 규정된 학교교육 시간 외의 시간을 활용하는 길밖에는 없었다. 이처럼 감리교계 학교들은 큰 저항 없이 규칙을 준수해 나갔다. 아래는 서울 캐롤라이나(Carolina) 학교(배화학당)의 교장이었던 핼리 부에(Hallie Buie)[64]가 이 학교가 총독부가 요구한 사항들을 모두 충족시키게 되어 기쁘다면서 본부에 보고한 내용이다.

> "내가 가장 감사할 일은 정부(일제)의 요구를 모두 충족시킬 수 있게 되어 이에 부응할 수 있는 학교(a Conformed School : '사립학교령'을 준수하는 정식인가학교)를 만들게 되었다는 것이다. 몇 년 동안 선교계에서는 '사립학교령'을 따르는 것은 불필요하다고 생각하였다. 왜냐하면 선교계 학교가 '사립학교령'을 준수하는 학교들과 동일한 수준으로 실질적으로 운영되고 있으며, 유일한 (교육과정의) 차이는 일본어인데 이것은 그다지 중요한 문제는 아니라고 생각했기 때문이다. 그러나 우리 학교 졸업생들은 상급학교 진학에 허가를 받지 못하고 있으며, 심지어 일제가 승인한 정규학교 입학시험조차도 볼 수 없었고,

---

63) 小松綠「朝鮮に於ける教育と宗教」,『朝鮮彙報』1916. 1. 1, 13쪽.

64) 배화여자고등학교 제7대 교장. Hallie Buie 여사는 1876년 7월 27일 북미 미시시피주에서 출생하였다. 1889년 6월 25일 스코틀랜드 초등학교를 졸업하고 1891년 6월에 스코틀랜드 고등학교를 졸업하였다. 1893년 6월에 미시시피주 스테크 여자대학을 졸업하고 1896년 6월에는 미시시피 장로교대학을 수업하였으며 1897년 9월에 텍시톤 고등사범학교를 졸업하였다. 1909년 6월에 스칼레트 성경학원을 졸업하고 그해 9월에 한국 선교사로 파송 받아 원산에서 한국말을 1년 9개월 공부하고 1911년 9월에 누씨 여학교 교장을 시무하였다. 1923년 10월 20일 배화학당의 교장으로 취임하였다(김세한,『培花六十年史』, 서울 : 배화여자중·고등학교, 1958, 214~219쪽).

일본에 있는 상급학교 진학 역시 허가받지 못했다. 우수한 학생들이 우리 학교를 떠났다. 많은 학생들이 학교를 떠난 후, 선교본부에서는 학생들을 붙잡기 위해서는 정식학교(Conformed School)가 되어야 한다는 것을 깨달았다. 요구하는 모든 것을 충족시킨 후, 드디어 1925년 4월 우리 학교는 정식학교(Conformed School)로 다시 개교하게 되었다."[65] (고딕은 연구자)

이 내용에서도 개신교 학교가 일제의 요구를 충족시켜서 정식학교가 되어야 하는 가장 큰 이유는 학생들의 모집이라는 것을 알 수 있다. 이처럼 감리교 교파는 '학생 없는 학교에서의 선교활동은 불가능하다'고 판단하고, 학생을 끌어들이기 위해 총독부의 요구 조건들을 어렵지만—종교교육을 하지 못해서라기보다는 비용문제로—준수해 나갔다. 감리교의 이러한 대응방식을 장로교는 "감리교는 예절과 공평, 그리고 정의를 침해하고 우리를 팔아먹었다"라고 강하게 비판하면서[66] 감리교와 달리 학교를 폐쇄하는 방향으로 대응해 나갔다. 한국에 있는 선교사로서 종교활동이 금지된 학교경영에 책임을 지는 것은 생각할 수도 없다는 이유로 선천의 보성여학교를 폐교 결정하는[67] 등 특히 평양을 중심으로 하는 서북지방은 강경하게 대응하였다. 그러나 장로교 교단 측에서도 종교교육 못지않게 학생수의 감소는 심각한 문제였다. 특히, 서울지역의 장로교 선교사들은 "영구적인 교육활동의 기초를 세우려면 정부의 정책을 받아들여야 하며 그렇지 않다면 조선에서의 선교교육활동은 종말을 맞이하게 될 것이다" 또는 "재정상의 곤궁 때문에 가까운 장래에 서울의 장로교는 종말을 맞이할 것이다"라면서 총독부의 규칙을 따를 것을 종용했다는[68] 사실에서 장로교 교

65) *Women's Missionary Council-sixteen annual report.* Methodist Episcopal Church, South : For 1925~1925, 291쪽.

66) 이성전, 앞의 글, 1994, 202쪽.

67) 이성전, 위의 글, 1994, 203쪽.

68) 이성전, 위의 글, 1994, 205쪽.

파는 지역에 따라 갈등이 있었음을 짐작할 수 있다.

「개정사립학교규칙」에 대해 감리교가 비교적 일사불란하게 대응했던 것에 비해 장로교 내부의 이러한 불협화음은 앞에서 살펴 본 두 교파의 교회조직의 차이점에 기인한 것으로 이해할 수 있겠다. 이러한 대응방식은 1930년대 이후 '신사참배' 문제에서도 거의 유사하게 나타난다. 일제의 신사참배 강요에 대해서 반대 입장을 보인 종교집단 중 장로교 선교부의 입장이 특히 강경했고, 그 결과 장로교계의 학교는 폐쇄되기도 하였다. 그러나 마침내 1938년 2월 전국에서 교세가 가장 강했던 평북노회가 신사참배를 가결시키는 것을 시작으로 전국 23개 노회 중에 17개 노회가 신사참배를 받아들였고, 1938년 9월 장로교 총회에서 신사참배를 가결하는 선언문을 정식으로 발표했다.[69] 이와는 대조적으로 감리교는 처음부터 별 저항없이 받아들였다.

지금까지 내한 선교사와 이들의 선교정책을 순수한 종교적 활동으로 환원하는 호교론적 관점 및 이에 입각한 기존 교육사 연구들의 한계점을 드러내고자 개신교를 당시 정치적 역학관계 속에서 고찰하였다. 19세기 말 '복음전파와 개종'이란 절대 목적을 수행하기 위해 한국에 온 대다수 선교사들은 미국인 근본주의자들이다. 근본주의자들은 '정교분리주의' 원칙을 주장하지만, 아이러니하게도 이들은 각종 상업적 이권에 개입하는 등 실제로 자국의 제국주의를 내면화하고 지지했던 사람들이었다. 그리고 한국 개신교의 헤게모니는 바로 이들과 이들의 영향을 받은 한국 성직자들이 잡고 있었다는[70] 점에서 한국 개신

69) 이진구, 「신사참배에 대한 조선 기독교계의 대응양상 연구」, 『종교학연구』 제7권, 1988, 96~97쪽.

70) 교회가 일제당국과 조선민족과의 관계방식을 둘러싼 대립은 근본주의 선교사들과 한국인 성직자들을 한 축으로 하고, 민족운동을 위한 방편으로 교회를 찾은 평신도 지도자들과 일부 자유주의적인 한국인 성직자들을 다른 한 축으로 하여 전개되었다. 1920~30년대에 걸쳐 후자 쪽의 도전이 비교적 강력하게 제기되었지만, 근본주의 선교사들과 한국인 성직자들의 종교적 헤게모니는 큰 변동없이 유지되었다(강인철, 앞의 글, 1994, 182쪽).

교 교회의 성격은 명확하게 드러난다. 개신교 교회의 헤게모니를 쥐고 있던 근본주의 선교사들은 교파간의 방법론적인 차이점은 있었지만, '복음과 개종'이란 절대 목적을 달성하기 위해서 한국교회를 '비정치화'된 장소로 귀착시키고 일제에 의한 식민지 체제를 인정하였으며, 한국인들에게 지금의 체제를 수용하도록 회유·설득해 나갔던 태도는 초교파적이었다. 이러한 태도는 미국과 일본 정부가 기본적으로 우호적 관계에 있었던, 태평양전쟁 직전까지 지속되었다. 개신교가 처음부터 견지했던 '교회의 비정치화'라는 선교정책의 본질은 미국·일본 양국의 정치적 역학관계 속에서 해석되어야 하겠다. 이처럼 미국과 일본이 정치적으로 동맹관계를 맺고 있는 한, 그리고 근본주의 선교사들과 이들의 영향을 받은 한국인 성직자들이 교회의 통제권을 장악하고 있는 한, 교회가 총독부와 대립적인 관계를 형성할 가능성은 크지 않았을 것이며, 설사 대립관계를 형성했더라도 주된 이유는 한국인의 '민족'이나 '독립' 같은 정치적 문제가 아니라, '개정사립학교규칙', '신사참배 강요'와 같은 신앙 문제가 연루되었을 경우이다.

유치원 보육사를 새롭게 쓰기 위해서는 무엇보다도 개신교 및 선교정책을 바라보는 '관점'을 달리해야 할 필요성을 느꼈다. 일제 강점기 "교회는 단 하나의 전국적인 유기적 조직체"[71]라고 할 만큼 개신교는 한반도 구석구석까지 침투해 있었고 많은 유치원이 바로 예배당이나 교회에 부속된 형태로 존재했었기 때문에 나무를 제대로 보기 위해서는 숲을 먼저 제대로 봐야 한다는 논리에서, 어떻게 보면 다루려는 유치원의 역사와 다소 벗어난 내용인 것처럼 보일 수도 있지만, 반드시 전제되어야 할 내용이라고 보고 심도 있게 다루었다. 지금까지 다룬 내용은 유치원 보육사를 새롭게 쓰기 위한 토대작업이었다. 앞으로 이 책에서 다룰 유치원 보육사는 이 토대 위에서 전개될 것이다.

---

71) 민경배, 「近代 韓日關係에 있어서의 美國과 그 宣敎師의 位置」, 『基督敎思想』 제14권 제12호, 1970. 12, 127쪽.

2. 유치원 분석의 어려움

유치원에 관한 연구를 하면서 가장 큰 애로사항은 사료들마다 유치원의 개수, 설립년도, 설립주체 등이 제각기 달랐다는 것이다. 따라서 유치원를 분석함에 있어 정확성, 객관성 측면에서 문제가 있다. 자료들 간의 불일치는 한국인 유치원의 특성을 반영한 것이다. 즉, 일제 강점기 한국유치원은 거의 대부분이 사립—공립 한국유치원은 없었다—의 미인가 유치원이었으며 이러한 한국인 유치원들은 재정적 기반이 매우 열악했다. 당시 유치원 설립 및 운영에 관한 법령은 있었지만, 문서상으로만 존재했었을 뿐 현실적인 규제력은 없었던 것으로 보인다.

유치원 설립 및 운영에 관한 법령은 통감부 시기에 발표된 것과 일제 강점기에 발표된 것, 두 개뿐이다. 먼저, 통감부 시기의 법령이다. 1908년 4월 2일에 공포된 「고등여학교령(高等女學校令)」(勅令 제22호)[72]은 유치원에 관한 명문화된 최초의 규정이다. 동령 제10조에 "高等女學校에 附屬幼稚園을 設함을 得함"이라고 한 것이다. 그런데 제2조에 "고등여학교는 관립, 공립, 사립의 三種으로 함. 國庫의 費用으로 設立하는 것을 官立이라 하고, 道 或 府 또는 郡의 費用으로 설립하는 것을 公立이라 하고, 私人의 비용으로 설립하는 것을 私立이라고 함"이라고 규정되어 있으므로, 관・공・사 고등여학교의 부속유치원을 각각 관・공・사 유치원이라 할 수 있겠다.[73] 다음 법령은 1922년 2월 16일 공포된 제2차 「조선교육령」에서이다. 동령(同令)에서 '유치원규정(幼稚園規程)'은 총 13조로 이루어져 있는데 다음은 그 일부이다.

---

72) 『官報』, 제4309호, 隆熙2年(1908) 4月 4日.

73) 이상금, 앞의 책, 1987, 103~104쪽.

제1조. 유치원은 연령 3세부터 7세까지의 유아를 **보육하는** 것을 목적으로 한다.

제2조. 유치원은 府·學校組合 또는 學校費의 負擔 또는 私人(個人)의 費用으로 이를 設立할 수 있다. 府·學校組合 또는 學校費의 부담으로써 設立하는 것을 公立幼稚園으로 하고, 個人의 費用으로 設立하는 것을 私立幼稚園으로 한다.

제3조. 유치원을 설립하려고 할 때는 다음 사항을 **道知事의 認可를 받아야 한다**. 인가 내용은 "명칭, 위치/유아의 정원 및 반의 편성/보육의 시간수 및 휴업일/개원 연월일/園地, 園舍의 평면수, 평수 및 부근의 정황을 기재할 것/유지방법/의 세부조항으로 규정하였다.[74](고딕은 연구자)

1922년 법령의 가장 큰 변화는 유치원 설립을 위해서는 '인가'를 받게 되었다는 점이다. 비로소 일제는 유치원 설립에 규제를 하게 된 것이다. 그러나 미인가·무인가 유치원이 대다수였으며 서당이나 강습회처럼 강력한 통제를 하지 않았다는[75] 사실에서 실제로 유치원 설립 인가의 법적 구속력은 매우 미약했음을 알 수 있다. 무엇보다도 조선총독부가 조사한 유치원의 통계 수치가 여타 자료들에 비해 작았는데, 이는 미인가·무인가 유치원들이 집계과정에서 누락되었을 가능성과 재정적 기반이 취약했던 유치원들의 개원·휴원·폐원의 변동아 잦았다는 데 기인한 것으로 보인다. 초창기 한국인 유치원은 다수가 미인가, 사립, 열악한 재정 등의 특징을 지녔다는 것을 바탕으로 해서 유치원의 양적 추이와 그 원인에 대해 본격적으로 다루어 보겠다.

---

74) 『官報』, 제2851호, 大正11年(1922). 2. 16.
75) 이상금, 앞의 책, 1987, 112쪽.

3. 유치원의 시작과 전개

1) 여명기 : 1910년대

일반적으로 최초의 한국인 유치원을 1914년에 세워진 '이화유치원'으로 본다.[76] 그보다 1년 전인 1913년에 '경성유치원'이 개원했지만 친일을 표방했다고 해서 최초의 한국인 유치원으로 보기는 어렵다는 것이 기존 연구의 입장이다. 그러나 '이화유치원' 이전에 이미 한반도에는 친일을 표방하지 않은 한국인 유치원이 있었다.

---

76) 사료에 의하면 한국에 세워진 최초의 유치원은 '부산사립유치원'이다. "戰役(청·일전쟁) 이후 일본 거류민의 급증과 교육열로 인해, 유아보육기관 설치 요구가 커져가고 있었으나, 자치단체 재정 미흡으로 실행되지 못하고 있었다. 이 무렵 일찍부터 부산에 들어와서 교육에 많은 관여를 하고 있던 대곡파 본원사 부산별원 주지 管原積城가 유치원 경영을 결심하고, 일본 영사와 거류민 총대(總代)의 원조와 교단 본부의 보조를 받아 明治30년(1897) 3월 3일에 북빈통신부 가옥을 빌려서 유치원舍로 하고, 원아 20명을 수용해서 개원식을 거행했는데, 이것이 실로 조선 유치원의 효시이다. 그 해 5월 28일(廿八)에 東本願寺로 이전하여 순조롭게 발전하였으며, 1905년 4월 이후에는 거류민단의 보호를 받게 되어 그 운영이 활발해져서 1906년에는 원아가 120명에 이르게 되었다. 이후 1914년 거류민 집단의 폐지와 함께 보조금이 끊어졌으나, 역대 원장과 보모의 봉사적 노력과 부인회의 후원으로 지원하는 원아가 해마다 정원을 초과하였다."(釜山敎育會 編, 『釜山敎育五十年史』, 昭和2年(1927), 14~15쪽). 경성 최초의 일본인 유치원은 1900년(明治 33)에 설립된 '경자기념공립경성유치원'이다. 일본 황태자의 성혼기념으로 경성 거류민, 유지(有志), 경성부인회, 독지가의 기부금으로 남산의 본원사에 개원하였다(西村綠也, 『朝鮮敎育大觀』, 昭和5年(1930), 131쪽). 이처럼 한국인 유치원이 개신교 주도하에 있었다면 일본인 유치원은 불교계에서 주로 설립하였다. 부산사립유치원이 창설된 1897년에는 일본 국내에도 유치원이 하나도 없는 縣이 6개였고, 취원율도 1% 단계였다. 또한 일본 국내에서의 최초의 불교주의 유치원이 1901년(明治34)에 개설되었으므로, 한국의 일본인 거류민이나 불교단체가 얼마나 교육에 적극적이었는가를 미루어 알 수 있다(이상금, 앞의 책, 1987, 86쪽).

"1903년 WEAN 작가가 처음 평양에 왔을 때, 그녀는 모든 사람들이 학생들을(the older people) 전도하고 가르치느라고 너무 바빠서 어린 아이들을 돌보지 못하는 것이 인상적이었다. 그녀가 11월에 도착해서 머지않아, 첫 크리스마스를 맞이하게 되었다. 이 선교사는 어린아이들에게 찬송가를 가르칠 것을 부탁받았다. 나이든 선교사 분의 요청으로 번역된 Luther's Cradle 찬송가를 율동에 맞춰 유아들에게 가르쳤다. 그리고 그것은 크리스마스 예배(service)의 한 부분으로 주어졌다. 모든 사람들은 이것을(이 공연을) 즐거워했다. 1910년 휴가에서 막 돌아왔을 때, 미국에서부터 선교를 위한 기부금이 왔다. 기부자 이름은 알 수 없었다. 이 기부금은 다른 선교사업 뿐만 아니라 유아들을 위한 사업에 쓰여야 할 것 같았다. 가르칠 아이들은 많지만 정작 선생님이 없었다. 평양 4개 교회의 친구들이 조언을 해 주었고 4개 유치원을 위한 공간(rooms)이 마련되었다. Academy 여학교를 다니면서 돈을 벌기 위해 교회 일을 돕고 있는 몇몇 여학생들이 있었다. 이들 중 8명 여학생을 뽑아서, 토요일 오전에 선교사 집에서 만났다. 그 선교사는 유치원 전문가는 아니지만 유아들을 가르치기 위한 몇 가지 아이디어를 갖고 있었다. **기부금의 일부가 유치원 시설(supplies)에 투자되었다. 그 여학생들은 유치원 경영에 대한 몇 가지 생각들을 내 놓았다. 성경이야기, 게임, 종이접기, 주어진 물건 활용하기 등등.** 그리고 그때 당시 찬송가에 실린 2, 3개 어린이 찬송가를 유아들에게 가르칠 때, 동작도 함께 할 것을 제안했다. 8명 선생님(여학생)은 2명씩해서 4개 유치원에서 가르쳤다. 이 여학생들은 반나절은 학교공부를 하고, 반나절은 유치원에 가서 가르쳤다. 그리고 봉사의 대가로 각각, 1달에 4.5엔을 받았다. 그 당시에 유아사업이 일반화되지 않았지만, 점차 관심이 높아졌다……[77]"(고딕은 연구자)

1903년에 개설한 평양의 유치원—원명(原名)은 정확하게 기록되어 있지는 않지만—은 정식 유치원이라기 보다는 교회 유아들 대상으로

77) "Early Days of Kindergarten Work in Pyengyang", *KMF*, 1939. 12, 252~253쪽.

찬송가, 율동을 가르쳤던 수준이었다. 그러다가 1910년에 본국에서 보내온 기부금으로 평양 4개의 교회 내에 유치원을 본격적으로 운영했다는 내용이다. 이외에도 1911년에 황해도 해주에서도 유치원이 운영되고 있었다. 1911년 해주 선교거점(Haiju Station)의 노튼(Norton) 부인이 쓴 편지 내용이다.

> "한국에 있는 동안 계속해서 나는 유치원을 열기를 갈망하였지만, 그것을 하기에 자유가 없었다. 우선 한국어를 할 줄 몰랐고, 나의 어린 딸 Lucy가 와서 집에 주로 있어야 했기 때문이다. **지금 딸은 많이 자라서 유치원을 열게 되었다.** 6명 남자아이와 4명의 여자, (그리고 루시) 11명 아이들로 시작했으며 교회 사람들은 앞으로 잘 될 거라고 말해 주었다. 몇몇 사람들이 나에게 혼성반을 하지 말라고 조언했다. 부모들이 반대할 거라고. 그러나 **등록한 아이들은 우리 교회에서 상류층 가정의 자녀들이고 만약, 부모들이 혼성반을 반대하지 않는다면 앞으로 계속 그렇게 진행할 것이다.**……나는 단지 번역된 몇 가지 노래와 수기(finger plays)만 있을 뿐이다. 그래서 우리 선생님의 도움으로 더 많을 것을 하려고 한다. 그러나 우리의 성과는 아직 미비하다. 그래서 여러분의 도움을 얻고자 편지를 쓴다. 한국에서 유치원을 운영하는 사람 어디 없나요?"[78] (고딕은 연구자)

노튼 부인은 자신의 어린 딸이 어느 정도 자라자 시간적 여유가 생겨 유치원을 열었는데, 인근 지역의 상류층 아이들이 등록하였고, 앞으로도 계속 운영할 것이라는 내용이다.

이처럼 '이화유치원' 이전에 한국인 유치원이 미비하게나마 운영되었다는 사실에 대해 이상금은 "유치원교육에서 벗어난 훈련, 비전문가에 의한 지도, 단 1회의 기록만으로 그 실상을 확인하기 어려운 점 등으로 인해 한국 유치원 교육사의 기점으로 간주하기는 어려우며, 다만 유치원 발달의 전사적(前史的) 의의를 부여할 수 있다"라고 하면

78) A. Norton, "Kindergarten Work", *KMF*, 1911. 11, 305~306쪽.

서 이화유치원을 “최초의 본격적인 유치원”[79]으로 보았다.

그러나 1910년대 초반 선교사들이 이미 운영했던 유치원의 교육실상을 보면 노래, 수기(手技), 게임, 종이접기 등의 전통사회와는 분명히 다른 근대적(=서구적) 개념의 유아교육을 실천했기 때문에 이때부터를 유치원의 시작으로 보는 것이 타당하다. 물론 유아교육 전문가인 브라운리(C. Brownlee, 富來雲)의 내한(來韓)으로 이전보다는 전문적인 유아교육을 실천했겠지만, 식민지 시기동안 많은 유치원이 이화유치원처럼 안정적이고 근대적인 유아교육을 실천하지 못한 경우가 허다했고, 이화유치원이 이전 유치원의 교육프로그램과 확연히 달라졌다고 보기 어렵기 때문에 이화유치원을 최초의 유치원으로 보는 것은 여러 가지 측면에서 설득력이 떨어진다. 게다가 해주유치원, 평양의 유치원들 모두가 일회성이 아니라 지속적으로 운영되었던 견실한 유치원이었으므로 1910년대 초반부터를 한국인 유치원의 역사가 시작되는 여명기로 보아도 무방할 것이다.

1910년대 초반에 유치원은 시작되었지만 그 전개과정은 꽤 느렸는데, 다음 표는 1922년 제2차 교육령이 발표되기 직전인 1921년 조선총독부가 집계한 한국유치원의 현황이다.[80]

조선총독부는 1921년도 한국인 유치원이 전국적으로 11개 있는 것으로 집계하였다. 그러나 이 수치는 조사주체에 따라 다소 차이가 있다.

---

79) 이상금, 앞의 책, 1987, 65쪽.

80) 식민기 시기의 유치원은 분류 기준에 따라 유형을 달리 할 수 있는데, 그 기준의 하나가 ‘한국인 유치원’과 ‘일본인 유치원’이다. 통감부의 통계에서는 ‘本邦人設立’과 ‘外國人設立(韓國人教育)’으로 구분되어 있으며, 1910년 이후의 조선총독부 통계에는 ‘內地人教育’과 ‘朝鮮人教育’으로 나누어 각각 별도로 집계하고 있다. 그러다가 1923년 이후부터는 한국인과 일본인의 교육을 같은 단계의 항목에 묶어서 집계하였다. 따라서 <표 2> 『朝鮮諸學校一覽』는 1921년도 것으로 ‘내지인 유치원’과 ‘조선인 유치원’으로 분류되어 있다.

<표 Ⅱ-1> 조선총독부가 집계한 1910년대 한국인유치원 현황

원 명	소재지	창립년월	직원수	원아수
경 성	경기도 경성부 仁崇洞	1913. 4.	4	85
배 화	同 경성부 樓下洞	1920. 8.	3	57
호수돈 북	同 開城郡 松都面	1918. 4.	2	99
〃 남	同 同 南本町	1918. 4.	2	75
〃 동	同 同 東本町	1918. 4.	2	56
공 주	충남 공주군 공주면	1919. 9	2	55
통영기독교	경남 통영군 통영면	1917. 9	5	131
해 주	황해도 해주군 해주면	1919. 6	2	72
義 崇	강원도 강릉군 강릉면	1919.11	6	50
貞 新	同 원주군 원주면	1918.12	4	80
花 城	同 横城郡 横城면	1920. 4	1	49
計 11校			33명	809명

*출처 :『朝鮮諸學校一覽』, 大正10年(1921), 79~80쪽.

<표 Ⅱ-2>는『동아일보』와 이상금이 식민지 시기의 한국인 유치원을 조사한 내용을 표로 작성한 것이다. <표 Ⅱ-2>에서 이상금이 조사한 것을 보면, 조선총독부와『동아일보』에는 실리지 않은 '이화', '정신(貞信)', '중앙', '아현', '남산', '청산'이 추가로 집계된 것을 알 수 있다. '이화'와 '중앙'유치원은 1923년도『朝鮮諸學校一覽』에 1922년 브라운리, 유양호가 각각 설립한 것으로 기록되어 있다.[81] 황해도 해주유치원의 경우도 앞에서 언급했듯이 이미 1911년에 설치·운영되고 있었지만, 1919년에 설립된 것으로 기록되어 있다.

사료들 간의 이와 같은 차이점에도 불구하고, <표 Ⅱ-1>과 <표 Ⅱ-2>에서 중요한 사실들을 얻을 수 있는데 첫째, 1910년대에 한국인 유치원은 최대한 잡아도 17개, 그러니까 20개가 채 안되었으며 원아수는 약 800명 정도였다. 이 수치를 당시 보통학교 통계와 비교해 보자. 1919년에 보통학교는 관립 2교, 공립 482교, 사립 33교, 학생수는 8만 9천여 명 정도였다는[82] 점에서 한국인 유치원은 이제 겨우 걸

81) 조선총독부학무국,『朝鮮諸學校一覽』, 大正12年(1923), 75~76쪽.
82) 오성철,『식민지 초등교육의 형성』, 서울 : 교육과학사, 2000, 118쪽 및 119쪽

<표 Ⅱ-2> 기타 1910년대 한국인유치원 현황

동아일보			이상금		
원명	소재지	설립년도	원명	소재지	설립년도
경성	경성	1913. 4	경성	경성	1913
호수돈 북	開城郡	1918. 4	이화	경성	1914
호수돈 남	松都面	1919. 4	貞信	경성	1915
호수돈 동	松都面	1919. 4	중앙**	경성	1916
공주	충남 공주군	1919. 9	배화	경성	1917
해주	해주	1919. 9	통영기독교	경남 통영	1917
배영	강원도 평강	1918. 6	호수돈 북	개성	1918
義崇	강원도 강릉	1919.11	호수돈 남	개성	1918
貞新	강원도 원주	1918.12	호수돈 동	개성	1918
花城	강원도 횡성	1920. 4	배영	강원 평강	1918
			貞新	강원 원주	1918
			아현	경성	1918
			南山	평남 평양	1919
			靑山	평북 의주	1919
			해주	황해 해주	1919
			공주	충남 공주	1919
			의숭	강원 강릉	1919
計 10校			총 17개		

*출처 :「全道 유치원 狀況 : 園數가 10개소, 園兒가 671명」, 『동아일보』, 1921. 2. 25 ; 이상금, 『한국근대유치원교육사』, 1987, 부록 2, 394쪽.
**『매일신보』 1916. 10. 11.

음마 단계에 있었다고 볼 수 있다. 둘째, 설립년도가 대개 1917년 이후이다. 그러니까 1917년 이전에 한국인 유치원은, 가장 집계가 많은 이상금 조사에서는 '이화' '중앙' '경성' '정신' 4곳, 조선총독부와 동아일보사 조사는 '경성' 단 1곳이었다. 다시 말해서, 1910년대 한국인 유치원의 양적 규모 자체가 굉장히 작았는데, 그나마 이것도 1910년대 후반부터 세워진 것이며 그전까지 한국인 유치원은 다섯 손가락 안에 꼽히는 정도였다.

그렇다면, 전통사회에서는 존재하지도 않았고, 이름도 생소했던 유

의 <표 4-3> 참조.

치원을 누가 설립하기 시작했을까? 설립주체를 살펴보자.

<표 Ⅱ-3> 1910년대 유치원 설립자

원명	설립지역	설립자	비고
경성	경성	趙重應, 백운기	한국인[1]
이화	경성	Brownlee	감리교[2]
중앙	경성	박희도	한국인(미감리교신자)
배화	경성	L. Edwards[3]	남감리교
통영기독교	경남 통영	愼愛美	?
호수돈북	개성	E. Wager[4]	남감리교
호수돈남	개성	E. Wager	남감리교
호수돈동	개성	E. Wager	남감리교
공주	충남	徐思德(徐恩德?)[5]	감리교
해주	황해도	A. H. Norton	감리교
義崇	강원도	미감리교회	감리교
貞新	강원도	미감리교회	감리교
花城	강원도	미감리교회	감리교
南山	평남	J. Z. Moore[6]	감리교
아현	경성	E. M. VanFleet	감리교
貞信	경성	L. Morris	북장로교
青山	평북	북장로파義州西敎會	북장로교

*출처 : 『朝鮮諸學校一覽』, 大正12年[83] ; 이상금, 『한국 근대유치원교육사』, <부록 2>, 394~395쪽을 재구성. 해주유치원은 *KMF*, 1911. 11을 참조한 것.

1) 『매일신보』, 1913. 3. 30.

2) 내한한 선교사들 80% 이상이 미국인이며 미국 장로교와 감리교가 한국교회를 장악했다는 사실에서 이 논문에서 특별한 경우가 아니라면, 장로교와 감리교는 미국 소속의 교단을 지칭하는 것이다. 참고로 한국에 들어온 주요 교파는 4개인데, 가장 먼저 내한한 미북장로교(the Northern Presbyterian Mission : NP), 그 다음으로 미감리교(the Methodist Episcopal Mission : M.E), 미남장로교(the Southern Presbyterian Mission : SP), 미남감리교(the Methodist Episcopal Church, South) 順이다.

3) 미남감리교 여자선교사. 한국명은 愛道是. 1909년 내한, 1910년 춘천여성사업 책임자로 임명되어 춘천여자관 설립, 1920년 배화학당의 교장을

83) 1910년대 자료에는 설립주체가 없기 때문에 1923년도 자료를 사용하였음.

지냄(윤춘병, 『한국감리교회외국인서교사』, 서울 : 한국감리교회사학회 편, 1989, 106~107쪽).

4) 미남감리교 여자선교사. 한국명은 王來. 1904년 내한. 개성지방에서 1920년까지 종사하면서 여선교사 캐롤과 함께 여아 12명을 모집하여 한옥에서 학교를 시작함. 이것이 개성여학교→杜乙羅 학당→Holston여자고등보통학교(1922. 2)로 발전되었다. 1926~27년 Lucy 여학교 제9대 교장으로 취임. 1927~34년 Korea Mission Field의 주필로 활동함. 1926~1933년에는 태화여자관 사업과 1933년까지 『긔독신보』 상무이사로 근무함. 1938년에는 호수돈(Holston)여고 교장 및 호수돈여자보통학교 교장직을 겸임. 1940년 말 일제에 의해 강제귀국 당함(윤춘병, 위의 책, 1989, 111~112쪽).

5) 미감리교회 Swearer목사(1896년 내한, 한국명 徐元輔)의 부인 May Shattuck의 한국명이 徐恩德이었는데, 이 여선교사가 충남 공주지방의 선교사로 부임되어 내한했다(윤춘병, 위의 책, 1989, 94쪽). 정황상 이 여선교사인 것 같음.

6) J. Z. Moore, 한국명 文約翰. 감리교의 한국선교사 및 목사. 1903년 뜨류신학대학을 졸업하는 길로 한국 선교사로 내한. 1905년 Alpha Roney양과 결혼했다가 사별하고, 1915년 마운트유니온 신학교에서 신학박사 취득 후 재차 내한, 1910년 이미 한국에 와있던 Ruth Benedict양과 재혼한 후 40여 년동안 평양 광성고등학교, 정의여자고등학교, 평양요한학교, 평양여자고등학교를 설립, 인재양성에 힘쓰며 전도교육 사회사업에 종사하다가 1940년 일제에 의해 강제 추방되어 귀국하였다(윤춘병, 위의 책, 1989, 69쪽).

1910년대 유치원의 설립자들을 분석해 본 결과, '경성', '중앙'을 제외한 나머지 유치원 모두가 개신교 선교사가 설립했다는 것이 확인되었다. 기타 '의숭', '정신(貞新)', '화성' 유치원 경우 정확한 설립자 이름은 확인되지는 않지만, 개신교에서 세웠다는 것을 알 수 있다. 따라서 1910년대 한국인 유치원의 다수가 개신교에서 세운 개신교 유치원들이었다. 이처럼 초창기 한국인 유치원의 설립은 개신교가 주도해 나갔으며,[84] 개신교 계통의 유치원 교육은 종교교육의 색채가 강했을

84) 반면, 식민지 조선의 일본인 유치원은 주로 불교에서 설립하였다. 각주 76) 참조.

것으로 쉽게 예상할 수 있다.

셋째, 장로교보다는 감리교가 훨씬 더 적극적으로 유치원을 설립했다는 사실이다. 장로교와 비교해서 감리교의 두드러진 선교정책으로 앞에서도 말했지만 1) 교육사업에 대해 장로교에 비해 훨씬 높은 관심을 보였다는 점, 2) 여선교사의 비율이 훨씬 많아 부녀자사업에 많은 공헌을 남겼다는 점을 꼽을 수 있는데, 유치원 설립에 있어 감리교가 더 적극적이었다는 사실은 이러한 선교정책에서 기인한 것이다. 1870년대 창설된 미감리교회 해외선교회(Woman's Foreign Missionary Society of Methodist Episcopal Church)는 "여성에게는 여성이 복음을 전한다"(Extend Gospel to women by women)라는 이념을 내세우며 해외선교를 개척하였는데 한국도 마찬가지였다.[85] 가장 늦게 한국에 들어온 미남감리교회 역시 여성선교는 '여성과 아이들'을 대상으로 삼는다는 것을 분명히 했으며, 이러한 선교정책에 따라 1897년 남감리교회 최초의 여선교사로 내한한 캠벨(J. P. Campbell)부인은 기숙학교 형태의 배화학당을 설립하였다. 이처럼 감리교는 처음부터 교육사업 특히, 여성·아동 중심의 선교사업에 착수하였다. 본국에서부터 감리교 및 남감리교는 여성·아동 중심의 선교정책을 채택하고 있었으며 한국 선교에도 이것이 그대로 적용된 것이다.

마지막으로 주목해야 할 것이 유치원이 세워진 지역이다. <표 Ⅱ-2>를 보면, 17개 유치원 중에서 12개 유치원이 경성, 개성, 강원도 등 중부지방에 집중적으로 분포된 것을 알 수 있다. 중부지역은 교단간의 지역분할 협정의 결과, 최종적으로 감리교와 남감리교의 관할구역으로 결정된 지역이다.[86] 즉, 초창기 유치원이 주로 중부지역에 많

---

85) 이덕주,『태화기독교사회복지관의 역사』, 서울 : 태화기독교사회복지관, 1993, 35쪽. 근대여자학교의 시초인 이화학당, 근대여자병원의 시초인 보구여관(保救女館), 동대문부인병원의 전신인 볼드윈 시약소가 이 선교단체에서 세워진 것도 이러한 맥락에서 이해할 수 있다.

86) C. D. Morris, "DIVISION OF TERRITORY BETWEEN THE

이 설립된 것은 이 지역이 감리교 및 남감리교의 관할 지역이었기 때문이다.

PRESBYTERIAN AND METHODIST MISSIONS", *KMF*, 1914. 1, 18~19쪽. 1890년대 들어서면서 열강의 여러 교단들이 한국에 선교사를 파송하게 되면서, 특정지역에 과잉 집중되는 과오를 범하게 되면서, 지리적 분산과 복음의 廣布를 기하지 않을 수 없게 되었다. 선교지 분할은 바로 이러한 맥락에서 나오게 된 것이다. 선교지 분할・조정 문제는 여러 나라에서 선교사를 파견했던 장로교단이 먼저 제기하였고, 1910년 초까지 여러 차례에 걸쳐 진행되었는데 최종적인 내용은 다음과 같다. 미북장로교회는 서울・황해도・평안도・경북・충북 일부를 맡게 되었다. 선교거점(Mission Station)은 대구・안동・청주・서울・재령・평양・선천・강계의 8지역이었다. 감리교는 서울・경기(수원, 인천)・충남・황해도의 남부와 강원도 남부, 평안도의 평양・영변 등을 점유하였다. 1893년 북장로교와 공동점거한 지역내의 충돌을 없애기 위해, 5천명 이상의 인구가 사는 도시에서는 공동점유하고 그 이하 지역에서는 선점한 선교부에 양도하기도 합의하였다. 남장로교는 북장로교와의 협의로 처음 충청・전라도를 점유키로 했으나, 충청지역은 감리교에 이양하고 호남지역만을 확보하였다. 선교거점은 전주・군산・목포・광주・순천이다. 미국 남북장감 4개교단 가운데 가장 늦게 내한한 남감리교는 서울에 선교부를 설치하고, 황해도, 개성, 한강이북의 경기・강원도 중북부 지역을 선교지역으로 확정하였다. 기타 호주 장로교가 부산과 경남 일대를, 캐나다 장로교가 함경도와 간도지역을 맡게 되었다. 그리고 장로교단의 이와 같은 지역분할은 해방 후 장로교 분열의 중요한 원인이 되었다(이만열, 앞의 책, 1991, 452~455쪽). 개신교의 지역분할을 표로 정리하면 다음과 같다.

<표 II-4> 교파에 따른 관할지역과 선교거점

교파	관할지역	선교거점(mission station)
미북장로교(NP)	평안도, 황해도, 서울, 경북, 충북 일부	강계, 선천, 평양, 재령, 서울, 충주, 안동, 대구(이상 8개)
미북감리교(M.E.)	서울・경기(수원, 인천), 충남, 황해도 남부, 강원도 남부, 평안도	영변, 평양, 해주, 서울, 제물포, 원주, 공주(이상 7개)
미남장로교(SP)	호남지역	전주, 군산, 목포, 광주, 순천
미남감리교(M.E.S)	서울, 황해도, 개성, 한강이북의 경기, 강원도 중북부	개성, 서울, 춘천, 원산(함남), 송도
캐나다장로교(CP)	함경도 및 간도	회령, 성진, 함흥
호주장로교(AP)	부산 및 경남 일대	부산진, 통영, 거창

2) 팽창기 : 1920년대

1910년대 유치원의 양적 규모는 극히 미약했던 것에 비해 1920년대 이후 유치원은 급속도로 설립되기 시작하였다. 이상금은 1920년대 유치원 급증 현상을 대한제국 시기말 사립학교 급증 현상과 유사하다고 하면서 "교육구국주의 재현의 한 모습으로 삽시간에 전국적인 관심의 대상인 된 듯하였다"[87]고 했듯이 1920년대 이후 한국인 유치원은 삽시간에 전국적으로 설립되었다. 다음 <표 Ⅱ-5>는 1920년대 유치원의 양적 추이를 보여준다.

<표 Ⅱ-5> 유치원 양적 변화(단위 : 개)[88]

집계 년도	1921	1923	1924	1926	1935
한국인 유치원	11	37	48	93	235
일본인 유치원	18	20	21	31	64
총	29	57	69	124	299

*출처 : 『朝鮮諸學校一覽』, 朝鮮總督府學務局, 大正10年, 大正12年, 大正13年, 大正15年, 昭和10年.

<표 Ⅱ-5>에서 1920년대 초반 유치원의 증가에 있어 일본인 유치원은 거의 답보상태임에 반해, 한국인 유치원은 빠른 속도로 증가하고 있었으며, 1920년대 중반 이후 급증하였음을 알 수 있다. 1921년까지

87) 이상금, 앞의 책, 1987, 177~178쪽.

88) 3·1운동 이후 한국의 학제가 일본 내지의 수준과 같이 조정되면서, 1923년 이후부터 한국인과 일본인의 교육을 같은 단계의 항목에 묶여서 집계하였다(각주 80) 참조). 그래서 한국인 유치원과 일본인 유치원을 이전 시기처럼 명확하게 구분하는 것이 쉬운 작업은 아니다. 그러나 시기에 따라 분류방식을 다소 달리했는데 1923년과 1924년 자료는 앞부분에 일본인 유치원을, 뒷부분에 한국인 유치원을 기록해서 1921년도 일본인 유치원으로 분류된 것을 참조로 해서 그것을 빼고 한국인 유치원을 산출한 것이다. 그러나 1926년도 자료부터는 지역별로 묶어 작성했기 때문에, 내지인과 조선인의 학생수·직원수 등의 내용이 상세하게 기록되어 있는 1935년 자료를 비교해서 1926년도 유치원을 위와 같이 분류할 수 있었다.

만 해도 일본인 유치원이 한국인 유치원보다 많았지만 1923년 이후부터는 한국인 유치원이 앞지르기 시작했으며 시간이 지날수록 격차는 커졌다.

1920년대 유치원의 특징을 1910년대 유치원과 비교·분석하기 위해서 '설립주체'와 '지역별 분포'를 중심으로 고찰하도록 하겠다. 1910년대 한국인 유치원 대다수가 감리교 계통에서 세운 개신교 유치원이었는데, 그렇다면 1920년대 이 많은 유치원들을 누가 세운 것일까?

이 질문에 대한 답이 될 수 있는 선행연구가 있다. 다음 <표 Ⅱ-6>은 김양선의 일제 강점기 기독교 학교의 조사에서 유치원 부분만을 가지고 온 것인데, 1925년부터 조사한 것으로 감리교계와 장로교계 유치원만을 집계한 것이다.

<표 Ⅱ-6> 일제강점기 개신교 유치원 수(1925~1930)

연도	1925	1926	1927	1928	1930	1932
개신교 유치원	122	148	177	217	138	310

*출처 : 김양선, 『韓國基督敎史硏究』, 서울 : 基督敎文社, 1971, 부록 편.

<표 Ⅱ-6>에 나타난 수치 역시, 조선총독부 집계와 꽤 차이가 나지만, 당시 개신교 유치원의 양적 규모를 개략적이나마 알 수 있다. <표 Ⅱ-5>에서 1926년도 한국인·일본인 유치원을 합해서 124개로 집계되었는데, <표 Ⅱ-6>은 개신교 유치원만을 집계한 것임에도 불구하고 148개로 조사되었다. 조선총독부 공식자료는 인가된 유치원만을 집계했기 때문에 미인가 유치원은 빠진 상태이다.[89] 일제의 공식 사료와 수치의 불일치를 보이기는 하지만, <표 Ⅱ-6>을 통해 1920년대 세워진 많은 유치원들이 개신교에서 세워졌으며, 이들 대다수가 미

89) 이상금에 의하면, 1921년부터 1939년 사이 『동아일보』에 거론된 유치원 중에서 『조선제학교일람』에 포함되지 않은 유치원이 196개로서, 이들을 미인가로 간주할 때 인가된 유치원의 1.5배에 달하는 수치라고 했다(이상금, 앞의 책, 1987, 179쪽).

인가 유치원들이었음을 알 수 있다. 김양선의 연구를 객관적으로 뒷받침하기 위해서 조선총독부 공식자료 중에서 1926년도『朝鮮諸學校一覽』에 기록된 유치원(<표 Ⅱ-5> 참조)을 보다 세밀하게 분석해 보았다. 다음의 <표 Ⅱ-7>이 그것인데, 여기에 기록된 유치원은 '인가' 받은 한국인 유치원으로서, 이들 유치원 중에서 과연 개신교 유치원은 어느 정도 비중을 차지하는지를 분석하였다.

<표 Ⅱ-7> 1926년도 '인가'받은 한국인 유치원 중에서 개신교 유치원의 비중

지역 및 (개신교 유치원 /한국인 유치원)	園名 및 설립주체(괄호안)[1]	해당 지역의 교파[2]
서울·경기도 (12/19)	경성, 배화(개신교 이하 개), 雄城, 이화(개), 수표(개), 남대문(개), 안국, 태화(개), 삼광(개), 갑자(개), 조양, 수송, 利川(개), 수원(개), 안성, 중앙(개), 호수돈 남·북·동(개)	북장로교회, 감리교회, 남감리교회 연합지역
충청북도 (1/1)	충주(개)	북장로교회
충청남도 (3/3)	공주(개), 홍성(개), 천안(개)	남감리교회
함경남·북도 (4/8)	함산, 누씨[3](개), 청진(개), 효성, 함명(개), 웅성, 회령(개), 영옥	캐나다장로교회[4]
평안남·북도 (14/28)	대동(개), 중앙(개), 의성(개), 정의,[5] 기성(개), 남산(개), 창동, 화경, 삼숭(개), 신창, 비양, 강서, 함종, 덕천, 용강, 삼화(개) 이상 평남 신의주신명(개), 의주용만(개), 의주청산(개, 앞표 참조), 의주해성, 영변[6](개), 곽산(개), 차련관(개), 용암포, 역락,[7] 명신(개), 강계, 양성(천도교) 이상 평북	북장로교회, 감리교회
황해도 (3/6)	해주(개), 백천(개), 경애, 재령(개), 광선, 광진	해주(감리교회) 재령(미북장로교회)
전라남·북도 (8/9)	전주(개), 영생(개), 귀암(개), 裡里, 금정(개), 누문리(개), 목포희망(개), 광주(개), 곡성(개)	남장로교회
경상북도 (0)	인가받은 한국인 유치원이 아직 없음. 1927년부터 나옴	북장로교회

경상남도 (5/6)	일신(개), 기독교(장로교), 함안(개), 통영(개), 통영기독교(개), 신명	호주장로교회
강원도 (8/12)	춘천(개), 의숭(개), 금천, 죽잠, 삼성, 동명(개), 금성, 평창(개), 貞信(개), 화성(개), 금화(개), 배영(개)	남・북감리교회
제주도 (1)	중앙(전남제주도제주면)	남장로교회
계 : 53/93		

*출처 : 『朝鮮諸學校一覽』, 大正15年, 朝鮮總督府學務局 ; 『동아일보』.

1) 괄호 안의 (개)는 基督教大韓監理會教育局編, 『韓國監理教會史』, 1980, 337~340쪽 참조.

2) 해당지역 교파는 각주 86)의 <표 Ⅱ-4>를 참조.
설립주체자가 명시되지 않은 유치원은 한국인들 또는 한국인 이름을 가진 선교사들이다. 이들 개인들 역시, 개신교 신자일 가능성이 높지만 확실한 경우에만 명시한 것임.

3) 설립장소와 설립자(남감리교회의 여선교사 Oliver)를 봤을 때, 樓氏(Lucy, 한국명 루씨)여학교의 부속유치원으로 추정됨. 루씨여학교는 1903년 미남감리교에서 기숙학교 형태로 설립된 여학교이다(이덕주, 앞의 책, 1993, 41쪽).

4) 함경남・북도는 전반적으로 캐나다 장로교회 관할 지역이지만 원산은 예외적으로 처음부터 미감리교 선교구역이었다. 그러다가 1900년경부터 미남감리교회, 미북감리교회 선교구역 협정에 따라 미남감리교회의 담당구역으로 바뀌게 되었다. 남감리회 선교부에서는 하디(R. A. Hardie)를 원산 개척선교사로 파송했다(이덕주, 앞의 책, 1993, 32쪽).

5) 『동아일보』, 1923, 5. 27. 평양의 유지 최씨가 평양에 완전한 유치원을 없음을 안타깝게 생각, 7만원으로 땅을 사서 보육실과 유희실을 갖춘 최신식 유치원을 6월 1일부터 개원한다는 기사.

6) 평안북도는 대부분 북장로교회가 우세한 곳이었지만, 유독 영변만은 감리교 선교가 활발하게 진행되어 1901년 모리스(C. D. Morris)가 그곳을 왕래하며 전도하여 평북감리교의 전초기지를 마련하였다(이덕주, 앞의 책, 1993, 28쪽). 1924년까지만 해도 평북 영변지방에는 단 1개의 유치원도 없다가 1924년 비로소 영변유치원(설립자 崔鏡一)이 설립되었다. 이어 신창에서도 유치원 설립을 원하여 교회원들끼리 기금을 내고 기타 재료를 구입해서 유치원을 세웠는데 이 사업은 맥퀴(Ada Mcquie)가 주관했다(장병욱, 『韓國監理教女性史』, 서울 : 성광문화사, 1979, 402~403쪽).

7) 『동아일보』, 1926. 7. 13. 선천의 노인들의 노력으로 경영해 온 유치원, 이창석씨의 기부. 중앙유치원 사범과 출신의 2명의 보모가 근무하고 있음.

<표 Ⅱ-7>에서 인가받은 한국인 유치원 93개 중에서 개신교 유치원이 53개로 약 57%의 비중을 차지하고 있다. 나머지 40개 유치원의 설립자가 한국인 이름으로 되어 있어 파악하는 데 어려움이 상당히 많다. 그렇지만 제대로 파악을 하지 못한 평안 남·북도 지역을 제외한 다른 지역을 보더라도 한국인 유치원의 약 70% 이상을 개신교가 세웠다는 것이 확인되었다.

<표 Ⅱ-7>에서 또 하나 확연히 알 수 있는 것은 유치원이 경북을 제외하고 전국적으로 세워졌다는 사실이다. 1910년대 한국인 유치원들이 중부지역에 집중되었던 것에 반해, 1920년대 한국인 유치원은 전국에 없는 곳이 없을 정도로 널리 설립되었다. 이는 감리교 및 남감리교뿐만 아니라 장로교에서도 유치원 설립에 적극 가담했다는 것을 의미한다.

유치원이 이처럼 짧은 시간 안에 빠르게 설립할 수 있었던 것도 지역분할 선교정책으로 이미 산간벽지까지 교회가 설립되었고, 일제로부터 별 규제를 받지 않고 미인가 방식으로 유치원 설립이 가능했기 때문이다.[90] 당시 신문을 보면, "시내중앙예배안에 유치원",[91] "시내중앙예배당안에 있는 종로유치원 확장",[92] "충주감리교회당에서 유치원 설립",[93] "義州아소교회당소관 유치원……"[94]의 기사제목을 쉽게 접할 수 있는데, 이 역시 많은 유치원이 교회 내에서 설치·운영되었다는 것을 보여주는 사례들이다. 다음은 지금까지 고찰한 1910년대와

90) 이상금, 위의 책, 1987, 154쪽.
91) 『동아일보』, 1920. 5. 5.
92) 『동아일보』, 1920. 9. 9.
93) 『동아일보』, 1921. 4. 9.
94) 『동아일보』, 1921. 7. 6.

1920년대 유치원들을 비교·분석한 내용을 정리한 표이다.

<표 II-8> 1910년대·1920년대 한국인 유치원 특성 비교

	1910년대	1920년대
양적 규모	10여 개(1920년 기준)	126(1926년 기준)
설립주체	감리교/ 남감리교	감리교/남감리교+장로교
설립지역	서울, 경기, 강원도 등 중부지역에 집중	전국적으로 분포

3) 유치원의 증가 원인

여기서 "1920년대 이후 개신교는 왜 교파를 초월해서 유치원 설립에 적극적으로 참여했을까?"라는 질문에 직면하게 된다. 1920년대 식민지 한국에서 유치원이 급증하게 되는 원인과 관련해서 이상금은 원인을 크게 3가지로 보았다. 첫째, 3·1운동 이후 한국인의 '애국적' 교육열의 고조로 교육구국 차원으로 유치원들을 세우기 시작했다는 것,[95] 둘째, 1923년 5월 1일 '어린이 운동'의 시작,[96] 셋째, 기독교의 전국화와 관련 있다고[97] 보았다. 이 중 첫 번째 원인을 1920년대 이후 유치원 급증의 주된 요인으로 보았다. 또한 이상금은 1920년대 설립된 유치원을 ① 용사나 전사를 육성하려는 애국적 인재 양성을 목표로 하는 유치원('교육구국주의 유치원') ② 유교적 덕성이 강조된 유치원 ③ 민주적 시민의 육성을 지향하는 유치원 등 3유형으로 분류하면서,[98] 이 중에서 첫 번째 유형이 가장 많았으며 이것은 "3·1운동 이후에 촉발된 교육열은 신교육에 의한 인재양성과 국력 배양에 집결되었기 때문에 유치원도 애국자 양성에 참여하고 역할을 수행코자 한 것이다"라고 주장하였다.[99] 이상금 연구를 정리해 본다면, 1920년대

95) 이상금, 앞의 책, 1987, 178쪽.
96) 이상금, 위의 책, 163쪽.
97) 이상금, 위의 책, 182쪽.
98) 이상금, 위의 책, 172~173쪽.

많은 유치원이 설립된 주된 원인은 한국인들의 '애국적' 교육열 차원에 있으며 따라서 교육구국주의 유치원 유형이 가장 많았다는 것이다.

이 책에서는 바로 이 대목에서 새로운 질문을 하려 한다. "과연, 1920년대 유치원이 급증하게 된 원동력이 한국인의 애국적 교육열에 있으며, 따라서 교육구국주의 유치원이라 할 수 있을까?" 지금까지의 연구에 의해 밝혀진, 개신교 선교정책의 정치적 속성 및 유치원이 개신교 주도 하에 설립, 운영되었다는 사실을 가지고 1920년대 유치원 급증의 직접적인 원인을 검토해 보자.

(1) 원인 1 : 1915년에 발표된 「개정사립학교규칙」

<표 Ⅱ-1>, <표 Ⅱ-2>에서 알 수 있듯이 1910년대 극소수의 한국인 유치원이 존재했었지만, 한국인 유치원이 본격적으로 설립되기 시작한 시점은 1917년 또는 1918년도 이후로 보는 것이 타당하다. 1920년 이전에 이미 주일학교(sunday school)를 활성화하기 위한 노력은 꾸준히 있어 왔으며,[100] 1918년에는 『The S. S. Magazine』잡지를 발간하면서 교회가 '어린이교육'에 관심을 가질 것을 촉구하기도 했다. 다음은 이 잡지에 "쥬일학교연구뎨일호발간에림ᄒᆞ야"이란 제목으로 실린 사설이다. 한국교회의 장래는 아이들을 어떻게 교육하느냐

99) 이상금, 위의 책, 175쪽.

100) 최초의 주일학교는 1890년대에 조직된 것 같다. 그러나 이 당시의 주일학교는 장년들까지를 포함한 일종의 성서공부반과 같았다. 1907년에 와서 장·감 연합공의회는 세계주일학교연맹과 교섭해서 한국에서 주일학교 일을 전담할 사람을 보내줄 것을 요청한 바 있었다. 이것이 결실이 되어 1912년 2월 서울에서 선교회와 한국 교회 및 예수교서회의 대표자들 13명이 모여서 한국주일학교 실행위원회를 결성하였으며, 아울러 만국통일 주일공과를 편찬 발행하였다. 이 주일학교운동은 새로운 자극과 기회를 한국 교회에 제공해 주었다(민경배, 앞의 책, 2002, 323~324쪽). 1912년 개최된 한국주일학교와 관련된 자료는 *KMF,* 1912년 5월에 실린 다음의 기사를 참조할 것(J. G. Holdcroft, "Executive Committee for Korea Sunday School Association", *KMF,* 1912. 5, 144쪽).

에 달려 있다는 내용이다.

> "……우리의 가정을 개량하며 우리의 사회를 발전할 자가 과연 누구인가? 우리는 우리의 아이들을 교육해야겠고 우리의 아이들을 교육하려면 먼저 우리가 그 가르치는 방법을 연구하여야 하겠도다. 우리교회 안에는 몇 천 곳의 주일학교가 있고 그 안에 몇 만명의 남녀의 아이들이 잇습니다. 이 아이들은 우리 장래에 우리 교회의 기둥이 될 것이요 주축돌이 될 것이다.……**우리가 우리교회의 전도를 위하여 일하고저 할진대 금전을 많이 모으는 것보다도, 신자를 많이 얻는 것보다도, 교회를 많이 세우는 것 보다도, 이 남녀 아이들을 가르쳐서 그리스도께 새로운 생명을 그의 수중에 넣어주는 것이 제일중 제일이라하겠도다.**……"[101] (고딕은 연구자)

이처럼 1917년 이후부터 개신교에서 어린이를 주목하기 시작한 것과 관련해서 앞에서 살펴본 1915년 3월에 발표한 「개정사립학교규칙」을 주목할 필요가 있다. 이 규칙의 목적은 학교에서의 "종(宗)·교(敎)분리주의"와 "교원자격의 강화" 두 가지로 집약되는데, 그동안 교육사업을 통해 선교를 해 왔던 개신교는 이 규칙의 발표로 인해 심각한 국면을 맞이하게 되었음을 이미 앞에서 설명하였다. 결국에는 많은 개신교 학교들이 이 규칙을 준수하게 되었고, 학교 공간에서의 종교교육을 제약받게 되면서 개신교는 또 다른 교육공간을 찾게 되는 계기가 되었던 것으로 보인다.

> "한국에서 우리의 선교사업은 어려움에 처해있다.……학교를 인가하라는 당국의 지속적인 요구로 인해 훨씬 많은 교육비용의 문제와 교육에 있어 종교분리라는 문제를 야기하였다. 몇몇의 큰 학교를 제외**하고는 한국에서의 우리 교육사업은, 일본에서처럼, 유치원으로 귀결되어야만 할 것이다. 유치원에는 그 어떠한 규제도 없다.**"[102](고딕은

101) 『The S. S. Magazine』 창간호, 大正7年(1918). 1. 25, 1쪽.

연구자)

선교를 위한 새로운 교육공간은 다름 아닌 '유치원'이었던 것이다. 지금까지 개신교의 활발한 선교활동에 비해 그다지 주목받지 못했던 유치원이 「개정사립학교규칙」의 적용을 받지 않아도 되는 교육공간으로 인식되기 시작하면서 선교사들은 유치원 설립에 관심을 갖기 시작했고, 1910년대 후반부터 유치원이 서서히 설립되기 시작한 것도 이러한 배경에서 나온 것이다.

(2) 원인 2 : 신도수 증가둔화

개신교가 유치원 설립에 관심을 갖게 된 또 하나의 주요한 원인으로는 '신도수 증가의 실패'를 꼽을 수 있다. 1910년을 기점으로 남장로교 내에서 교회신도의 증가는 점차 감소하는 추세였다.

<표 Ⅱ-9> 남장로교 신도수 증가의 감소추세(1910~1919)

1910	1911	1912	1913	1914	1915	1916	1917	1918	1919
2,010	1,900	1,381	1,095	845	826	714	792	526	368

*출처 : G. T. Brown, *Mission to Korea*, 1962, 88쪽.

신도수의 증가둔화는 신도 총수(總數)의 증가가 크지 않다는 것이다. 이러한 신도수 성장률의 둔화는 남장로교에만 해당되는 것은 아니었다. 남감리교의 왓슨(A. W. Wasson)은 자신의 연구에서, 이 시기를 "9년간의 불모기"(nine lean years)라 하였으며, 스피어 박사(R. E. Speer)는 1915년 북장로교 선교 지역을 방문하면서 "총체적인 손실은 얻은 것에 비해 2배이다"라고 말했다.[103)]

---

102) *Woman's missionary council-9th annual Report-*, Methodist Episcopal Church South for 1918-1919, 95쪽.

103) G. T. Brown, *Mission to Korea*, 1962, 88쪽.

일제 강점 직전까지는 교회의 양적 성장은 가시적으로 볼 때 긍정적이었으나, 일제 강점 직후 1911년 '해서교육총회(海西教育總會)사건'과 '105인 사건'은 한국교회에 큰 타격을 입혔고, 증가일로를 걷던 한국 장로교회의 교세가 1912년에 가서 처음으로 감소되었다.[104] 또한, 일제의 가혹한 무단정치는 한국인들의 가난을 심화시켰고, 이를 견디지 못한 많은 한국인들이 만주·중국·일본·시베리아 등지로 이주하게 되는데 이주민들 중 많은 사람들이 개신교 신자들이라고 분석하면서 신도수 감소의 또 다른 원인으로 보았다.[105]

이와 같은 정치적·사회적 환경이 불리하게 작용하면서, 자급자족 원칙에 의한[106] 한국교회의 운영이 크게 위협을 받게 되었다. 1915년 당시, 한국에는 224개의 교회가 조직되었는데, 18개만이 한국인 목사가 있었고 149개는 선교사들의 무료 예배(free services)에 의존하고 있었다.[107] 이 같은 한국교회 자립성의 약화는 선교사들의 금전적 책임 및 부담으로 이어졌다. 이처럼 신도수 증가의 둔화와 그에 따른 한국교회의 자립 성장의 지체는 선교 대상을 수정하는 계기가 되었다.

---

104) 김양선, 『韓國基督教史研究』, 서울 : 基督教文社, 1971, 107쪽. 1911년 장로교의 교인 총수는 144,261명이던 것이 1912년에는 127,228명으로 감소하였다. 한편, '해서교육총회사건'이란 1908년 황해도 지역에 김구, 최광복, 도인권, 이승길, 김홍량 등 한국 기독교계의 지도자들이 중심이 되어 해서교육총회를 조직하여 일면일교(一面一校)의 교육시설 확충, 강습소 등의 교육활동에 힘써왔는데, 1910년 12월 안중근 의사의 종제 안명근의 독립운동 자금 모금사건이 탄로되자, 경무총감부는 동회(同會)를 고의로 이 사건에 결부시켜 김구를 위시하여 회원 전원을 검거 투옥한 사건을 말한다. 일제는 내란미수죄를 적용하여 김구 등 지도자들은 15년 이상의 중형에 처했고 회원 40명은 제주도와 울릉도에 유배시켰다(김양선, 위의 책, 1971, 103~104쪽).

105) G. T. Brown, 앞의 책, 1962, 89쪽.

106) 네비우스 방침에 의한 한국교회(북장로교)의 선교전략의 골간은 '자립선교' '자립보급' '자립정치' 였다.

107) G. T. Brown, 앞의 책, 1962, 89쪽.

"우리는 한국에서 36년 동안 단지 한 세대만을 대상으로 선교를 해 왔다. 바로 어른 세대이다. 이제는 아이들의 세대가 온 것이다."[108]

1910년대까지의 한국교회는 모든 시간과 노력을 어른 세대에 초점을 맞춰서 선교를 한, 청·장년을 위한 교회였다. 따라서 아이들 대상의 주일학교를 가장 소홀히 했다. 그러나 1920년대 이후 교회에서 '유년주일학교', '하기(夏期)아동성경학교', '아동성경구락부'등 아동을 위한 종교교육이 크게 발전하게 된 것도[109] 선교대상을 '어른'에서 '어린이'로 전환하게 되면서 등장한 것으로 풀이된다. 유치원의 급증도 바로 이러한 맥락에서 나온 것이다. 1920년대 유치원 특성 중 하나가 교파를 불문하고 설립했다는 점인데, 감리교에 비해 유치원 설립에 그다지 관심을 두지 않았던 장로교가 1920년대 이후 유치원을 세우기 시작한 것도 어린이 대상의 선교시대가 도래했음을 인정했기 때문이었다. 남장로교가 지역분할 협정에 의해 최종적으로 할당받은 지역은 전라남·북도였는데 1910년대 이 지역에는 유치원이 단 한 개도 없었다. 그러다가 1926년에 이르러서 6개가 세워진 것도 바로 이러한 맥락에서 설명될 수 있다. 이처럼 한국인 유치원은 개신교 선교대상의 변화와 그에 따른 전략에서 본격적으로 세워진 것이다. 좀 더 정확히 말하자면, 침체된 개신교 활동에 활기를 불어넣고자, 그리고 제도권 학교에서 종교교육이 제약을 받게 되면서 이를 극복하고자 그 대안으로 '유치원사업'에 눈을 돌리게 된 것이다. 그리고 개신교는 유치원이 전도유망한 선교사업이라는 확신을 갖고 있었다.

"……유치원은 기대할 만하고 승산이 있다고 우리는 확신한다. 만약 당신이 아침에 유치원을 지나가게 된다면, 입구와 창문에 관심이

108) M. L. Swinehart, *The Missionary Survey*, June, 1918, 368쪽(G. T. Brown, 위의 책, 1962, 91쪽에서 재인용).
109) 김양선, 앞의 책, 1971, 135쪽.

많은 구경꾼으로 가득한 것을 보게 될 것이다. 구경꾼들은 게임, 노래, 체조의 교육적 가치는 잘 모를 것이다. 그러나 아이들의 총총한 눈망울, 열정, 행복한 얼굴을 볼 수 있으며 아이들이 유치원 교육을 얼마나 좋아하는지도 알 수 있다. 결국, 이는 승리의 카드이다. 왜냐하면, 세상의 어머니들은 비슷비슷해서, 자신의 자녀들에게 기쁨과 즐거움을 가져다주는 것을 찾게 되기 때문이다.……"[110](고딕은 연구자)

이 글을 쓴 선교사는 자녀에게 좋은 것, 유익한 것을 해주고 싶고 해주는 것이 세상 모든 부모의 인지상정(人之常情)이므로 한국에서도 유치원 사업은 성공할 것으로 예상하였다. 이러한 예상은 어느 정도 적중했는데 유치원과 한국인 부모에 대한 내용은 다음 5장에서 다루기로 하겠다.

4. 새로운 국면기 : 1930년대~일제 말기

개신교 주도에 의해 한국인 유치원은 시작·전개되었음을 지금까지 규명하였다. 그리고 Ⅱ부의 1장에서 다루었듯이 개신교의 선교정책은 단순히 '종교적'으로만 볼 수 없고, 당시 정치·경제·사회 등 다각적인 측면에서 봐야 한다는 입장에서 볼 때, 먼저 1930년대 접어들면서 급변하는 세계정세 및 일제의 군국주의 체제 속에서 개신교는 어떠한 변화를 겪게 되고 이 속에서 유치원은 어떻게 전개되어 갔는지를 살펴보겠다.

1) 개신교의 위기

110) *Woman's missionary council : 9th Annual Report*, Methodist Episcopal Church, South, 1918~1919, 370쪽.

1930년대 접어들면서 일제는 정치적 야욕을 노골적으로 드러내면서 한반도를 발판으로 동아시아 대륙에 진출, 아시아 제패의 야욕을 실현시키려는 정치·군사적 작전을 시도하였다. 더 나아가 동남아시아와 태평양 유역까지 세력을 확산시키려는 침략적 야욕을 노골화하기 시작하였다. 소위 '대동아공영(大東亞共榮)'이란 말로 미화된 이러한 침략야욕이 전쟁으로 나타난 것이 바로 1931년 만주사변이다. 이 전쟁으로 일제는 만주에 친일 괴뢰정부를 수립하였고, 이것을 발판으로 중국대륙 침략을 추진하여 1937년 중일전쟁, 1941년 미국과 태평양 전쟁을 일으켰다. 이 같은 일련의 전쟁 준비 및 시행과정에서 식민지 조선은 또 다시 일제의 강압적인 통제와 수탈정책의 희생물이 되었으며 이러한 정치적 상황에서 강력하게 추진된 것이 '내선일체(內鮮一體)', '일선동조동근론(日鮮同祖同根論)'을 근간으로 하는 '황민화 정책'이었다는 것은 주지의 사실이다.

한편, 1920년대 후반부터 미국을 강타한 경제공황 역시 세계정세 변화에 주요 변수로 작용하였다. 1920년대 후반에는 세계대전의 상처도 아물고, 복구와 부흥이 결실하여 유럽을 비롯하여 세계 각국이 안정을 되찾고 국제협조가 고조되어 평화가 정착되는 듯이 보였다. 특히 미국은 다른 교전국과는 달리 일찍이 기업의 전성시대를 맞이하여 세계경제를 주도하여 번영을 구가하고 있었다. 이러한 미국에 아무런 예고없이 1929년 10월에 갑작스럽게 경제공황이 불어 닥쳤다. 미국의 경제공황은 곧 전세계에 파급되어 전세계적인 공황으로 진전되었다. 이러한 세계공황은 모처럼의 평화와 안전기조에 금을 가게하고, 경제정책에 큰 변화를 초래하는 동시에, 민주주의 국가에 좌절을 가져오고, 바이마르 공화국에 치명타를 가하면서 전체주의의 득세를 초래하였다.[111]

오랫동안 우호적이었던 일본과 미국의 관계는 일본이 만주를 침공

111) 閔錫泓, 『西洋史概論』, 서울 : 三英社, 541~542쪽.

한 1931년부터 악화되기 시작되었다. 1937년 중일전쟁으로 아시아 대륙에 발판을 구축한 일본이 인도지나를 거쳐 태평양 유역으로 세력을 확장하면서 이 지역에서 기득권을 갖고 있던 미국과 군사적인 충돌이 일어날 위기가 고조되었고 마침내 1941년 12월, 일본이 하와이 진주만을 침공함으로서 태평양전쟁이 시작되면서 미국과 일본은 서로 적대국이 되었다. 이러한 상황 속에서 일제는 외국인 선교사들에게 통제를 가하기 시작했고, 결국은 강제로 출국시키는 것으로 선교사들의 간섭이나 방해를 차단하려 하였다. 선교사 추방이 본격화된 것은 1940년 10월 초, 일본군이 남지나 해상으로 진격해 내려갈 즈음이었다. 미국과 일본 사이의 외교관계가 급속도로 악화되면서 미국 선교본부에서는 한국에 나와 있는 선교사들에게 최소한의 필요한 인원을 제외하고 속히 귀국하거나 선교지를 다른 곳으로 바꾸라는 지시를 내렸다. 이에 따라 각 교파 선교사들은 대책을 협의하고 귀국을 서둘렀다.[112] 마지막까지 귀국을 망설였던 주된 이유는 선교부 재산에 관한 것이었다.[113] 1940년 11월 미국 정부가 보낸 마리포사(Mariposa)호와 몬트리(Monterey)호가 한국에 있는 미국인들을 실어가기 위해 원산항에 도착했다. 이때 선교사와 그의 가족 대부분이 떠났는데 감리교에서는 소수 인원만 남고 모두 떠났다. 이를 두고 선교사들은 '대탈주'(The Large Exdous)라 불렀다.[114] 상황은 점점 더 악화되어 갔고, 미국 정부는 남아 있는 선교사들도 빨리 시일 내에 떠날 것을 통보하였다. 이에 1941년 1월 14일, 서울에서 일제 시대 마지막 감리교 선교협의회가 열렸다. 선교협회의에서는 선교사 4명, 한국인 5명으로 '선교부재단이사회'를 구성하여 한국에 있는 미감리회 선교부, 남감리회 선교부, 미감리회 해외여선교부 재산을 총괄하여 관리하기로 하였다. 개신교는 새로 구성된 이 선교부 재단에 재산관리 및 처분 권한을 부여했다. 여

112) 이덕주, 앞의 책, 1993, 293쪽.
113) "The Basis of Withdrawal", *KMF*, 1941. 3, 34쪽.
114) "Withdrawal : The Methodist Church in Korea", *KMF*, 1941. 3, 38쪽.

기에는 소위 '혁신교단'에[115] 속한 임원들은 포함되지 않았으니 혁신교단의 권위를 인정하지 않았던 것이다. 상황은 더욱 악화되어 갔고 드디어 1941년 2월 20일 미국 선교본부에서 "선교본부는 모든 선교사의 즉각 철수를 무조건 명령함"이라는 급전이 날라 왔다.[116] 본국 지시에 따라 한국에 남아 있던 선교사들이 마지막으로 철수하게 되었다.

1930년대 초반의 개신교를 둘러싼 이러한 외적인 요인 외에도 개신교는 내적인 요인으로 위기를 맞이하게 되었다. 개신교 내부의 갈등·심화가 표출되면서 그동안 장로교와 감리교의 연합 선교정책이 붕괴되었던 것이 첫 번째 위기이다. 1930년대 한국교회가 안고 있던 심각한 문제는 신앙·신학적 차이로 인한 분파적 갈등이었다. 감리교와 장

---

115) 한국감리교회는 1938년 제3회 총회에서 부흥사 출신인 김종우(金鍾宇) 목사를 감독으로 선출하였다. 그러나 불과 1년 만에 김종우 감독이 별세하여 총리원 이사회에서 정춘수(鄭春洙) 목사를 감독으로 선출하였다. 정춘수 목사는 일제의 교회정책에 순응하였을 뿐 만 아니라 지나칠 정도로 앞장서 친일어용화 작업을 추진했다. 그는 한국감리교회 조직과 체제를 일본교회의 그것과 일치시키는 것으로 시작하였다. 그렇게 해서 만들어진 것이 1941년 3월에 나타난 소위 '혁신교단(革新敎團)'인 것이다. 이 교단의 이념적 근거는 1940년 10월에 총리원 특별이사회에서 결의한 '혁신 5개 조항'에 있었다. 그 내용은 ① 사상선도 ② 교학쇄신 ③ 사회교육 ④ 군사후원 ⑤ 기관통제 등이었는데 학교나 교회의 교육내용에서 반체제적이거나 서구지향적인 것을 배제하고, 교회조직과 운영에서 선교사의 영향력을 배제한다는 것이 골자였다. 이러한 맥락에서 성경의 구약이나 반전(反戰)·평화·재림 등에 관한 찬송 사용이 금지되었고, 지금까지 한국교회와 선교부의 협의기구로 내려오던 중앙협의회가 폐지되었다. 정춘수 목사는 혁신교단을 기반으로 일본처럼 초교파 단일교단을 조직하려 하였다. 그리하여 1943년 5월, 전필순 목사를 중심으로 서울·경기·일부 장로교회를 끌어들여 '일본기독교 조선혁신교단'을 조직하였으나, 장로교회 내부 반발로 3개월 만에 해체되었고 대신 10월에 '일본기독교 조선감리교단'으로 명칭을 바꾸었다. 이로써 한국감리교회는 일본기독교에 완전히 예속되었다(『韓國監理會報』, 1940. 10. 1 ; 이덕주, 앞의 책, 1993, 292~293쪽에서 재인용).

116) C. A. Sauer, *Methodists in Korea : 1930~1960*, Seoul : The Christian Literature Society, 1973, 123쪽.

로교는 "아빙돈 단권성경주석사건"[117]을 계기로 두 교회의 신학적 입장 차이를 극명하게 보였다. 이 사건으로 지금까지 유지되어 오던 두 교파의 연합운동은 균열이 생기기 시작했다.

이외에도 "정찬송가사건"[118]과 『기독신보』를 둘러싼 교파간의 갈등이 있었다. 장로교와 감리교가 연합하여 발행하던 초교파 교회신문 『기독신보』(1915년 창간)의 편집·발행권을 두고 장로교의 서북계와 비서북계(서울·경기 중심), 감리교의 세 세력이 각축을 벌이다 결국 장로교가 비서북계인 전필순이 신문을 장악하여 1933년부터 개인 신문으로 바뀌었다. 이에 서북계 장로교에서는 『宗教時報』를, 감리교에서는 『監理會報』를 1933년부터 발행하여 교파신문을 내기 시작했다.[119] 이 사건들 모두 개신교 교파간의 반목과 갈등으로 연합전선의 붕괴를 초래하였다. 그러나 장로교·감리교의 연합체제는 붕괴되었지만 감리교는 내부적으로 1930년 11월 18일에 남·북 감리교회가 통합되었다. 1930년대 이후 일제의 억압적인 지배체제 속에서 종교도 예외가 될

---

117) 감리교의 진보적 신학자 유형기가 서구의 진보적 신학 입장을 반영한 아빙돈 성경주석을 번역·출판하면서 당시 영어를 할 수 있는 장로교·감리교 학자 50여 명이 참여했는데, 유독 송창근, 채필근, 한경직, 김재준 등 장로교 신학자들만 교회에서 문제 삼아 정치사건화되었던 것이었다. 감리교회에서는 무리없이 받아들여졌던 성경주석의 내용이 보수적 장로교계에서는 배척당했던 것이었다(이덕주, 앞의 책, 1993, 218쪽).

118) 감리교와 장로교는 1908년 이후 단일 찬송가를 사용하고 있었는데, 발행된 지 20여 년이 지나면서 가사와 내용의 개편이 요청되었고, 이에 조선예수교서회는 1931년 『신정 찬송가』를 발행하였다. 그러나 이 찬송가가 발행되자 장로교 측, 특히 장로교 교권을 장악하고 있던 서북계 장로교회에서 이 찬송을 거부하였다. 표면적으로는 찬송가 개정 내용이 장로교 신앙과 신학에 맞지 않는다는 것이었으나 내면에는 찬송가 판매권을 둘러싼 교계의 집단이기주의가 깔려있었다. 결국 서북계 장로교의 대표격인 정인과 목사는 1935년 『신편 찬송가』란 이름으로 다른 찬송가를 발행했다. 이것이 장로교 찬송가가 되었고 결국 『신정 찬송가』는 감리교회만 사용하여 감리교 찬송가가 되었다(서정민, 「정찬송가 사건」, 『韓國基督教史研究』 21호, 1988. 8, 22쪽).

119) 이덕주, 앞의 책, 1993, 219~220쪽.

수 없었다. 강력한 국민 통제를 이루기 위해서는 종교도 정부의 강력한 통제와 규제를 받아야 한다고 하면서 종교통합을 시도하게 되었고, 이러한 맥락에서 1장에서 언급했듯이 본부에서 파견된 1명 감독의 중앙집권적 체제였던 감리교는 일제 입장에서는 다른 기독교 교단보다도 공략하기 쉬운 대상이었으므로 남·북 감리교는 본국(미국)의 반대에도 불구하고 통합될 수 있었다. 또한 일제는 신사참배 강요 과정에서 선교사들, 특히 보수적인 장로교회 선교사들의 저항을 받았는데 한국교회를 완전히 지배하기 위해서는 한국교회와 선교부의 관계를 단절시키고, 선교사의 영향에서 벗어난 한국교회를 일본교회나 정부기관에 예속시켜야 한다는 판단을 하게 되었다.[120] 이처럼 1930년대 이후 한국교회는 장로교와 감리교의 갈등과 분열, 감리교의 통합을 계기로 교회가 친일·어용기구로 변질되어 갔으며, 1930년대 말~40년대 초반의 미국·일본 정부간의 첨예한 대립으로 선교사들은 1941년 2월에 모두 철수하게 되는 정치적 소용돌이 속에 휘말리었다.

2) 선교비 삭감·중단 속에서 증가하는 유치원

미국의 세계대공황은 선교계에도 심각한 영향을 미쳤다. 1930년 대불황이 시작되면서 '외국선교집행위원회'는 예산을 점차 삭감하였다. 선교비가 33% 감소되었고 새로운 선교사를 파견하는 일은 보류되었다. 이러한 선교본부 결정 소식이 한국에 전해진 것은 1931년 초였다. 이때를 "삭감의 해(the year of the cut)"라고 했다.[121] 선교본부의 예산안 삭감은 한국에 파견된 선교사들에게 낭보였다. 대책을 마련하기 위해서 선교사들은 정주에서 4월 15일 모여 이 위기상황을 논의하였는데, 예산에서 순회활동비, 의료, 교육항목을 각각 22% 삭감하기로 하였고, 선교사 개인들은 자신의 월급에서 일정 양을 떼어 내어 예산

120) 이덕주, 위의 책, 291쪽.

121) G. T. Brown, 앞의 책, 1962, 141쪽.

에 보충하기로 서약했다.[122] 10월에 추가적으로 10% 삭감의 명령이 있었는데, 이때는 월급과 활동비 모두 다 적용되었다. 1930년부터 1935년까지 퇴보는 바닥을 쳤는데, 선교 활동 예산비용이 60,000달러에서 19,000달러로 떨어졌다. 특히, 타격을 입은 곳은 새 신도들을 위한 교육과 훈련이었다. 1명의 정기 순회를 담당하는 평신도가 3, 4개 교회를 관할하다가 9개 교회를 관할한다는 것은 거의 불가능한 일이다.[123] 이 기간동안 어떠한 대체나 보급품도 보내오지 않았으며 선교사들은 1926년 98명을 절정으로 점차 감소하여 1940년에는 58명으로 감소하였다.[124] 감리교 선교회의 경우, 1932년 한국 내의 여선교회(The Woman's Foreign Missionary Society)회원 집회에서, 당년 8월부터 모든 예산이 삭감될 것이 예고되었다. 동(同) 여선교회는 1933년의 연회(年會)에서 1934년의 예산을 짜는 과정에서 유치원예산안에서 6,035불을 삭감하는 작업을 하면서 '원산유치원'과 '화천유치원'의 예산을 감소시켰다.[125] 1930년대 후반에 접어들면서 예산 감소는 점점 더 현저해지고, 1936년 7월의 연회에서는 1937년도 예산안에서 전체적으로 10%를 삭감하면서, 유치원에는 1939년까지 매월 5원의 보조를 유지하기로 하였다.[126] 이것은 보조가 없는 것과 마찬가지였다. 본부의 예산 삭감으로 선교계 전반이 위기 상황 속에서 유치원 역시 자유로울 수는 없었던 것이다. 개신교 영향 하에서 설립・운영되었던 재정지원의 삭감 또는 단절은 한국인 유치원의 폐쇄라는 극단적인 상황까지 이르게 되었다. 1920년대 유치원 관련 신문기사들은 '설립'에 관한 내용이 많았다면, 1930년대 신문기사들은 '폐쇄' '비운 봉착'과 관련된 기사들이 눈에 많이 띄는데 당시 상황을 반영하는 대목이다.[127] 다

---

122) G. T. Brown, 위의 책, 1962, 141쪽.
123) G. T. Brown, 위의 책, 1962, 142쪽.
124) G. T. Brown, 위의 책, 1962, 142쪽.
125) 이상금, 앞의 책, 1987, 202쪽.
126) 이상금, 위의 책, 1987, 202쪽.

음 '김성유치원'에 관한 기사는 개신교 유치원의 그동안의 운영상황 및 1930년대 이후 직면하게 된 위기를 잘 알 수 있는 내용이다.

> "김화군 김성읍에 있는 김성유치원은 **김성교회에서 경영하여 왔으며 보모의 월급과 제반 비용 일부분을 미국여자선교회에서 10여 년동안 매년 약 2,800원을 보조하다가 작년부터 연 216원을 보내주게 되어 부족금을 同유치원에서 수금하여 근근히 보모의 봉급과 경비를 써왔는데 그나마도 금년부터는 보조가 중단되야 폐쇄지경에 이르렀다.** 이에 교회와 지방유지는 매우 유감으로 생각, 同유치원의 유지에 대한 발기회까지 조직하였는데 아직 구체적인 결과는 없다 한다."[128] (고딕은 연구자)

위 신문기사를 통해 교회 및 선교본부의 지원금으로 운영되어 온 김성유치원과 같은 재정자립도가 낮은 유치원의 경우 이 같은 지원금의 삭감 또는 중단은 곧 유치원의 폐쇄로 이어짐을 알 수 있다. 그러나 폐쇄된 또는 폐쇄 직전의 유치원을 인수해서 다시 부활하는 경우도 많았는데, 이 경우 한국인들이 그 역할을 했다.

> "……15년 전에 개인이 설립, 강진유치원후원회와 선교사가 함께 운영해 오다가 보조금기부를 폐쇄……독지가 김충식 경영인수……"[129]

---

127) 「유치원 폐쇄로 헤어지는 원아 경비가 곤란하여……」, 『동아일보』, 1931, 9, 21 ; 「通川유치원 폐쇄」, 『동아일보』, 1934, 4, 9 ; 「폐쇄지경에 빠졌든 대천유치원……」, 『조선중앙일보』, 1935. 4. 2 ; 「유치원 유지비를 ○出코저 음악과 寸劇의 밤」, 『조선중앙일보』, 1934. 5. 8 ; 「자명유치원 폐쇄」, 『조선중앙일보』, 1935. 6. 28 ; 「개성중앙유치원 폐원 비운에 봉착」, 『조선중앙일보』, 1935. 7. 7 ; 「개성5개소의 유치원 유지문제」, 『고려시보』 1935. 7. 16 ; 『매일신보』, 1934. 5. 12. 강원도 평강의 배영유치원 선교부의 보조금이 점점 감소되다가 결국 종결되었다는 기사 내용임.

128) 「폐쇄의 비운에 빠진 김화김성유치원……」, 『조선중앙일보』, 1935. 4. 9.

129) 「김충식씨의 인수로 강진유치원 부활, 경영난으로 폐쇄되였다가……」, 『조선중앙일보』, 1933. 7. 15.

"경기도 소재 설립 15년 된 유치원, 그동안 심각한 경영난에 있다가 후원회 도움으로 간신히 유지……폐쇄에 봉착 유감스러운바 이 소식을 접한 이희빈씨가 자진해서 토지를 기증 신학기부터 同유치원은 대확장하는 동시에……"[130]

"……경남 하동사립유치원은 10여 년의 긴 역사를 가지고 제2세 아동을 교양하여 오던 중 금년 同월부터 경비관계로 말미암아 폐쇄의 비운에 빠져있음으로……심히 유감으로 생각하던 중 금번 안식교회에서 부흥시키게 되어 지난 10일에 개원식을 거행하게 되었다.……"[131]

"고려여자관 內의 소재한 개성중앙유치원은 미국 선교부 보조로 운영했는데 보조금 중단으로 이에 대해 후원회에서 우리 힘으로 기초를 세우로 경영하기로 하고, '계'를 조직해서 재단기초를 설립하기로 결의함."[132] (신문기사내용을 요약)

"강원도 화천군내 유일한 보육기관이었으나, 선교부의 보조금을 받지 못하게 되자 일시 폐원까지 하게 되었으나 원장의 노력과 지방 인사들의 성원으로 근근히 유지하던 중 보모가 사임하면서 폐원했음. 그러다가 독지가 '이호운'씨의 노력으로 9월 1일부터 계속 개원한다는 반가운 소식"[133](신문기사내용을 요약)

이상의 신문기사 내용에서 알 수 있듯이 1930년대 한국인 유치원은 미국 선교본부의 지원금 삭감 및 중단으로 심각한 위기에 직면했으나 한국인 독지가나 유지들이 인수하거나 또는 계를 조직해서 부활시켜 나갔다. 1930년대 이후 조선총독부가 조사한 자료를 보면, 1920년대 한국인 유치원이 보여주었던 팽창은 아니지만 더딘 증가를 했음을 알 수 있다.

---

130) 「長湍유치원에 千餘圓土地를 寄贈」, 『조선중앙일보』, 1935. 3. 27.
131) 「폐쇄 중 하동유치원 부흥」, 『조선중앙일보』, 1934. 9. 22.
132) 「개성중앙유치원 폐원 비운에 봉착」, 『조선중앙일보』, 1935. 7. 7.
133) 「화천유치원서광 9월 중에 재개원」, 『조선중앙일보』, 1936. 8. 8.

<표 Ⅱ-10> 1930~1940년대 유치원 및 원아수 현황

연도 道名	1933		1935		1937		1943	
	園數	園兒數	園數	園兒數	園數	園兒數	園數	園兒數
경기도	49	內 : 694 鮮 : 1,750	52	內 : 782 鮮 : 2,047	57	內 : 842 鮮 : 2,720	61	內 : 2,543 鮮 : 3,290
충청북도	6	內 : 52 鮮 : 156	7	內 : 50 鮮 : 282	6	內 : 78 鮮 : 242	5	內 : 62 鮮 : 243
충청남도	15	內 : 157 鮮 : 334	14	內 : 138 鮮 : 370	14	內 : 172 鮮 : 372	11	內 : 225 鮮 : 469
전라북도	11	內 : 196 鮮 : 312	11	內 : 228 鮮 : 396	11	內 : 160 鮮 : 445	12	內 : 330 鮮 : 541
전라남도	18	內 : 233 鮮 : 582	21	內 : 258 鮮 : 810	20	內 : 265 鮮 : 812	15	內 : 270 鮮 : 907
경상북도	10	內 : 115 鮮 : 300	10	內 : 118 鮮 : 442	10	內 : 161 鮮 : 442	12	內 : 183 鮮 : 732
경상남도	27	內 : 693 鮮 : 1,121	28	內 : 846 鮮 : 1,301	31	內 : 932 鮮 : 1,622	20	內 : 1,003 鮮 : 1,215
황해도	15	內 : 26 鮮 : 722	17	內 : 14 鮮 : 970	28	鮮 : 1,596	31	鮮 : 2,217
평안남도	29	內 : 187 鮮 : 1,292	33	內 : 230 鮮 : 1,923	40	內 : 284 鮮 : 2,430	49	內 : 472 鮮 : 3,728
평안북도	25	內 : 131 鮮 : 1,144	35	內 : 84 鮮 : 1,968	37	內 : 95 鮮 : 2,134	27	內 : 141 鮮 : 2,067
강원도	30	內 : 115 鮮 : 1,079	31	內 : 100 鮮 : 1,117	33	內 : 85 鮮 : 1,089	29	內 : 141 鮮 : 1,440
함경남도	22	內 : 154 鮮 : 807	22	內 : 228 鮮 : 1,072	24	內 : 110 鮮 : 1,465	40	內 : 207 鮮 : 2,644
함경북도	15	內 : 116 鮮 : 669	18	內 : 102 鮮 : 824	22	內 : 198 鮮 : 1,243	31	內 : 417 鮮 : 1,978
총합	272	內 : 2,869 鮮 : 10,268	299	內 : 3,178 鮮 : 13,522	333	內 : 3,384 鮮 : 16,612	343	內 : 5,928 鮮 : 21,471

*출처 : 『朝鮮諸學校一覽』, 각년도

<표 Ⅱ-10>을 보면, 1933년에 272개 유치원이 10년 후인 1943년에는 343개로 71개가 증가했고, 원아수는 한국인에 한해서 10,268명에서 21,471명으로 11,203명 증가했음을 알 수 있다.

개신교 주도하에 운영되었던 한국인 유치원이 1930년대에 접어들

면서 선교본부의 지원금 삭감 및 중단이라는 상황 속에서 폐쇄까지 간 유치원이 속출하였지만 급격히 감소하는 현상이 보이지 않았을 뿐더러 오히려 증가할 수 있었던 데에는 한국인들의 힘이 컸다. 그러나 한국인 유치원을 다닌 아동은 일제 강점기 동안 극히 일부였다. 보통학교와 비교해 보면 확연히 알 수 있는데, 1942년도 보통학교에 입학한 학생은 약 1,752,590명이었다지만,[134] 비슷한 시기의 유치원에 다닌 학생은 21,471명에 불과했다. 식민지 시기 어려운 상황 속에서 유치원을 존속·발전시킨 한국인들과 아주 높은 희소성을 지니고 있었던 유치원 원아들에 대해 좀 더 살펴보자.

5. 한국인의 유치원 수용, 그 의의와 한계

1) 희석된 남녀 차별의식

『朝鮮諸學校一覽』에 기록되어 있는 유치원 원아들의 성별을 보면 흥미로운 사실을 발견할 수 있다. 바로 근대교육에 있어 젠더(gender)의 문제이다. 다음의 표는 유치원을 다녔던 원아수를 성별로 구분한 것이다.

<표 II-11> 유치원의 남·녀 비율

	1921	1926	1930	1937	1943
남아	415	4,278	4,837	9,252	11,285
여아	394	3,363	3,506	7,360	10,151
총	809	7,641	8,443	16,612	21,436
성별 비율	100 : 94.9	100 : 78.6	100 : 72.4	100 : 79.5	100 : 89.9

*출처 : 朝鮮總督府學務局, 『朝鮮諸學校一覽』, 각년도
*1926년도만 한국인과 일본인 원아를 합친 것.

---

134) 오성철, 앞의 책, 2000, 133쪽.

<표 Ⅱ-11>을 보면 성별에 따른 원아수의 차이가 '예상 밖'으로 작다는 것을 알 수 있다. 전근대에서 근대사회로 전환되면서 가장 중요한 변화 중에 하나가 여자도 제도교육의 대상이 되었다는 사실이다. 그럼에도 불구하고 학교교육에서 여성은 여전히 차별받았다는 것을 감안한다면, 유치원은 젠더라는 변수가 상대적으로 덜 작용했음을 알 수 있다. <표 Ⅱ-11>에서 시기에 따라 약간의 차이는 있지만 남아를 100으로 환산해서 계산한 성별 비율을 보면 정말 '예상 밖'으로 차이가 없는데, 이는 보통학교와 비교해 보면 더 확연해진다.

<표 Ⅱ-12> 보통학교의 남·녀 비율

	1921	1926	1930	1937	1942
남아	136,266	370,595	404,000	694,029	1,219,156
여아	20,253	68,395	85,889	206,628	533,434
총수	157,219	438,990	489,889	900,657	1,752,590
성별 비율	100 : 14.8	100 : 18.4	100 : 21.2	100 : 29.7	100 : 43.7

*출처 : 오성철, 『식민지 초등교육의 형성』, 서울 : 교육과학사, 2000, 133쪽

보통학교도 시간이 지나면서 성별 비율이 조금씩 좁혀져 갔다. 그러나 일제 말기인 1942년도의 성별 비율을 보면 남자 100명당 여자 43.7명으로 여전히 여학생의 취학률은 남학생의 절반에도 못 미쳤다. 1942년도 보통학교 취학률은 전체 47.7%이었지만 남학생은 66.6%, 여학생은 29.1%로[135] 여학생은 식민지 시기동안 교육기회에서 여성이라는 이유만으로 차별 받았다는 것을 재차 확인할 수 있다. 여기서 또 하나 짚고 넘어갈 것은 <표 Ⅱ-11>와 <표 Ⅱ-12>를 비교해 보면 같은 시기의 유치원 원아수와 보통학교 학생수의 차이는 자릿수부터가 확연히 다른 엄청난 격차를 확인할 수 있는데 이는 유치원과 보통학교 두 기관의 연계성이 거의 없다는 것을 의미한다. 제도적으로 유기적 관련성이 없는 각각 별개의 기관으로 유치원과 보통학교는 존재했

135) 오성철, 위의 책, 2000, 133쪽, <표 4-8> 참조.

던 것이다. 그렇지만 실상은 그렇지 않았다. 이어서 다루겠지만 유치원을 다닌 중요한 목적이 상급학교 진학에 있었다. 유치원을 다닌 아동이 유치원 단계에서 교육이 종결되는 것이 아니라 보통학교 진학으로 이어졌기 때문이다.[136]

한편, 유치원을 다녔던 원아들의 희소성이다. 1921년도 보통학교의 전체 학생수가 157,219명이였던 것에 비해 유치원을 다녔던 원아는 809명으로 비율로 보면 0.51%에 불과하다. 일제 말기에도 보통학교 학생대비 유치원 원아의 비율은 1.22%로서 식민지 시기동안 유치원을 경험한 원아는 '새발의 피'도 안 되는 극소수의 '혜택받은' 아동들이었다. 혜택받을 수 있는 조건은 무엇이었는지 그 내용은 곧이어 다룰 것이다.

다시 젠더의 문제로 돌아와 보자. 여자라는 이유만으로 보통학교 입학에서 차별 받았던 것에 비해 유치원은 상대적으로 그렇지 않았다는 사실은 무엇을 의미하는 것일까? 당시 자녀를 유치원을 보낸 가정의 대부분은 유산자 계급으로서, 새로운 서구적 문물에 대해 개방성을 지니고 있었다. 이러한 개방성은 자녀들 교육에서도 그대로 반영되었다. 개신교 유치원의 경우 개신교 가정에서 자녀를 어렸을 때부터 신실한 신앙자로 키우기 위해 남아, 여아를 구별하지 않고 보냈을 가능성이 물론 높다. 실제로 개신교 유치원이 비개신교 유치원보다 남아·여아의 비율이 상당히 비슷했다.[137] 그렇지만 개신교 유치원에 반드시 개신교 가정의 자녀들만이 다닌 것은 아니었으므로 이러한 해석에

---

136) 西村綠也, 『朝鮮教育大觀』, 1930. 「조양유치원의 졸업생 개요－상급학교 입학」(132쪽), 「利川유치원의 졸업생 개요－상급학교 입학」(164쪽)을 참조.

137) 앞에서 기술한 1926년에 동아일보에서 경성의 유치원을 탐방한 기사를 보면, 중앙유치원은 남아 70명 여아 50명, 수송유치원은 남아 16명 여아 17명, 남대문 유치원은 남아 23명 여아 22명, 이화유치원은 남아가 조금 많은 총 100명, 조양유치원은 남아 50명 여아 30명, 갑자유치원은 여아가 더 많은 총 60명, 배화유치원은 남녀가 비슷한 총 80명으로 되어 있다(『동아일보』, 1926. 1. 31~2. 28).

는 한계가 있다. 연구자는 유치원에서 남녀 성차가 적은 현상에 대해 개신교 가정뿐만 아니라 비개신교 가정이더라도 유산자 가정의 일부 부모들은 이미 서구의 근대적 사고방식을 수용했던 것으로 해석하고자 한다. 아들, 딸을 차별하지 않고 어렸을 때부터 '남다른' 교육을 경험하도록 하고 더 나아가 조기교육 정도에 따라 향후 미래의 삶에 지대한 영향을 미친다는 근대적인 생각을 유산자 계급의 부모들은 받아들이고 실천하고 있었다. 딸도 이제는 교육을 받아야 하는 존재로 인식했던 것이다.

경제력을 갖춘 유산자 가정의 여아는 식민지 시기 유치원을 경험할 정도로 근대교육의 최고 수혜자였다. 따라서 근대교육의 수혜 여부의 우선 순위를 따져 본다면 무산자보다는 유산자가, 여아보다는 남아가 유리했지만, 무산자의 남아보다는 유산자의 여아가 더 유리했다는 점에서 '젠더'보다는 '계급'이 근대교육을 받는 데 더 중요한 요인이었던 것으로 풀이된다.

2) 유산자 아동의 선점

모든 유치원은 아닐지라도 초창기 한국인 유치원들은 신도수 감소로 인해 침체되었던 교회의 분위기 쇄신에 기여하고 더 나아가 신도수 감소에 따른 재정 악화에 빠진 교회운영에도 많은 도움을 주었던 것으로 짐작된다. 유치원은 유상제로 운영되었으며, 월사금은 상당히 비쌌다. 비교적 안정적으로 운영되었던 유치원들을 중심으로 살펴보면, '영화(永化)유치원'의 한달 보육료는 50전이었고, 원입금(園入金)은 1원 50전이었다.[138] 1920년대 보통학교의 월사금이 40전이었다는[139] 것과 비교해 보면 가난했던 한국사회에서 매달 50전을 지불한다는 것은 상당한 경제력을 요구하는 것이었다. '중앙유치원'도 50전

138) 김세한, 『永化七十年史』, 인천 : 영화여자중학교, 1963, 107쪽.
139) 『동아일보』, 1921. 3. 8.

의 월사금을 받았고,[140] '태화유치원'의 경우는 입학금 5원과 월사금 2원을 받았는데[141] 이 액수는 당시 최고 부유층 자제들만이 다녔다는 '애국유치원'의 월사금이 3원이었다는[142] 것을 감안한다면 고액의 수업료였다. 게다가 유치원의 정규과정은 2년이었기 때문에 비싼 월사금을 감당하기란 만만치 않는 일이었다. 그러나 선교사가 예상했던 것처럼 유치원은 성황리에 진행되었다. 예를 들어, 미감리교와 북장로회의 연합으로 재정부담이 큰 도움이 되면서 설립한 '태화유치원'은 시작하자마자 성황을 이루었으며 몰려드는 학생을 미처 수용할 수 없는 형편이었다고 1924년 에드워드(Edwards)의 보고에 나와 있다.

> "유치원 사업 역시 잘 되어가고 있습니다만 교실이 너무 좁아 30여 명밖에 수용할 수가 없습니다. 그래서 오전에는 이 아이들로만 수업을 하고 오후에 운동장으로 나갈 즈음이면 이들보다 더 많은 아이들이 합류해서 함께 놉니다. 이 사업은 시작에 불과하지만, 이곳을 통해 우리는 '어린아이들이 내게 오는 것을 금하지 말라'고 말씀하신 주님께 아이들을 인도할 수 있는 좋은 기회가 되고 있음을 확인하게 됩니다."[143]

비싼 월사금뿐만 아니라 유치원은 선전을 목적으로 가극회, 원예회, 연예회, 연극회, 음악회, 학예회, 운동회라는 다양한 이름 하에 수많은 행사를 개최했다는 사실을 앞에서 살펴보았다. 원생들은 율동, 노래, 연극 등의 잦은 무대 공연을 했는데 공연을 할 때마다 입장료[144] 및

140) 중앙대학교, 『中央大學校八十年史』, 서울 :·중앙대학교, 1998, 64쪽.
141) 『동아일보』, 1923. 4. 1.
142) 이상금, 앞의 책, 1987, 83쪽.
143) L. Edwards, "Seoul Social Evangelistic Center"(이덕주, 앞의 책, 1993, 166쪽 재인용).
144) 경성 중앙유치원은 1921년 5월 20, 21일 유년가극대회를 개최하면서 입장료로 성인은 1원, 어린이는 50전을 받았고, 입장료 이외에 첫날 기부금만 1,000원이나 되었다(이상금, 앞의 책, 1987, 194쪽).

기부금을 거둬들였다. 비싼 월사금, 수시로 개최했던 각종 공연을 통해 거둬들인 입장료와 기부금은 신도수 감소에 따른 열악한 교회재정에 많은 도움을 주었을 가능성이 높다. '태화유치원'이 1927년 4월부터 자립경영을[145] 하게 된 가장 큰 이유도 부유한 원생들 덕분이었다. 다른 어떤 사업보다도 유치원 사업이 1927년 4월부터 자립경영을 이룩할 수 있었던 것도 이 같은 배경에서 설명될 수 있는 것이다. 1929년 와그너(Wagner)의 보고이다.

> "지난 해 유치원 등록은 55명이었습니다. 유치원은 이미 몇 년 전부터 자립경영이 되고 있습니다. 자본이 부족해서 필요한 비품들은 구입하지 못하고 있습니다. 유치원 학생들은 우리 주변에 사는 상류층 집안에서 오는데 그 부모들은 우리 기관에 매우 협조적입니다."[146]

그런데 유치원의 입학금, 월사금, 어린이 공연의 입장료와 기부금은 다름 아닌 한국인들의 주머니에서 나왔다는 점에서 한국인의 자발적인 '협력'이 있었음을 알 수 있다. 선교사들이 유치원을 적극적으로 설립했다 하더라도 유치원의 선택 여부는 부모의 의사에 달려 있으므로 한국인 부모의 자발적인 참여가 없었다면 유치원은 성공하지 못했을 것이다. 그렇다면 어떠한 부모들이 자녀들을 유치원을 보냈는지 학부모들의 사회・경제적인 배경을 구체적으로 분석해 보자.

유상제로 운영되었던 유치원, 게다가 보통학교 월사금보다도 비싼 유치원의 경우 2년 과정을 다니려면 부모의 경제력이 무엇보다도 가장 중요한 조건이었다. 실제로 경성지역의 유수한 유치원들은 부유한 가정의 어린이들이 다녔다. 『동아일보』, 1926년 1월 31일~2월 8일에

---

145) 일반적으로 유치원의 운영 경비는 선교본부의 보조금과 원생들이 내는 월사금으로 충당되었다. 따라서 선교사 입장에서는 유치원을 한국인들이 자체적으로 경비를 해결하는 '자립경영'을 목표로 지향하였다.

146) E. Wagner, "Seoul Social Evangelistic Center, Seoul", *WMC*, 1929~1930, 251~252쪽(이덕주, 앞의 책, 1993, 166~167쪽 재인용).

는 경성의 유치원을 탐방한 '유치원 방문긔' 시리즈가 실렸는데, 기사 제목만 보더라도 원생 대부분이 유산자 가정의 자녀들이었음을 알 수 있다.

1926년 1월 31일 유치원 방문긔 "중앙유치원-**상인**의 자제가 제일만타고"
1926년 2월 1일 유치원 방문긔 "수송동유치원-**신문긔자** 자녀가 뎨일만타고"
1926년 2월 2일 유치원 방문긔 "남대문유치원-**의사**의 자녀가 뎨일만타고"
1926년 2월 3일 유치원 방문긔 "경성유치원-**귀족**의 자녀가 뎨일만타고"
1926년 2월 4일 유치원 방문긔 "이화유치원-**월급생활하는 이**의 자녀가 뎨일만 타고"
1926년 2월 5알 유치원 방문긔 "조양유치원-리긔춘녀사의 긔부로 재단법인셩립"
1926년 2월 6일 유치원 방문긔 "갑자유치원-**상인**의집 자녀가 뎨일만타고"
1926년 2월 8일 유치원 방문긔 "배화유치원-모든 방면의 집 자녀가 모혀"[147](고딕은 연구자)

경제적인 조건 외에도 상인, 신문기자, 의사, 회사원과 같은 부르주아 직업을 가진 부모들의 새로운 문물에 대한 개방적인 마인드도 유치원을 선택하는 데 중요하게 작용했을 것이다. 재력과 근대 문물에 대한 개방성을 겸비한 부모들이 비싼 수업료를 지불하면서 자녀들을 유치원에 보낸 이유는 무엇일까? 이에 대한 답을 내리기란 쉽지 않다. 교육 공급자들이 제시한 목적은 명시화된 문구로 남아있어—園則과

147) 배화유치원 역시, 교사(校史)에 '상당한 가정'의 아동들이 다녔다고 기록되어있다(김세한, 앞의 책, 1958, 167쪽).

같은—표면적 교육목적이나마 확인할 수 있지만, 교육 수요자들이 교육기관을 선택하는 목적은 저마다 제 각각 다르기 때문이다. 이 책에서도 아쉽지만 유치원 교육의 주된 공급자(선교사) 자료에 의존해서, 간접적으로 교육 수요자(학부모)가 유치원에 자녀를 보낸 목적을 살펴보도록 하겠다. 먼저, 자녀들이 좋아했기 때문이라는 지극히 '순수한' 목적을 꼽을 수 있다.

> "……한국 아이들은 타고난 배우이다. 그래서 유치원에서의 율동, 노래 등을 빨리 잘 배워서 부모들은 아이들이 하는 것을 보고는 기뻐한다. 부모들은 자신들이 이러한 경험을 하지 못했기 때문에 자식들은 유치원에 열심히 보낸다.……"148)

그러나, 자녀들이 좋아해서 보낸 것 외에도 부모로서도 유치원을 보낸 목적은 분명 있었을 것이다. 흥미로운 것은 비신자 가정에서도 개신교 유치원에 자녀들을 보낸 경우이다. 개신교 가정에서 자녀를 개신교 유치원에 보내는 것은 이해하지만, 비신자 가정에서 자녀를 개신교 유치원에 보낸 이유는 무엇일까? 선교사들의 목적대로 '개종'이었을까? 다음의 선교사 기록을 보면, 이 경우 '개종'보다는 '교육'이었다.

> "……많은 비기독교 부모들은 자신의 자녀를 – 비기독교 유치원이 있음에도 불구하고 –기독교 유치원에 보내는 것을 더 선호한다. 왜냐하면 기독교 유치원이 더 잘 가르치며 아이들의 발달과정에 관련된 교육결과 면에서도 더 만족하기 때문이다.……"149)

학부모가 유치원 교육결과에 만족했다는 것은 1920년대 한국인들의 교육열 상승과 관련지어 보면 상급학교 진학과 관련된 만족이 가

148) "the kindergarten and the family", *KMF*, 1928. 3, 64~65쪽.
149) *KMF*, 1928. 3, 47쪽.

卒業證書

具本祥

大正七年一月一日生

右는本幼稚園의所定한科程을卒業하였기此證書를授與함

大正十三年三月二十二日

私立培花幼稚園長罕利孚義

배화유치원 제7회 졸업장(1924년)

장 큰 것이 아니었을까 싶다. 비신자 부모들이 아이들에게 성경이야기, 찬송가를 가르치지 말 것을 요구한 것에 대해 유치원 교사들이 반발해서 유치원을 떠났다는 일화는[150] 비신자 부모들이 자녀들을 개신교 유치원을 보내는 주된 목적이 '개종'에 있지 않다는 것을 보여준다. 그리고 개신교 유치원도 학부모들의 이와 같은 교육적 바람에 어느 정도는 부응했다. 비신자 가정은 선교의 주요 대상이었기 때문에 비신자 부모들의 이러한 교육적 기대를 일정 부분은 수용했던 것이다.

예를 들어, "아이들의 천진한 성품을 기독교주의 사상에서 보호 육성하는 것을 목적"으로 설립된 '영화(永化)유치원'의 경우, 창가 · 유희 · 수공 · 은물 · 율동 · 회화뿐만 아니라 글자와 셈수도 교육했고, 글자의 경우 '한글과 가나'(1, 2학년)를, 셈수의 경우 '하나에서 백까지'(1학

150) *KMF*, 1928. 3, 49쪽.

년) '백에서 천까지'(2학년)를 가르쳤다.[151] 그리고 이러한 유치원 교육을 받았던 아동들이 그렇지 못한 아동에 비해 보통학교 진학에 유리하게 작용했을 것이다. 상인의 자녀들이 많이 다녔다는 개신교 유치원인 '갑자유치원'에 관한 신문기사에서 "……작년에는 졸업생 십사명이 있었는데 그 졸업생 가운데 하나도 빠지지 아니하고 보통학교에 다 입학되었고 입학한 후에도 성적이 매우 좋다고 한다……"[152]라고 자랑스럽게 원장이 말했다는 사실에서, 그리고 '남대문유치원'에서는 졸업학기에는 보통학교 입학준비를 위해 문자지도를 했다는 사실에서,[153] 상급학교 진학이 유치원 교육의 중요한 목적 중의 하나였음을 확인할 수 있다. 내선일체를 표방한 '애국유치원'에서도 국어(일본어)가 유치원 교육의 핵심이었던 이유도 유치원 교육의 목적이 보통학교 진학에 있었다는 것을 의미한다.[154]

오성철은 보통학교 입학시, 학생선발 방식이 주로 구술고사와 서류검사로 되어 있기 때문에 조기교육을 받았던 학생이 구술고사에서 보다 유리했을 것이라고 지적한 바 있다.

> "구술고사의 경우 교사가 아동에게 몇 가지 질문을 던지고 그 답변 여부에 따라 합격, 불합격을 판정하는 방법으로 이루어졌는데 일종의 초보적인 지능 검사의 성격이 강했고, 기본적으로 지적 능력이 우수하거나 **학령 전에 조기 교육을 받은 사람에게 유리했을 것이다.**"[155](고딕은 연구자)

유치원은 처음부터 유산자 아동들을 대상으로 했던 기관이었다. 그리고 관·공립 유치원이 하나도 없었고 입원(入園)시켜야 하는 의무

151) 김세한, 앞의 책, 1963, 107쪽.
152) 『동아일보』, 1926. 2. 6.
153) 이상금, 앞의 책, 1987, 187쪽.
154) 이 책 Ⅱ. 6. 1) 참조.
155) 오성철, 앞의 책, 2000, 153쪽.

조항이 없었던 일제 강점기, 자신의 자녀를 유치원에 보내는 것은 전적으로 부모의 의사에 달려 있었다. 더 중요한 요건은 부모의 사회·경제력이다. 사회·경제력이 뒷받침되는 유산자 가정의 아이들이 유치원 교육을 선점해 나갔으며 이는 상급학교 진학과도 연결되는 것이었다. 이러한 측면에서 볼 때, 프뢰벨(F. Froebel)이 '어린이의 지상 낙원'이란 개념으로 설립된 서구의 유치원은 개신교 선교사들에 의해 한국에 도입·실천되었지만, '지상낙원'의 문은 일부 유산자 가정의 아이들만을 허용하였던 '좁은 문'이었다.[156] 따라서 월사금을 지불하지 못하는 무산자 계급의 아이들에게 유치원은 '그림의 떡'이었다.

> "교실 밖에서 오전 수업을 끝나기를 기다렸다가 수업을 마치고 오후 놀이시간에 맞추어 운동장으로 나가는 아이들과 합류하는 '더 많은 아이들'은 대부분 가난한 집 아이들이었다. '월사금'을 낼 수 없는 형편의 아이들도 오후 수업만큼은 함께 받을 수 있었던 것이다. '오전 수업'을 받는 아이들은 상대적으로 부유한 집안의 아이들이었다."[157]

무산자 계급의 아동들에게 허용된 유치원의 공간은 운동장뿐이었다. 이처럼 유치원의 안과 밖을 분명하게 구분하는 '두터운 문'이 존재하였다. 이처럼 '좁고 두터운 문' 안에서 진행되었던 각종 교육프로그램은 유산자 계급의 아동들만이 경험할 수 있었으며 이 '문'을 통과한 아동이 이후 상급학교 진학에 보다 유리했다는 데서 취학 이전부터 교육이 불평등하게 분배되었음을 알 수 있다.

---

156) 이상금 조사에 의하면 일제 강점기 유치원 취원율은 평균 1.3%에 불과했다 (이상금, 앞의 책, 1987, 119쪽 <표 9> 참조).

157) 이덕주, 앞의 책, 167쪽.

6. 유치원의 실태

1) 교육목적 및 교육내용

이 책에서 종교계 유치원으로 분류되는 기준은 설립주체 뿐만 아니라 운영이나 장소 등에서 종교단체와 연관이 있는 유치원 모두를 포함하는 것이다. 이러한 기준으로 볼 때 경성의 '중앙유치원'의 경우, 설립자가 "박희도씨와 중앙예배당 목사 장락도, 유양호씨 세 명이 협력하여"[158]라 해서 기존의 연구에서처럼 한국인 유치원으로 분류하는 것이 아니라, "정동유치원—이화유치원—의 허락을 맡아 경성의 중앙되는 인사동에다 불완전하게나마 설치하게 되었음을 기쁘게……"라는 측면에 초점을 맞춰 개신교 유치원으로 분류가 된다. 실제로 이 유치원의 원장은 정동유치원—이화유치원—의 프라이(L. E. Frey)가 겸하였고, 브라운리(C. Brownlee)가 원장 대리 겸 실제 경영을 담당했었기 때문에 중앙유치원은 "제2의 이화유치원"으로 불리었다.[159]

(1) 종교계 유치원 : 개신교 유치원을 중심으로

여기서는 종교계 유치원으로 한국인 유치원의 절대다수를 차지했던 개신교 유치원과 1920년대 이후 소수지만 한국인 대상으로 불교계에서 세운 불교 유치원을[160] 중심으로 살펴보겠다. 불교는 개신교보

158) 『매일신보』, 1916. 10. 11.

159) 중앙대학교, 앞의 책, 1998, 59쪽.

160) 한국에 일본 유치원이 유입되는 과정을 보면, 두 가지 형태로 분류된다. 하나는 일본인 승려가 일본 불교의 포교를 목적으로 유치원을 설립 운영한 것이고, 다른 하나는 일본 거주민이 자기 자녀를 교육할 목적으로 설립한 유치원을 들 수 있다. 1897년 개항지에 부산에 설립한 '사립 부산유치원'을 비롯하여 1907년 함경남도 '사립 원산유치원', 1909년 함경북도 '나남유치원'등은 설립의 주도적 역할을 일본 불교 종파들이 담당했다. 이처럼 개항지나 租借地에는 반드시 일본 승려들이 포교소를 설치하고 포교활동을 하였다. 포교활동을 한 일본 불교의 종파는 일련종, 진종, 조동종, 진언종, 현화종, 정토종

다 먼저 한국에 상륙해서 포교활동을 했으며 그 과정에서 일찍이 유치원을 설립해 나갔다. 그러나 일본 불교 종파들이 유치원을 추진할 때 초기에는 한국인 아동을 대상으로 하지 않았다. 아래에서는 니시무라(西村綠也)의 『朝鮮敎育大觀』에 수록된 유치원들 중에서 '인가'를 받아 비교적 안정적으로 운영된 개신교 유치원 2곳과 불교 유치원 2곳의 연혁과 교육방침을 검토해 보겠다.

개신교 유치원

<삼광(三光)유치원>161)
- 지역 : 경성부 봉익동
- 설립자 : 河瑪蓮162)
- 연혁 : 大正 12년(1923) 4월 설립, 11월 인가
- 교육방침 : 보통유치원과 같다
- 원장약력 : 全弼淳씨. 33세이며, 경성 출신으로 神戶神學校졸업, 기독교목사가 되어 귀국해서 본원을 설립.

<사립호수돈남유치원>163)
- 소재 : 개성군 송도면
- 연혁 : 본유치원은 大正 8년(1919) 10월 8일 미국남감리교회여선교사, 王來164) 양이 조선총독부교육령에 기초해서 설립하였으며 사립호

등으로, 일본의 유력한 종파들이 망라되어 있다. 한국에 최초로 상륙한 불교 종파는 진종 대곡파였다. 대곡파는 병자수호조약 이후 일본 외무성 寺島家則의 권고에 의하여 1877년 부산에 별원을 설치하고 포교사업을 했다. 이후 1881년에 일련종과 현화종이 차례로 들어왔다. 이들의 포교활동으로는 신자의 확보보다는 우선 병원과 유치원을 설립해서 운영하는 일이었다(최한수, 『서당개 읊은 교육의 소리』, 서울 : 修書院, 2003, 144~145쪽).

161) 西村綠也, 『朝鮮敎育大觀』, 昭和5年(1930), 131쪽.
162) 『朝鮮學校諸一覽』, 1926, 373쪽. "河瑪蓮"은 북장로교 선교사 Miss Marion Hartness이다.
163) 西村綠也, 앞의 책, 1930, 210쪽. 호수돈 동·북유치원의 내용도 이와 같음.
164) 이 책 <표 Ⅱ-3>의 4)를 참조할 것.

호수돈 북유치원 제18회 졸업앨범

수돈 남유치원이라 칭함.
-직원명 : 李澈濃, 金在点
-교육방침 : 아동신체 발달에 유의해서 그 본성을 발휘시켜 완전한 국민교육의 기초를 양성하는데 보육의 주안을 둠.
-원장약력 : 許吉來는 1895년 北米 태생으로, 1932년 9월에 渡鮮, ピバチ전문학교 교원, 호수돈여자고등보통학교교원, 이화유치원사범과교원 역임, 본원유치원 원장 재임, 독신. 취미, 특기는 유아보육임.

불교 유치원

<대자(大慈)유치원>165)
-지역 : 경성부 수송동
-연혁 : 朝鮮佛教中央教務院에서 유아보육사업을 위해 조선불교 31본산 연합사업으로 昭和3년(1928) 9월부터 본원을 창설, 당국의 인가를 받음.
-교육방침 : 불교주의에 의한 智育, 德育, 體育 삼자의 함양을 목적으로 함.
-주요시설(주요교육내용) : 유희, 창가, 동화, 수공, 율동, 은물 과목을 실시함.
-特設사항 : 본원 발전을 도모하기 위하여 후원회·자모회를 조직해서 본원의 제반사항을 자문함.
-원장약력 : 金泰洽은 31세로 경기도 화성 출신으로 1906년에 출가해서 유교와 佛法을 공부함.

<덕풍(德風)유치원>
-소재 : 경성부 수송동
-연혁 : 大正 13년(1924) 6월 1일 개원
-학급 : 四組
-아동 : 남 110명, 여 42명 합 152명

165) 西村綠也, 『朝鮮教育大觀』, 昭和5年, 132쪽.

-교육방침 : "一視同仁과 內鮮融和" 도모를 목적으로 함
-원장약력 : 奥村敏子, 明治43년(1910) 6월 渡鮮, 전심교육하고 있음

당시 대표적인 종교계 유치원의 연혁과 교육목적을 정리해 보았다. '덕풍유치원'처럼 "一視同仁과 內鮮融和"를 교육목적으로 표방하는 경우와 '호수돈유치원'처럼 "국민교육의 기초를 위해"를 교육목적으로 표방한 경우 모두 표면적인 교육목적은 다분히 비(非)종교적이다. '인가' 받은 유치원이란 점, 일본인이 남긴 기록이란 점 등을 감안해 보더라도 당시 이들 종교계 유치원들은 일제가 제시한 기본적인 방침을 수용했던 것으로 보인다. 기록 이외에도 당시 유치원 교사를 지낸 사람의 구술이 남아 있다. 다음 표는 1926년에 이화유치원사범과를 졸업한 곽성실(郭聖實)씨를 이상금이 면담한 내용으로, 당시 이화유치원의 하루 일과이다.[166]

<표 Ⅱ-13> '이화유치원'의 하루 일과

시간	교육내용
9시~10시	-등원(문에 서서 원아 마중) -자유유희(집짓기, 그림그리기, 모래놀이, 점토, 소꿉놀이, 인형놀이 등을 자유로 선택)
10시	실내모임(창가, 기도, 담화, 때때로 게임)
10시 30분	-간식(인사동의 태화기독교 사회관에서 만든 콩젖(두유) 먹임. 손씻고 당번은 상보고 접시, 컵 등을 치움) -휴식(요를 마루에 깔고 누워서 쉬게 함)
11시	활동(목공, 은물, 운동장에서 게임, 실내에서 게임, 극놀이 등)
12시	귀가(집에서 데리러 올 때까지 이야기 듣고 노래 부르며 기다림)

*출처 : 이상금, 『한국 근대유치원 교육사』, 1987, 279쪽.

여기서도 '기도'라는 항목은 있지만 목공, 은물, 놀이, 게임, 그림그리기 등의 일반적인 유아교육을 했으며 종교교육 일변도의 교육은 하

166) 이상금, 앞의 책, 1987, 279쪽.

다음은 이화유치원 원아들이 실제활동한 사진들이다.

in the sun room : 햇볕이 환하게 드는 교실에서 원아들은 스스로 만들고, 놀이를 한다.

김치를 담그는 원아들 : 유치원에서 점심을 먹게 되는 특별한 날에는 김치를 만든다. 이화유치원은 최초로 아침 간식으로 두유(bean milk)를 제공하였다.

이화유치원 놀이터

지 않았던 것으로 보인다.

그러나 종교계 유치원들은 자신들의 교파를 전도하려는 목적을 가지고 유치원을 설립했기 때문에 교육내용에서 종교교육을 소홀히 할 수는 없었을 것이다. 1915년 「개정사립학교규칙」에 의해 제도권 학교에서 '종(宗)·교(敎) 분리주의'의 압박을 받았지만 유치원에는 이를 적용하지 않았으므로 유치원에서는 비교적 종교교육이 자유롭게 실시될 수 있었다. 표면적인 교육목적이나 교육과정에서는 잘 드러나지 않았지만 종교계 유치원의 일상 속에서 '잠재적'으로 '은연중'에 종교교육을 실시했었는데, *The Korea Mission Field* 1928년도 3월호에 당시 개신교 유치원에 대한 전반적인 내용들이 비교적 상세하게 실려 있으므로 이를 중심으로 살펴보겠다.

> "……유치원 한 곳을 방문해서 아이들이 정신적으로 어떻게 교육받는지를 보자. **모든 교회 유치원에서는 기도, 성경이야기, 찬송가를 한다. 선생님들이 기도할 뿐만 아니라, 아이들에게 기도를 가르친다. 아이들은 무릎을 꿇고, 선생님을 따라서 성경 구절, 기도문을 반복한다.** 이러한 교육의 결과, 원생의 집을 방문할 때, 부모가 비록 비신도일지라도 아이들이 기도를 하지 않으면 밥을 먹지 않는다면서 자랑스럽게 이야기 한다.……"[167](고딕은 연구자)

「예수님은 나를 사랑해(Jesus loves me)」「소중한 보석(Precious Jewels)」 같은 찬송가가 유치원에서 가장 많이 가르치는 노래였으며,[168] 찬송가뿐만 아니라 성경구절, 기도문, 무릎꿇고 기도하기와 같은 행위를 유치원 외의 일상 생활에서도 행함으로써 기독교적인 습관이 몸에 배도록 끊임없이 가르쳤다.

---

167) "The Kindergarten as an Evangelistic Agency", *KMF*, 1928. 3, 48쪽.
168) "The Kindergarten as an Evangelistic Agency", *KMF*, 1928. 3, 48쪽.

"……기독교신자인 선생님들은 아이들 마음에 기독교의 원리와 습관을 주입하려는 노력을 게을리 하지 않는다. '여러분이 식사를 할 때, 감사 기도하는 것을 잊어서는 안됩니다. 알았죠?' 아이들이 집에 갈 때 이런 말을 한다. 그리고 비신도 어머니들은 아이들이 밥 먹기 전에 머리를 숙이고 감사의 기도를 한다고 우리들에게 종종 말한다.……"[169](고딕은 연구자)

그리고 비신도 가정의 경우는 원아뿐만 아니라 원아를 통해 그 가정을 개종시킬 수 있을 것이라는 믿음과 희망을 가지고 있었다.

"……어떤 유치원은 기독교집 자녀들이 많은 비율을 차지하며, 어떤 유치원은 그 반대이다. 따라서 2번의 기회가 있는 것이다. 첫째, 우리의 기독교 아동들의 보존과 교육이며 둘째, 비신자 아이들에게 기독교 사상과 원리를 불어 넣고, 그 아이가 집에 가서 기독교를 전파시키는 것이다……"[170](고딕은 연구자)

유치원은 전도를 2번 할 수 있는 복음주의 장소인데, 개신교 가정의 아이들의 신앙을 유지·발전시킬 수 있다는 것 하나와, 비신자 가정의 아이들에게 기독교를 가르치면 이 아이들이 집에 가서 식구들에게도 하나님 말씀을 전달한다는 것이다. 아이들 통한 '간접적인' 전도가 가능하다는 것이다.

"저녁에 방에서 바느질하면서 어머니는 누워있는 아이들에게 묻는다. '오늘 유치원에서 무엇을 배웠니?' 일반적으로 아이들은 이야기할 무언가를 가지고 있을 것이다. 어느날 비신자 가정의 여자아이가 '우리 어머니가 그 말 좋은 말이구나 하셨어요'라고 했다. 이 아이의 입을 통해 하나님의 말씀이 그녀의 어머니에게 전해졌다."[171](고딕은 연구자)

---

169) "the kindergarten and the family", *KMF*, 1928. 3, 64~65쪽.
170) "The Kindergarten as an Evangelistic Agency", *KMF*, 1928. 3, 47쪽.

원산 루씨(樓氏)유치원에서의 크리스마스 연극회

대개 한달에 한번 여는 '자모회(姉母會)' 역시, 선교대상에서 예외일 수는 없었다. "가정에서의 아이들 훈육, 돌봄, 공중위생, 청결에 관한 강의"와 더불어 "성경(a gospel message)"을 강연했다는 점, 교회가 직접 운영하는 유치원에서는 전도부인(Bible Woman)을 비신도 가정에 직접 방문케 해서 교회에 나오도록 권유하기도 했었다는 점에서[172] 개신교 유치원은 실제로는 순수한 '교육기관'이기보다는 '교육'을 매개로 하는 '복음주의 기관(evangelistic agency)'의 성격이 강했다. 이외에도 '추수감사절'과 '크리스마스'도 중요한 교육과정이었다.

그렇다고 유치원이 종교교육만 한 것은 물론 아니다. 밴플리트(E. VanFleet)는[173] 유치원의 목적이라고 해서 "첫째 신체발달, 둘째 자율

171) "the kindergarten and the family", *KMF*, 1928. 3, 65쪽.
172) "The Kindergarten as an Evangelistic Agency", *KMF*, 1928. 3, 49쪽.
173) 1918년에 내한한 밴플리트는 도착 즉시 이화유치원 사범과의 초대 과장직을 맡고, 이어 1918년에는 제2 실습유치원인 아현유치원의 원장을 겸하는 등 당

유치원의 수업 풍경

성(self-control), 셋째 종교적 자극(religious impulse), 마지막으로 아이들의 행복"[174]으로 보았으며 실제로 다음의 인용문에서 알 수 있듯이 유치원에서는 일상생활에서의 '예절' '정리정돈' '남을 배려하기'와 같은 도덕교육도 함께 이루어졌다.

"……유치원 교사들은 바쁘고 지친 한국어머니들의 환경을 잘 알고 있다. 그리고 부모들이 아이들에게 바라는 것을 이해하고 있다. 그래서 유치원에서 '아침에 집을 나설 때, 부모님께 여러분은 몇 번이나 인사를 합니까?', '집에 가서 모자와 가방은 어떻게 합니까? 바닥에 던집니까? 아니면 옷걸이에 겁니까?' 질문을 자주한다.……"[175]

시 왕성한 유아교육활동을 펼친 미감리교회 여선교사였다. 이에 대한 내용은 이상금, 앞의 책, 1987, 222~223쪽 참조.

174) "The Aim of the Kindergarten", *KMF*, 1922. 4, 76~77쪽.

175) "the kindergarten and the family", *KMF*, 1928. 3, 64쪽.

유희와 율동을 하고 있는 원아들

유치원에서의 생일파티

"아이들에게 고무풍선을 보여주면서 '이게 뭐지요?' '풍선이에요' '이것으로 여러분들은 무엇을 하나요?' '커다랗게 불어요' '너무 세게 불면 어떻게 되지요?' '뻥하고 터져요' '그러면 이것을 어디에 쓸 수 있나요?' '아무 데도 쓸 데가 없어요' 지금까지 아이들은 이구동성으로 말했다. 선생님은 말한다. '자 그러면, 여러분은 어머니가 주신 돈으로 이처럼 쓸모없는 물건을 살 수도 있지요. 그렇지만 지금부터는 어머니가 주신 돈을 유치원에 가지고 와서 저금을 하고 크리스마스 때 가난한 아이들을 도와주는 것이 더 낫지 않을까요?"[176]

(2) 비종교계 유치원

특정 종교를 표방하지 않고 일반 독지가, 유지 또는 조합에서 기금을 모아 설립한 유치원이 여기에 해당된다. 대표적인 유치원으로는 1913년에 조중응·이완용 등 친일파들이 중심이 되어 설립된 '사립경성유치원'[177]이 있다. '사립경성유치원'과 관련된 재미있는 일화가 있다. 선교사 쿤스(Koons)가 이 유치원을 방문했을 때, 9명의 여자 원아들 모두 기모노를 입고 있었는데, 그 중의 진짜 일본인 1명이 있으니까 알아 맞춰보라는 권유를 받았는데 도저히 분간할 수 없었다는[178] 것이다.

1922년 4월에 경성부 명치정(明治町)에 설립된 '애국유치원'은 조선총독부의 미즈노(水野練太郎) 정무총감 부인이 세운 내선일체형 유치원으로 월사금 3원의 귀족적인 유치원이었다.[179]

---

176) "Christmas Cheer for Supokie", *KMF*, 1928. 3.

177) 『매일신보』, 1913. 3. 30. 친일파 인사들의 설립으로 회원 자녀와 그 가족을 취원케 했던 이 유치원의 원아는 실제로 전부 귀족의 자제로 유아 1인당 수행인이 4, 5명이고 적어도 2, 3명이 되는 부유층 자녀들이었다(『매일신보』, 1913. 4. 24).

178) E. W. Koons, "Kindergarten in Seoul", *The Korea Magazine*, 1918. 3, 101쪽.

179) 이상금, 앞의 책, 1987, 83쪽.

"당시의 정무총감 水野練太郎 부인 水野滿壽子 여사가 內鮮 유아를 공동보육하고, 一視同仁의 聖旨를 받들여, 떡잎 때부터 內鮮一體의 정신을 기르는 것과 동시에, 어머니회를 통해서 內鮮 家庭의 融和에 이바지할 목적으로 창립되었다. 원장은 대대의 정무총감 부인이며 부원장은 애국부인회 조선본부 副長 6명(內地人 4명, 鮮人 6명)이다. 보모는 주임 보모 외 3명은 내지인이고 2명은 鮮人이다. 원아는 내지인 3분의 2, 선인 3분의 1의 혼합반이며,……**특히 언어에 주의하여 회화 등을 숙달시키며 국어(일본어)사용에 노력한다. 鮮兒를 수용할 公立 소학교가 부족하여 졸업 원아의 선아 전원은 신체검사·가정상황·멘탈테스트 등에 의해서 전형한 후 입학이 허가되는 제도이기 때문에 이 준비 또한 남모를 고심이다.**"[180](고딕은 연구자)

같은 내선일체형의 비종교 유치원이지만 '사립경성유치원'의 경우는 한국인 아동만을 모집했다고 한다면, '애국유치원'은 설립 초기부터 일본인 유아와 한국인 유아를 모두 모집했다는 점이 다르다.

위의 인용문을 보면, '애국유치원'의 주된 교육과정은 '국어(일본어)'였다. 어렸을 때부터 철저한 일본어를 익혀 내선일체형의 한국인을 만드는 것이 궁극의 목적이겠지만 이외에도 "공립 소학교가 부족하여 졸업 원아의 선아(鮮兒) 전원은 신체검사·가정상황·멘탈테스트 등에 의해서 전형한 후 입학이 허가되는 제도이기 때문에 이 준비 또한 남모를 고심이다"라는 글귀에서 미루어 봤을 때, 이 유치원의 중요한 교육목적은 상급학교 진학이었음을 알 수 있다.

내선일체형 유치원은 일제 군국주의 말기에 가서 그 성격이 극명하게 드러난다. 일제 말기 '애국유치원'에는 신전과 궁성 사진을 마련해 놓고 그 앞에 원아뿐만 아니라 부모들도 절을 하도록 하는 전형적인 '황국신민화 교육'을 수행하였다.

---

180) 廱柄トヨ, 「朝鮮だより」, 『幼兒の教育』 제42권 13호, 1942, 36~37쪽(이상금, 위의 책에서 재인용).

> “참다운 일본정신을 대동아공영권의 諸民族에, 나아가서 전 세계민족에게 이해시키고, 이를 토대로 하여 교육할 수 있는 지도자를 기르기 위해서, 열심히 훈육하여 사치·허용·자유주의를 배격한다.…… **敬神崇祖의 정신을 함양하기 위하여, 등원하면 제일 먼저 유희실에 설치한 神殿을 보호자와 함께 배례하게 하며, 다음으로 宮城 사진에 最敬禮를 시킨다.**”[181](고딕은 연구자)

비종교계 유치원으로, 흔한 경우는 아니지만, 보통학교의 ‘대체용’ 유치원도 있었다. 한 예로 평안북도에 1925년에 설립된 ‘용암포유치원’의 설립 경위를 보자.

> “普通學校와 水産學校가 설립된 지 已久하야 아동교육에 有功하나 보통학교에 未及된 아동과 기타사정으로 입학하지 못한 아동도 有할 뿐 아니라 재래서당도 불완전하여 空然한 시간 보내는 아동을 受容키 위하야 同郡에 있는 黃觀河는 그곳 商務會會長이던바 商務會金 千餘金으로써 교실을 건축하고 약 10일 전부터 개학하야 학생이 약 150여 명에 달하였음을 지방인사는 칭송한다고”[182]

신문기사에서 알 수 있듯이 ‘용암포유치원’은 설립 배경이 다소 달랐다. 앞에서 언급한 유치원들처럼, ‘취학 전 유아의 건전한 신체 및 정신발달의 조화’ 또는 특정 종교의 전파라는 목적과 달리, 보통학교에 진학하지 못한 아동들의 교육을 위해서 개인이 유치원을 세웠다는 것이다. 따라서 이러한 목적으로 설립된 유치원의 교육내용은 통상적인 유치원식 교육보다는 보통학교식의 교육을 했을 것으로 추론된다. 그러나 보통학교 대체용 유치원은 그다지 많지 않았던 것으로 보인다. 예를 들어 다음에 나오는 <표 Ⅱ-14>의 ‘교수사항’을 보면, 함경북도

---

181) 小島紀子, 「경성애국유치원」, 『幼兒の教育』 제42권 13호, 1942, 36~37쪽(이상금, 위의 책에서 재인용).

182) 『동아일보』, 1925. 5. 5.

소재의 유치원들 모두가 교수내용이 '유희, 창가, 수화, 담화'라는 점에서 본연의 유아교육에 충실했던 유치원이 훨씬 많았기 때문이다.[183]

2) 운영방식

1935년 9월 『신가정』에는 보육협회 주최와 동아일보사 학예부 후원으로 1935년 7월 21일부터 일주일 동안 경성에서 개최되었던 '하기율동강습회'에는 전조선 방방곡곡으로부터 유치원관계자 백여 명이 모여들어 대성황을 이루었다는 기사가 실려 있다. 이 강습회에서 전조선 보육관계자 간담회를 열었는데 당일 90명이 참석해서 "1. 유치원에 대한 자모들의 활동 2. 각 지방에 조선 특유한 장난감 3. 유치원 보육이외에 재미스러운 일"의 제목으로 간담회를 가졌는데 유치원을 통해 각 지방의 문화정도와 풍속을 엿볼 수 있는 의미 있는 시간이었다고 기술하고 있다.[184] 당시 지방 유치원의 실태와 더불어 지방 유치원들이 어떻게 운영되고 있었는지가 잘 드러나 있어 전문(全文) 그대로 실어본다.

ⓐ 진주(晋州)유치원(인가)[185]

"제가 알고 있는 진주에는 유치원이 여러 곳 있다. 여러 유치원이 각각 성의를 다해서 원아 보육에 힘쓰는 것을 볼 때에 참말로 기쁨이 가슴에 넘칩니다.……진주유치원의 자모들은 매우 친절하고 유치원에 대한 이해가 크다. 그렇기 때문에 가정과의 연락에 아무런 유감이 없으며 원아지도에 있어서도 지장이 없다."

---

183) 이에 대해 이상금은 최근 연구에서 1920년대 생겨난 많은 유치원들이 당시 보통학교 수가 적어 취학하기 어려웠기 때문에 보통학교의 대체기관 역할을 했음을 강조하였다(이상금, 『사랑의 선물』, 서울 : 한림출판사, 2005, 401~403쪽).

184) 『신가정』, 1935. 9, 123쪽.

185) ( )안의 인가·미인가는 1935년의 『조선제학교일람』을 참조로 한 것임.

ⓑ 홍수원대성(興水院大成)유치원

“저는 홍수원대성유치원에서 왔습니다. 시골에 조그만 유치원이라 별로 말씀드릴것이 없다. 저의 유치원 자모 제씨는 대서특기할 만한 활약이 아직 없다. 자모제씨가 유치원에 자주와 주심으로 보육기관과 가정과의 연락을 취하는 데에는 조금도 유감이 없다. 보육용 완구는 재래 사용하든 그것이지요. 완구에 대해서는 다소 개선할 필요를 느끼는 점이 없지아니하나 아직 구체안은 없다. 바라건대 보육지도자를 양성하는 교육기관에서부터 이 원아완구에 대하여 특별한 연구와 개선을 도모하여야 할 것이다.”

ⓒ 화순읍교회(和順邑教會)유치원(미인가)

“저는 화순예수교회에서 경영하는 유치원에서 일보는 사람인데 여러분이 각 지방에서 활동하시는 사항이며 유치원 자모되시는 분들의 동정으로 재미있는 이야기를 많이 듣고나니 저로서는 **눈물겨웁게 빈약한 저의 유치원을 앞으로 어떻게 발전시키어 볼까하는 생각밖에 없습니다.** 제가 맡아보는 유치원 아동은 약 30명에서나 되지마는 설립도 도무지 없고 30명에서 30전씩 받는 월사금을 가지고 제가 자취를 해가며 곤궁하게 유지를 해가는 형편이니 이 유치원을 어떻게 했으면 좀 기초가 튼튼한 기관으로 만들어 볼런지요……나의 희망하는 바는 이곳에서도 **다른 지방과 같이 유지들이 많이 노력을 해 주었으면 하는 것입니다.** 만일 교회가 미약하다면 그것을 사회유지가 붙들어 나가고 사회설립기관에 경영이 곤란할 때에 또 교회가 힘자라는 데까지 붙들어 주어 상호부조한다면 좀 더 발전이 있지 않을까하는 것입니다. (고딕은 연구자)

ⓓ 평북창성유치원(인가)

“……별다른 자랑거리는 없습니다만 불렀으니 몇 말씀 하겠습니다. 우리 창성은 금광지대라 비교적 경제적으로는 윤택한 편입니다. 현재 원아는 60명이고 자모회도 있습니다. 처음에는 자모회를 조직하는데 힘이 많이 들었어요.……**지금은 모든 것을 자모회에서 부담하여 줍니다. 아이들의 장난감이란 별 것이 없습니다.** 먼저 말씀한 것처럼 금광

지대라 모래구경을 못하니까 아이들은 자연 광산에서 나온 광석과 돌가루를 유일한 장난감으로 삼고 있습니다. 아마 도회지에 있는 장난감은 구경도 못한 아이가 많을 것입니다.……" (고딕은 연구자)

ⓔ 청진유치원(인가)

"……우리 청진의 특색이란 다른 도회처럼 되바라진 데가 없고 인심도 비교적 좋습니다.……다른 도회지에서도 그렇겠지마는 청진에 가서 제일 고통받은 것은 아이들의 입학이었습니다. 모를 사람들은 유치원이 보통학교 입학시키는 곳으로만 알고 있는가 보아요. 그래서 혹 입학이 못되면 부모들이 찾아와서 야단을 하는 분은 전 하두 여러 번 혼이 나서(一同大笑)……청진의 특색은 이응실이란 분이 경영하는 탁아소입니다.[186] 노동은 하고 싶으나 아이들이 주렁주렁 매달리니까 어떤 때는 아이를 두드리다 말고 어머니까지 어울려서 울고 하는 광경을 보고 이씨가 일생을 희생할 각오로 창립한 것이랍니다."

ⓕ 충북제천유치원(인가)

"우리 提川은 약 1,000호가량 되는 데서 東西촌에 유치원이 각각 하나씩 있습니다. 그런데 우리의 특색은 이 두 개 유치원이 서로 돕고 서로 경쟁하는 점입니다. 자모회도 조직되어 매월 1회씩 집회합니다. 그래서 웬만한 것은 거기서 처리합니다. 장난감이란 별것이 없습니다. 시골이니까 흙장난하는 것이 보통이고 접시니 사발같은 사기깨진 것으로 소꿉질들을 하더군요. (고딕은 연구자)

ⓖ 사리원유치원(인가)

"우리 유치원은 원래 교회에 속하였다가 최근에 와서는 단독 경영하게 되었습니다. 무엇보다도 자랑은 역사가 깊은 것입니다. 자모회에서는 성의있게 보아주고 일반 사회에서도 극력 조력해 줍니다.……작년 크리스마스 때에는 자모들이 돈을 모아가지고 연필이나 공책 같은 것을 산타크로스 영감을 시켜서 나누어 주었더니 지금도 가끔 크리스

186) '청진탁아소'는 Ⅲ장 탁아소 보육사 부분에서 다룰 것이다.

마스가 언제냐고 매달려요(일동은 매우 부러운 듯이 씨를 처다보았습니다). 장난감이란 별로 없습니다.” (고딕은 연구자)

ⓗ 웅기유치원

“저의 유치원은 지금으로부터 28년 전에 창립되었습니다.……원아는 현재 80명인데 지원자가 있어도 더 받지를 못합니다. 나이는 8살이 보통이고 4살까지도 있습니다.……경제도 그리 어렵지 않고 자모들도 조력해 주시고 또 이사회가 있어서 웬만한 것은 도맡아 주십니다.……” (고딕은 연구자)

ⓘ 함흥부 외주서(外州西)유치원(미인가)

“저의 유치원은 함흥시외에 있는 아주 조그만한 유치원이랍니다. 경영도 개인이 하는 것이고 현재 원아도 40여 명밖에 없습니다. 그러나 이 40명은 하루도 빠지지 않고 출석은 잘 합니다. 이렇다하고 내세울 만한 특색도 자랑도 없지마는 한 가지 다른 곳에서 없는 것은 농촌부녀들의 하기강습회입니다. 우리는 매년 여름이면 촌부인네들을 모아놓고 염색, 산술, 재봉 이런것들을 가르칩니다. 그리고 저도 함께 나가서 기심도 매보고 농촌부인네와 꼭 같이 지내니까 서로 도우는 맘도 더 생기는 것 같습니다.……” (고딕은 연구자)

ⓙ 마산중앙유치원(미인가)

“……경영은 신교회로 재정은 별로 없습니다. 경비는 자모회에서 부담하고 졸업식 때에도 모두 자모회가 부담해 줍니다. 그리고 졸업생이 나갈 때에는 각각 아이들 이름으로 학교에 기구를 사서 기부해주어서 그것을 씁니다. 사회에서는 별로 이렇다고 내세울 만한 보조가 없으나 자모회가 성의있게 하니까 그것으로 족합니다.……장난감도 이번에 자모회에서 사와서 아이들도 거기에서 재미를 붙이고 있습니다. 장난감은 해변이라 대개 조갑지(조개)입니다. 그것으로 화분도 만들고 그릇도 합니다. 이번 여름에는 세탁 염색 자수 등의 강습을 하려고 준비중입니다”

ⓚ 강계유치원(미인가)

"강계는 비록 산중이지만 모든 점이 충실합니다. 경영이 강계 상무회(商務會)라 재정은 넉넉합니다. 보모가 둘이요 조수가 넷입니다. 지금 만여 원을 들여서 집을 신축하려고 합니다.……**장난감은 별로 없으나 운동기구는 완비했습니다.……산중이라 나무가 많으니까 나무껍질로 배를 만들어서 가지고 놉니다.……**" (고딕은 연구자)

ⓛ 이원(利原) 군선(群仙)유치원

"우리 유치원은 조그만 읍에서 유지들이 모여서 경영합니다.……군선은 바닷가라 처음에 와서는 아이들을 따라서 바다에 나갔더니…… **완구는 대개 조개비와 모래입니다.** 아이들은 거의 바닷가에 가서 살다시피 해요. 자모회는 작년 가을에 조직했습니다. 올 3월에는 '동요유희대회'를 열어서 기부금 30여 원이 생기기에 그것으로 미끄럼틀을 사서 놓았습니다." (고딕은 연구자)

ⓜ 함남 삼호유치원(인가)

"……명의는 교회경영이라고 되어 있으나 삼호의 유지되시는 김형관씨의 경영입니다.……사회에서는 별다른 보조가 없으나 부족한 것은 없습니다. 역시 아이들은 바다에서 자라서 바다를 떠나지 못합니다. **매일 조갑지(조개)나 모래로 장난감을 삼고 물에 가서는 발로 조개비를 파내는군요.……**" (고딕은 연구자)

ⓝ 함북 은성(隱城)유치원(미인가)

"……자모회도 있습니다. 원아는 40명 조수가 4사람이나 있습니다. 그러나 재정이란 별로 없습니다. 자모들이 매월 10전씩 추렴을 해서 그것으로 경비를 보충해 나갑니다. **완구랄 것은 별로 없고 지리적으로 마적이 출몰하는 곳이라 아이들의 장난이 대개 마적노름을 합니다. 그리고 중국이 가까워서 아이들은 중국 흉내를 잘 내고 편장난을 할 때에도 조선사람과 중국사람과 서로 갈라서서 한답니다.** 그러나 지금은 그런 나쁜 폐단은 점점 없어 갑니다." (고딕은 연구자)

ⓞ 거창유치원(미인가)

"……우리 시골에는 유치원이 많지 못한 곳입니다……**우리 유치원 자모님들은 유치원을 위해서 매우 노력해 주십니다.** 유치원은 보통학교와도 달라서 보모와 자모와는 밀접한 우리 유치원 자모측에서는 연락을 가질 필요가 절대로 있는 것입니다. 유치원을 후원하는 일밖에는 하지 않습니다……" (고딕은 연구자)

ⓟ 진남포유치원[187]

"……보모, 원아, 자모 이 셋 식구가 말하자면 한 가정에 식구와도 같이 서로 도우며 서로 이해하는 가운데서 아동지도를 해갑니다……"

꽤 길게 기술했는데 당시 각 지방에 설립된 유치원의 실상을 잘 알 수 있는 내용들이라서 지면을 다소 할당했다. 내용을 정리해 본다면 경성이나 평양과 같이 도시의 유치원과는 달리, 지방의 유치원의 경우는 별 어려움 없이 재정적 측면에서 잘 운영되는 유치원보다는 그렇지 못한 유치원이 더 많았음을 알 수 있다. 미인가 유치원뿐만 아니라 인가받은 유치원도 사정은 그다지 좋지 않았다. 지방의 많은 유치원들이 '자모회(姉母會)'에 특히 많이 의지해서 경영되고 있었는데 이는 지방의 많은 유치원들이 취약한 재정과 열악한 환경에 처해 있었다는 것을 의미한다. 유치원이 바닷가 근처에 있는 경우—ⓛ 이원 군선유치원, ⓜ 함남 삼호유치원—는 조개껍데기, 모래를, 광산지역에 있는 경우—ⓓ 평북 창성유치원(인가)—는 광석이나 돌가루를 장난감으로 이용했다는 사실에서 도시의 유치원처럼 '은물'과 같은 서구・근대식 장난감은 갖추지 못한 것으로 보인다.

지방 유치원의 열악한 수준은 경성의 시설을 잘 갖춘 유치원과 비교해 보면 더 극명하게 드러난다. 경성의 '재단법인 조양유치원'은[188]

---

187) 「第二回 全朝鮮保育」, 『신가정』, 1935. 9.

188) 1922년 3월에 이강혁(Ⅲ부의 탁아소 보육사 부분에서 다룰 '방면위원제도'에서 방면위원으로 다시 언급됨)이 경성 연지동에 세웠는데, 1925년 8월 이기

미끄럼틀을 타고 노는 원아들. 통영

춘 有志의 기부를 얻어 재단법인으로 전환되었다. 교육목적은 어린 아동들에게 정신과 육체를 조화적으로 발달시켜 사회에서 완전한 인간이 되도록 하는데 있다(西村綠也, 앞의 책, 昭和5年, 132쪽).

재단법인인 만큼 재정적으로 탄탄한 유치원으로서 "옥통(玉通), 10종은물, 계수점토(計數粘土), 완구, 오르간, 레코드, 색지(色紙), 직지(織紙), 점지(粘紙), 운동구, 모래밭(砂場), 철제그네, 목제미끄럼틀, 동화책, 숫자놀이장난감(數字遊び物)"[189] 등의 교육기구들을 완비하고 있었다. 이처럼 지역에 따라 유치원의 시설수준 및 제반 여건 등의 편차가 컸다. 또한 일부 지방 유치원—ⓘ 함흥부 외주서유치원—은 마을 주민들을 대상으로 '강습회'를 유치원에서 개최하기도 했다는 점에서 유치원이 지역 주민들의 '사회교육기관'으로 일부 이용되기도 했음을 알 수 있다.

몇 개의 유치원을 제외한다면,[190] 대다수의 한국인 유치원은 항상 재정난에 허덕였는데 유치원의 재정충원은 어떠한 방식으로 했는지 알아보자.

<표 II-14> 함경북도 사립유치원의 운영방식

원명	설립년도	교수사항	유지방법
청진유치원	1922년 7월	유희, 창가, 담화, 수기	보육료, 設立者出金, 기부금
효성유치원	1924년 12월	상동	보육료, 設立者出金, 關北伸友會補助金
웅성유치원	1922년 12월	상동	보육료, 후원회기부금, 英國美迎會贊助費
함명유치원	1921년 6월	상동	城津선교회 및 明川耶蘇敎會보조금
회령유치원	1921년 8월	상동	보육료, 설립자 갹출금(醵出金)
영옥유치원	1921년 11월	상동	보육료 및 의손금(義損金)
보광유치원	1927년 5월	상동	유지금 갹출, 후원회기부금, 보육료
보신유치원	1928년 11월	상동	설립자의 의손금, 보육료, 일반보조금
삼덕유치원	1929년 7월	상동	보육료, 耶蘇敎加奈陀美信보조금, 나남야소교회보조금

* 출처 : 西村綠也, 『朝鮮敎育大觀』, 昭和5年(1930), 3쪽, 함경북도편.

189) 西村綠也, 위의 책, 昭和5年, 132쪽.
190) 재정이 넉넉했던 유치원들은 주로 내선일체형을 표방했던 유치원들이었다. 이에 대해서는 이상금의 연구 참조(이상금, 앞의 책, 1987, 125~127쪽).

<표 Ⅱ-14>는 함경북도 유치원들의 경영・유지방법을 보여주는데 한국인을 위한 공립유치원이 단 1개도 없었던 당시 상황에서 유치원은 전적으로 민간중심으로 운영될 수 밖에 없었다.

유치원의 설립 및 유지의 주된 재원은 설립자의 출자금과 보육료(월사금)이며, 부족한 재정은 독지가나 유지들의 기부금로 충당했다.

이외에도 유치원은 수시로 각종 연극회, 가극회, 촌극 등을 개최하면서 입장료와 기부금을 거둬들였다. 1925년 7월 한 달 동안 『동아일보』에는 이와 관련된 기사만 11개가 실렸다.[191] 보도 내용이 대개가 정형화되어 있는데 기사 마지막 부분에 일시와 장소, 입장료 또는 기부자의 이름과 기부금을 적는 방식이었다.

> "전주 南門外 전주유치원에서는 이번 해에 **유치원 경비충용과 일반에 소개키 위하야** 이번 19일 토요일 밤 7시부터 전북 公會堂에서 음악회를 개최하는 바 동서양 음악외의 유치원 원아들의 아름다운 창가와 유희도 있겠다고 한다.
>
> **일시 : 12월 19일 하오 7시 //장소 : 전북 공회당 //입장료 : 大人 50전, 소인학생 20전**"[192] (고딕은 연구자)

> "**여주유치원은 경비곤란으로 일반사회의 동정을 얻기 위해서 어린이가극회를 연다고 기고한 바,** 지난 17일밤 7시부터 천진난만한 어린아이네의 유희와 유년주일학교 학생들의 아름다운 가극은……대성황을 이뤘는데 **당야 유지의 연금액은 일백십칠원 구십전이랍니다**".[193]

---

191) 「마산유치원 음악회」(1927. 7. 1) ; 「선천명신유치원 납량가극대회」(7. 7) ; 「안성유치원 음악회를 개최」(7. 8) ; 「의신유치원 음악회」(7. 8) ; 「차배관유치원 원예회」(7. 14) ; 「가극무용음악, 수입은 유치원」(7. 17) ; 「목포유치원 학예회」(7. 24) ; 「유치원인가를 기회로 양일간 안성에서 개최」(7. 24) ; 「이천유치원 연극회」(7. 28) ; 「의주용만유치원 학예회」(7. 30) ; 「안성유치원 음악무용회」(7. 31).

192) 『동아일보』, 1925. 12. 23. 일시가 19일로 되어 있는데 23일자 신문인 것을 보면, 오자인 것 같음.

장난감을 만들고 있는 유치원의 자모들

(고딕은 연구자)

가극회, 학예회, 음악회 등의 다양한 이름으로 아이들을 무대에 올렸던 것은 유치원을 일반 사람들에게 널리 알리려는 '선전'의 목적도 있었겠지만, 주된 이유는 '모금'이었다. 그리고 이상금도 지적했듯이 유치원의 잦은 행사는 아이들에게 힘든 과정이었다. 왜냐하면 대중 앞에서 공연하기 위해서는 오랜 시간동안 많은 연습을 할 수밖에 없고, 게다가 공연들이 주로 밤에 개최되었으므로 밤늦게까지 공연을 해야만 하는 상황이었기 때문이다.

유치원 유지의 또 하나의 주역은 앞에서도 지적했듯이 자모회이다. 특히, 재정난이 심각했던 지방 유치원의 경우는 자모회의 의존도는 절

193) 『동아일보』, 1925. 12. 23.

대적이었다. 1924년 설립된 '영변유치원'의 경우도 자모회에서 매년 유치원을 위한 재정적 지원을 해 줌으로써 완전한 설비를 갖추게 되었는데,[194] 이처럼 일제 강점기 한국인 유치원이 열악한 여건 속에서도 유지·존속될 수 있었던 것은 수많은 각종 행사를 직접 행한 원아들과 재정 지원을 지속적으로 해 주었던 자모회가 있었기에 가능했다고 해도 과언은 아닌 듯싶다.

194) 장병욱, 『韓國監理敎女性史』, 서울 : 성광문화사, 1979, 403쪽.

Ⅲ. 탁아소 보육사

1. 탁아소에 관한 수사(修辭)

1920년대 식민지 한국에서는 사회주의·공산주의 사상이 풍미하게 되면서 이 진영에서 여성해방운동과 연결지어 탁아소에 대한 담론이 생산되고 있었다. 여성의 사회적 노동 참여에 따른 가사노동의 사회화는 여성해방을 위한 핵심적인 요건으로 이미 제기되었는데, 남녀평등은 기본적으로 여성의 경제적 독립과 가사노예적 상태에서의 해방이 전제되어야 가능하다는 것이다. 이러한 맥락에서 여성의 직업생활을 위해서는 무엇보다도 가장 필요한 것이 '탁아소 설립'이라는 주장이 제기되었다.

1933년도 『신가정』에서는 "내가 만일 조선여성이라면"이란 주제로 내한(來韓)한 각국의 여성들이 기고를 했는데 나라별로 그 내용이 다르다. 자유주의·자본주의 국가의 대표인 미국여성들은 「자녀교육의 노력」[1] 또는 「어진 어머니 노릇」[2]이란 제목으로 어머니 역할에 충실

1) 그 내용의 일부를 보면, "한 가정을 아름답게 꾸미고 훌륭한 남편의 내조자가 되고 귀여운 자녀들의 어머니가 되는 것이 여자로서 가장 적당한 일인 것 같습니다.……현재 조선가정을 개혁시켜서 남편에게는 정신적인 위안을 주고 아이들은 건강하고 완전하게 최선을 다하여 교육하겠습니다"(『신가정』, 1933. 2, 배화여고 루비·리)이다.

2) 미국 副領事부인인 메리온·스테판이 쓴 글의 일부이다. "만일 내가 조선여자라면 나는 지금과 꼭 같은 일-즉 어머니가 되고 아내가 되어 지금 노력

할 것이라고 했던 것에 반해, 사회주의·공산주의 국가인 중국과 러시아의 영사부인들은 각각 "노동자를 위하여", "탁아소의 경영"이란 제목으로 다른 논조의 글을 기고하였다. 러시아(露國)영사관 부인인 '폴리나·이트낀'이 기고한 글이다.

> "러시아의 가족제도와 남녀의 지위는 조선의 것과 천양지판(天壤之判)입니다. 법률적으로나 사회적으로 여자의 처지가 퍽 자유롭고 더욱이 가정에 있어서 아내는 남편의 압박이나 제재를 조금도 받지 않습니다. 그러기에 여자의 활동이 자유롭고 그 범위가 얼마든지 넓을 수가 있는 것입니다. 그런 상태와는 뚝 떨어져서 다른 조선에 내가 태어난다면 나는 우선 급선무라고 생각하는 것이 그런 불완전한 가정에서 길러내는 아동들을 위하여 사업을 하겠습니다. 러시아에서는 탁아소가 많이 있습니다. 공장이나 회사나 어느 곳에든지 탁아소가 있어서 거기서 일하는 부인들이 애기를 하루종일 맡아서 보호하고 훈육해 줍니다. 그래서 부인들이 일하는데 아무 지장이 없을 뿐 아니라 마음놓고 활동하기에 퍽 편리합니다. 그래서 만일 내가 조선에서 활동할 수 있다면 탁아소를 만들어서 공장에 다니는 부인들 또는 사회에서 활동하는 어머니들의 자녀들을 맡아 가장 좋은 교육을 시키고 조선같이 의무교육이 실시되지 않아서 월사금으로 인해 공부못하는 아이들을 위하여 아주 탁아소에서 보통교육까지 시키겠습니다.……"[3](고딕은 연구자)

위의 인용글과 유사한 맥락으로, 1927년에는 근우회의 간부였던 유영준이 여성해방을 위해 탁아소 설립은 반드시 필요하다는 글을 기고하였다.

하는 것과 꼭 같은 일을 하겠습니다. 가정에서 있어서 자녀들의 존재는 말할 수 없이 존귀합니다. 그래서 자녀들의 양육과 교육을 위해서는 내 최선을 다해서 힘써나가겠습니다"(『신가정』, 1933. 2).

3) 「탁아소의 경영」, 『신가정』, 1933. 2, 40쪽.

"나는 항상 우리 가정부인들이 직업을 가지기를 주장합니다. 한가정의 장래를 위하여서나 또는 여자의 독립적인 인격을 위하여서나 어느 편으로 보던지 가정부인 직업이 필요합니다.……그런데 가정부인이 직업을 가지는 데에는 어린아이와 관련되게 됩니다. 직업을 가질여해도 어린아이를 가진 부인들은 가질수가 없습니다.……그런 가정부인으로 하여금 직업을 가지게 하려면 우선 탁아소가 발달됩니다. 즉 모든 가정의 어린아이를 맡아 가지고 그 어머니로 하여금 마음놓고 직업에 종사할수 있도록 하는 것이 필요합니다.……우리 사회에서는 지금 도회에서 유치원 설치가 고조(高調)됩니다. 그러면서도 탁아소 설치에 뜻을 두는 사람은 아직 별로 보이지 않습니다. 유치원이라는 것은 잘 사는집 아이들을 위한 것이라고 말할 것도 없습니다마는 탁아소만은 대다수의 가정부인을 위하야 절대로 필요한 것입니다. 우리는 탁아소의 필요와 가정부인 직업의 필요를 기회 있는대로 주장하여야 하겠습니다. 그래서 일방으로는 여자는 그 남편의 부속물이니 따로 직업을 가질 필요가 없다는 구관념을 타파하는 동시에 여자에게 자립할 기회를 제공하도록 노력하여야 하겟습니다.……"[4] (고딕은 연구자)

가정부인이 남편에게 종속되지 않으려면 경제력 독립을 해야 하고 이를 위해서는 직업을 가져야 하나, 가정부인이 직업을 갖게 되면 자녀양육의 문제가 발생하므로 이를 해결하기 위해서 탁아소가 설치되어야 한다는 주장이다. 다시 말해서, 자녀를 가진 기혼 여성들이 직업을 갖기 위해서는 탁아소 설치가 무엇보다도 선결 요건이라는 것이다. 실제로 근우회에서는 1929년 7월 전국대회에서 허정숙이 제안하고 김온의 재청으로 "노동자·농민 의료기관 및 탁아소 제정·확립"의 행동강령이 채택되기도 하였다.[5]

이처럼 1920년대 사회주의 사상 및 여성해방운동론이 식민지 한국

4) 「탁아소를 설치하라」, 『동아일보』, 1927. 6. 2.
5) 신주백, 『1930년대 민족해방운동론 연구 1－국내 공산주의운동 자료편－』, 서울 : 새길, 1989, 399~402쪽.

사회에서 풍미하였고 탁아소 설립에 대한 담론은 이러한 맥락 속에서 나왔다. 즉 사회주의계열에서는 여성의 노동권과 자녀양육문제를 함께 바라봄으로써 탁아문제를 남녀평등을 위한 여성의 경제적 자립을 위해 반드시 필요한 것임을 명확히 했다.

사회주의계열의 이러한 인식은 이미 1921년에 조직되었던 상해 고려공산당 강령(綱領)에도 반영되어 있었다. 이 강령의 내용이다.

1) 생산력의 증식과 사회정의 확립을 위하여 사유적 생산방식과 자유투쟁은 이를 革廢하고 집중 공영적 생산분배의 방식으로 대체할 것
2) 교육의 보편적 보급을 위하여 무료국민교육제를 실시할 것
3) 勞齡에 달한 자는 남녀를 불문하고 의무적 노동에 복종할 것
4) **여자해방을 위하여 가정개조, 공공육아원, 공동식당, 공동세탁소 등의 시설을 단행할 것**
5) 사유물건을 몰수할 것[6](고딕은 연구자)

그렇다면 실제 탁아소는 과연 사회주의계열에서 주장했던 것처럼 여성해방을 위해 설립되었을까? 이러한 문제의식을 갖고, 우리나라에서 탁아소가 처음으로 등장하게 되는 일제 식민지 시기 탁아소가 어떠한 역사적 배경에서, 무엇을 목적으로 설립되었으며 그 전개과정은 어떠했는지 등을 규명하도록 하겠다.

2. 도시형 : 도시상설탁아소

식민지 조선에 설치되었던 탁아소는 지역과 유형에 따라 도시형과

---

6) 김준엽・김창순, 『韓國共産主義 運動史』, 서울 : 고려대학교 아세아문제연구소, 1967, 194~195쪽.

농촌형으로 구별된다. 도시형은 일명 도시상설탁아소라고도 하는데 명칭 그대로 매일매일 운영되었던 탁아소로 오늘날 어린이집의 원형(原型)이라 할 수 있다. 반면, 농촌형은 농번기에 일시적으로 설치되었다가 철거되었던 탁아소로 계절(季節)탁아소라고도 한다. 두 유형은 이름만큼이나 등장배경이나 전개과정 등에서 대조적인 측면을 보이는데 이에 대해 고찰해 보겠다.

1) 사회사업의 일환으로서의 탁아사업[7)]

(1) 인보사업 및 방면위원제도

탁아소가 발견되는 사료들은 주로 사회사업 관련된 문헌들이다. 당시, 사회사업과 아울러 '인보사업(隣保事業)'이란 낯선 용어를 사료에서 볼 수 있다.

'인보사업(隣保事業)'이란 근대적 사회사업의 한 분야로 시작되었다. 인보사업이란 세계사적으로 볼 때, 19세기경 노동자와 자본가간의 계급갈등이 시작되는 과정에서 나온 운동으로서, 자본가 계급에 있는

---

7) 여기서 명확하게 정리가 안 되는 것이 기타 사회사업과 인보사업의 차이점이다. 많은 사회사업기관들 중에서 어떤 특징을 가진 기관들이 인보사업으로 분류되었는지 그 점이 사료에서는 드러나 있지 않다. 그리고 하나의 기관이 일관성 있게 인보사업으로 분류된 것이 아니었기 때문에 이를 명확하게 규정하기란 더더욱 쉽지 않다. 예를 들어 '화광교원'은 1924, 1927년에는 인보사업 항목에 있었지만, 1929년에는 '貧兒教育事業' 항목에 들어가 있다가 다시 1933년에는 인보사업으로 분류되어 있다(朝鮮總督府內務局社會課, 『朝鮮社會事業要覽』, 昭和8年, 177쪽). 게다가 시기적으로 인보사업이 방면위원제도보다 먼저 등장했기 때문에 방면위원의 有無를 기준으로 인보사업기관을 규정하기란 어렵다. 다만, 인보사업기관의 하나로 분류되었던 '재단법인 보인회(保隣會)'의 중심인물이 일제로부터 '후작(侯爵)'을 받은 박영효가 이사장이었다는 사실에서(朝鮮總督府內務局社會課, 『朝鮮社會事業要覽』, 大正13年, 15쪽), 인보사업기관은 설립 때부터 조선총독부와 모종의 관계가 있었을 가능성이 상당히 높다.

사람들이 인도주의적 차원에서 자신이 맡은 해당지구(該當地區)에 직접 들어가서—이들을 이주민(Settler)이라 함—빈민들과 생활을 하면서 이들의 생활상태를 상세히 알아내서 구제(救濟)가 필요한 사람들을 도와준다는 사회사업이었다. 세틀러(Settler)들은 단순히 직무상이 아니라 실제로 빈민들과 함께 생활하면서 그들에게 실질적으로 필요한 사회사업을 구상, 실천함으로써 당시 심화되어 가고 있는 계급갈등을 완화하려고 노력했던 사람들이다.[8] 이러한 인보사업의 일환으로 일제는 '방면제도(方面制度)'를 도입하였다. 방면제도란 도시를 구역을 나누어서 각각의 구역에 방면위원들을 두어 이들로 하여금 구역의 빈민들을 관리하도록 하는 것을 골자로 하는 일종의 사회사업제도이다.[9] 1931년말 경 경성에는 동부, 서부, 북부, 남부, 용산 5개의 인보관이 설치되어 있었다.

<표 Ⅲ-1> 1931년말 현재, 경성부방면위원설치 현황

방면구	사무소 소재지	위원수	常務委員名	설립년도일
東部	효제동 東部인보내	15명	이강혁	1927. 12. 12
北部	매동공립보통학교내	12명	이동혁	1927. 12. 12
西部	천연동向上회관내	12명	이항식	1931. 3. 3.
南部	舟橋공립보통학교내	12명	예종석	1931. 12. 4.
龍山	元町 三丁目 45	11명	김응순	1931. 12. 4.

*출처 : 愼英弘, 『近代朝鮮社會事業史硏究 : 京城における方面委員制度の歷史的考察』, 東京 : 綠陰書房, 1984, 75쪽.

일제가 인보사업을 실시한 주된 목적은 자본가 계급이 빈민층을 도와준다는 인도주의 정신의 구현이라기보다는 식민지 통치의 기본전제인 사회안정과 질서유지를 위해 세민층의 생활을 철저하게 조사·감독하기 위함이었다. 1927년 제1회 방면위원회가 개최되었을 때 당시

8) 池潤, 『社會事業史』, 서울 : 正信社, 1964, 231~233쪽.
9) 박세훈, 「구제(救濟)와 교화(敎化) : 일제 시기 경성부의 방면위원제도 연구」, 『사회와 역사』 61, 2002. 5, 125쪽.

총독부 내무부과장이었던 요시무라(吉村)의 발언에서 방면제도의 이와 같은 목적을 엿볼 수 있다.

> "사회사업의 중심에는 方面委員이 있다. 사회문제에는 여러 가지가 있지만 가장 심각한 것이 '빈부의 격차'이다. 세민층(細民層)의 증가로 생활이 위협받게 되면 노동자와 자본가의 충돌이 발생할 수도 있고, 사상의 악화가 일어나기도 하는 등 여러 가지 사회적 죄악이 발생하기 때문이다. 사회의 근본은 생활안정에 있는 것이므로……민중의 생활진상을 상세히 조사하는 것이 사회사업의 근본 목적이다."[10]

조선에서의 빈민층의 증가는 곧 이들의 생활이 위협받게 되고, 이는 빈부의 격차로 이어지면서 노동자와 자본가의 충돌이 발생할 수도 있고 사회질서의 혼란 및 사상의 악화가 일어나는 등 식민지 지배가 근본적으로 흔들릴 수 있다고 일제는 판단했던 것이다. 다시 말해서 인보사업은 근대화, 공업화 과정에서 발생하는 자본가와 노동자 계급 간의 갈등을 미리 방지하고 사회안정을 추구하는 것을 목적으로 세계사적으로 실시된 자선적 성격의 사회구제사업이지만, 식민지 한국에서 실시된 인보사업은 이 같은 구제(救濟)·구빈(救貧)과 함께 식민지 통치를 보다 안전하고 효율적으로 하기 위해서 식민지 민중들의 감시·감독·규제를 목적으로 실시되었다.

1927년 4월부터 착수하기 시작한 경성부의 방면위원제도는 1931년 12월에 이르러 5개 방면구에 62명의 방면위원으로 일단락되었다.[11] 그렇다면 어떤 인물들이 방면위원으로 선정되었을까? 총독부·경기도·경성부가 경성에서도 방면위원제도가 필요하다는 것을 인식하고 일찍부터 그 조사에 착수하였지만 쉽게 발족할 수 없었던 것은 방면

---

10) 愼英弘, 『近代朝鮮社會事業史研究：京城における方面委員制度の歷史的考察』, 東京：綠陰書房, 1984, 32쪽.

11) 愼英弘, 위의 책, 1984, 74쪽.

위원이 될 만한 인물선정에 골몰했기 때문이었다고 한다. 최초의 방면위원 적임자는 첫째 조선인일 것, 둘째 어느 정도 신망이 있을 것, 셋째 스스로 생활이 유복하여 직무를 통해서 사욕을 챙기는 일이 없을 것, 넷째 희망 및 봉사정신이 두터울 것, 다섯째 총독부 시책에 순종하는 자일 것 등의 조건을 갖추어야 했었다. 물색한 끝에 세 사람의 적임자를 발견하고, 바로 발족하게 되었다.[12] 기타 방면위원들에 관해 직업과 교육받은 정도를 중심으로 좀 더 구체적으로 살펴보자.

<표 Ⅲ-2> 방면위원들의 직업

직업	인원
회사사장 및 취체역(取締役)/元회사전무 및 취체역[1]	3명/3명
의사 및 약제사	2명
농업종사	1명
학교장/元 교원 및 학교장	1명(일본인)/6명(일본인 1명 포함)
사무원	1명
자영업[2]/元자영업	17명(일본인 7명 포함)/2명
元 관청 등의 役人	9명
不明	16명

*출처 : 愼英弘, 앞의 책, 373~374쪽, (2)를 부분 각색해서 정리한 것임.
- '元'이라고 표기된 것은 방면위원으로 촉탁되기 전의 직업을 뜻하는 것임.
- '元 관청 등의 役人'은 중추원의관, 군수, 서기, 기수(技手), 헌병대총장 등 비교적 고위 관직자를 의미함[13]

1) 주식회사 이사를 의미함.

12) 孫禎睦, 『日帝强占期 都市社會相 硏究』, 서울 : 일지사, 1996, 123~124쪽. ① 李康赫 : 1882년생. 종로5가 100번지, 제1~2회 경성부협의회회원, 지주출신으로 종로 5가 유지. ② 太應善 : 1878년생. 종로6가 267번지. 종로 6가 포목상 太桂順의 장남. 가업인 포목상을 도우면서 종로 6가 洞총대 ③ 李東赫 : 1875년생. 내자동 185번지. 1907년에 官界에 들어가 강원도 금화·화천·양양 등지 군수 역임 후 1923년 사임, 그 후 적선동 총대를 하면서 대정(大正)친목회 상무이사 등의 친일요직을 겸함.

13) 愼英弘, 앞의 책, 1984, 374쪽.

2) 대표적인 자영업으로는 포목, 운송, 미곡, 質商(전당포) 등이 있다.

<표 Ⅲ-3> 방면위원들의 교육정도

교육 정도	인원
儒學 또는 漢文學을 배운자	7명
한문학을 배우고 기타 학교를 다닌 자	5명
보통학교(소학교, 고등소학교, 고등보통학교 포함)를 다닌 자	5명(일본인 2명포함)
중학교를 다닌 자	5명
전문학교를 다닌 자	8명(일본인 1명포함)
대학을 다닌 자	3명(일본인 1명포함)
기타의 학교를 다닌 자	3명
不明	25명(일본인 6명포함)

*출처 : 愼英弘, 앞의 책, 374~375쪽, (3)을 정리한 것임.

방면위원들은 회사사장, 의사, 자영업, 교원 등 다양한 직업을 갖고 있었고, 대부분이 근대적 직업이라는 공통점을 갖고 있었다. 자영업자들 중에는 방면위원이란 신분을 이용, 많은 부를 축적 또는 높은 지위를 얻게 되었던 사람들도 생겨났다[14]는 점에서 방면위원의 위상은 상당했던 것으로 보인다. 또한 방면위원들 다수가 어떤 식으로라도 교육을 받은 사람들이었으며 중등교육 이상의 고학력을 지닌 자들도 상당히 있었다는 것을 알 수 있다. 일제가 심혈을 기울여서 선정한 방면위원들은 친일파들이었다. 방면위원들은 회합자리에서 궁성요배・황국신민서사 제창・신사참배 등을 하고 다녔으며 창씨개명에 앞장섰을 뿐 아니라 방면위원 각 개개인의 자격으로 또는 방면위원회의 이름으로 군사원조, 국민총력 등 전쟁수행과 시국행사 등에 간사로 참여하여 일제의 전쟁수행에 적극적으로 참여했으며, 심지어 '방면위원회'의 이름을 붙인 군용비행기 헌납운동에도 앞장서는 등[15] 노골적인 친일 행위를 주도하였다.

14) 愼英弘, 위의 책, 1984, 374쪽.
15) 愼英弘, 위의 책, 1984, 제6장 '銃後對策과 朝鮮救護會의 發布' 참조.

시간이 지날수록 방면위원제도는 확대되어 갔다. 1936년에 경성부 구역이 확장되면서 방면위원도 따라서 늘어나 1938년 7월말 방면위원수가 146명이었으며 그 중 18명은 일본인이었다고 한다.[16] 또 방면위원제도는 경성부뿐만 아니라 지방에도 설치되어 1943년 3월말 현재로 경성, 인천, 개성, 부산, 마산, 평양, 대구, 광주, 목포, 신의주, 함흥, 원산의 12개 부, 여수, 나주, 순천의 3개 읍, 그리고 경기도 관내 각 군청 소재지 19개 읍면, 강원도 강릉군 관내 13개 읍면 등 방면수 합계 134, 방면위원수 1,341명에 이르렀다 한다.[17]

(2) 인보기관에서의 탁아소 운영

인보사업에 대해 간략하게 살펴보았는데 그 이유는 바로 일제 강점기 탁아소에 관한 기록들이 사회사업 관련 기록에서 발견할 수 있기 때문이다. 조선총독부가 1929년도에 간행한 『朝鮮社會事業要覽』에는 인보기관들로, '경북구제회'(慶北救濟會セツルメント), '부산공생원'(釜山共生園), '부산자선교사'(釜山慈善教社)가 있으며 이 곳에서 탁아소를 운영했다는 기록이 남아 있다.

<표 Ⅲ-4> 1929년 인보기관에서 실시한 사업내용 및 탁아소 운영

	慶北救濟會 セツルメント	釜山共生園	釜山慈善教社
사업내용	乳幼兒건강방문 탁아소 야학 도서실 직업소개 인사법률상담 빈아교육 일반교화	교화부 탁아부 授産部 학원부 진료부 母子소개 遊園部	乳幼兒건강방문 탁아소 야학 도서실 二曜강좌 직업소개 인사법률상담

16) 愼英弘, 위의 책, 1984, 354쪽.
17) 朝鮮總督府, 『朝鮮事情』, 1944, 254쪽.

*출처 : 朝鮮總督府內務局社會課, 『朝鮮社會事業要覽』, 昭和4年(1929), 120~121쪽.

당시 대표적인 인보사업기관으로 '화광교원'이 있다. 다음은 화광교원의 설립년도 및 목적을 알 수 있는 기사이다.

> "화광교원은 작년에 설립한 자로……濟世利民, 사회복지, 생활개선에 공헌하기 위한 목적……1) 전도부 2) 교육부 3) 사업부의 三大로 구분하여……전도부에서는 불교주의 慰安社會를 위한 자, 교육부는 書夜 양 과로 다시 구분하여 書學에는 빈민아동, 나이가 많아 취학하기 어려운 사람들을 위해서, 夜學에는 노동에 종사하는 사람들, 주간에 일정한 직무가 있는 사람들, 가정일을 해야 하는 여자들 위해서 개설함, 사회부는 대략 10부로 나뉘어서 운영……**교육부, 사회부 어느 것 하나 중요하지 않은 것이 없지만 그중에 가장 중요한 것은 교육사업, 보육사업, 의료사업, 노동숙박소사업이다.** 교육의 시기를 놓친 자, 연령이 초과하여 교육을 받고 싶어도 받지 못하는 자, 집안이 어려워서 학비를 지급하지 못해 학교를 다니지 못한 자들에게 교육을 받을 기회를 주어 자립할 수 있을 만큼의 최소한의 교육을 실시한다.……"[18](고딕은 연구자)

이 글에서 '작년'이란 1920년도를 말하는데, 본래 화광교원은 "大正2년(1913)에 조선인들의 교화사업을 목적으로 일본 정토종에서 설립한 기관이었다가 1920년 6월에 조선의 민심을 잘 아는 히사시이에(久家慈光)가 교구장으로 임명되어 발전한"[19] 당시 불교계가 세운 대표적인 사회사업기관이다. 다음 <표 Ⅲ-5>를 보면, 화광교원에서는 초기부터 어린아이, 부인, 실업자등 남녀노소를 불문한 전(全) 빈민계층을 대상으로 교육, 숙박, 이발소, 식당, 광범위한 인보사업을 실시했다

---

18) 『每日申報』, 1921. 10. 23.

19) 荻野順導 編, 『和光教園事業要覽』, 和光教園, 昭和11年(1936), 2쪽.

는 것을 알 수 있다. 그리고 시간이 흐를수록 사업내용이 양적·질적으로 발전하고 있다는 것도 알 수 있는데, 아동들의 기초교육을 담당했던 학교만 하더라도 종전의 화광학교에서 화광유치원과 화광보통학교로 분화되었고, 교육의 대상도 연령에 따라 세분화되어 성인을 위한 화광교회, 소년교화를 위한 화광일요학교, 노동자들을 위한 실습야학부 등이 개설, 운영되었다는 사실이 이를 말해주고 있다.

<표 Ⅲ-5> 화광교원에서 실시했던 인보사업의 변천

	大正13年(1924)	昭和8年(1933)	
			해당 기관
사업내용	화광학교	빈아 및 불취학아 교육	화광보통학교
	실습야학교	노동자제교육	실습야학부
	화광교회	노동자보호	노동숙박소
	화광일요학교	부인보호	여자숙박소
	廉賣部	실업자보호	직업소개소
	調査部	자활지도	인사상담소
	노동숙박부	實費給料	간이식당
	직업소개소	위생사상함양	간이이발소
	상담부	無料入浴	浴場部
	식당부	일시구제	구호부
	이발부	元價給品	염매부
		內職奬勵	授産傳習所
		아동보육	화광유치원
		성인교화	화광교회
		소년교화	화광일요학교
		소년보호	동대문서당
		탁아보육	동대문탁아소
		천막 및 보호	화광주택부

*출처 : 1924년은 朝鮮總督府內務局社會課, 『朝鮮社會事業要覽』, 大正13年(1924), 13~14쪽 ; 1933년은 朝鮮總督府學務局社會課, 『朝鮮社會事業要覽』, 昭和8年(1933), 177쪽의 내용을 재구성한 것임.

여기서 주목할 것은 1933년도에 '동대문탁아소'에서 탁아보육사업을 했다는 기록이다. '화광교원'의 본부는 경성 관수동에, 지부(支部)

는 종로에 있었고[20] 1927년에는 동대문에 분원을 세웠다.[21] 탁아사업은 그 명칭을 봐서 바로 동대문 분원에서 운영했던 것을 알 수 있다.

빈민층들의 생활안정과 사회안정을 도모하기 위해 1920년대 초반부터 광범위한 구제·구빈사업을 실시했으나 1920년대 전반까지만 해도 탁아소는 운영되지 않았다가 1920년대 후반부터 탁아사업을 운영하기 시작했던 것으로 보인다.

지금까지 내용을 종합해 보면, 식민지 한국에서 도시상설탁아소는 1920년대 후반부터 인보사업 차원에서 서서히 등장했으며 주로 빈민층의 구제·구빈적 차원에서 설립·운영되었다. 이처럼 도시상설탁아소는 사회주의 지식인들이 주장했던 것처럼 여성해방을 위해 설립하라는 이상과는 너무나도 다른 현실에서 등장하였다.

2) 등장배경

(1) 극도의 빈곤층 격증

사이토(齋藤實)가 총독으로 부임할 무렵, 조선은 한마디로 빈곤의 수렁에 빠져 있었다. 1921~1924년간 『조선일보』와 『동아일보』는 빈민, 기아, 걸식자와 관련한 기사들을 심심치 않게 다루고 있었다.[22] 『동아일보』 1921년 7월 12일자에 "1921년 7월10일경 경성부내 각 경찰서가 관내의 거지를 단속, 모두 경찰서에 연행해 갔는데 경찰서가 마치 乞人國같았다"[23]라는 기사, 같은 신문 1924년 8월 28일자 "경성역 북쪽 염천교 다리 밑에 10여 명의 거지가 모여 있는데 해마다 격증하는 경향이 있다"[24]는 등의 신문보도가 그 예이다. 이는 도시지역으로의

20) 朝鮮總督府內務局社會課, 『朝鮮社會事業要覽』, 1924, 12쪽.
21) 荻野順導 編, 앞의 책, 昭和 11年, 8쪽.
22) 『조선일보』, 1924. 5. 14 ; 1924. 10. 29 ; 1924. 11. 9.
『동아일보』, 1924. 11. 11 ; 1924. 11. 21.
23) 『동아일보』, 1921. 7. 12.
24) 『동아일보』, 1924. 8. 28.

빈곤층 인구의 집적현상이 1920년대 초부터 일어나고 있다는 것을 의미한다. 이러한 현상을 일제 강점 직후 실시된 토지조사사업이 끝난 시점이 1918년이라는 점과 관련지어 살펴 볼 필요가 있다. 토지조사사업 결과, 농촌의 자작농・자작겸소작농의 수는 현격하게 줄어든 반면, 소작농의 수는 점점 더 많아졌고, 살기가 힘들어진 많은 농민들은 농촌을 떠나 일본이나 만주로 가거나, 경성・부산・평양 등지의 도시로 몰려들어 지게꾼・날품팔이・행랑어멈 등의 최하층 노동자로 전락하게 되었다.[25] 그러나 도시들이 이들을 수용할 정도로 산업화・도시화가 진행되지 않았기 때문에 하층민들은 일자리 구하기에 항상 고통받고 있었으며, 특히 1920년대 말기 세계공황의 영향으로 이들의 실업률은 급격히 높아졌다. 1925년을 거쳐 1926년이 되면서 굶주림에 지친 하층민들은 겨울이 되면서 동사(凍死)하는 자가 적지 않았으며,[26] 어린아이를 내다 버리는 기아(棄兒)에 관한 기사가 1926년 하반기 동아일보 지상에 거의 매일 기사화되고 있었다[27]는 사실에서 경성 하층민의 빈곤은 극치에 다다랐다.

(2) 무산자 기혼 여공 증가

식민지 조선에서의 도시상설탁아소는 공업화 과정에서 등장하였다. 식민지 한국에서의 공업화 과정은 식민지 통치 기반을 마련하기 위한 '조선토지조사사업' 등이 실시된 이후 1920년대 중반부터 본격화되기 시작하였다. 일제의 공업화 정책에 따라 조선에는 공장설립과 임금노동자가 증가해 갔으며 여성노동자 집단의 형성도 이 과정에서 이루어졌다. 특히, 1920년의 '회사령' 철폐는 일본 국내자본의 조선침투를 촉진시켰다. 증대된 일본자본의 침투로 조선의 전(全) 사업은 외견상으

25) 姜萬吉, 『日帝時代 貧民生活史硏究』, 서울 : 창작과비평사, 1987, 294쪽 ; 孫禎睦, 앞의 책, 1996, 108쪽.

26) 『동아일보』, 1926. 12. 29.

27) 『동아일보』, 1926. 10. 14.

로는 발전을 가져오는 듯 했다. 1930년대 들어서면서 공업화에 더욱 박차를 가하면서 일제의 독점자본이 진출하고 군수공업이 크게 성장하게 되었다. 1931년 6월 당시 조선에는 공장에서 일하는 노동자수는 65,374명이며 공장수는 1,199개소였다. 양적으로 증가된 조선인 노동자는 노동자 계급의 핵심이 되는 공장노동자나 기술과 숙련을 필요로 하는 중화학공업에 종사하는 노동자들보다는 토목・막노동꾼 등의 일용직 노동자, 그리고 여성노동과 미숙련 노동이 가능한 식료품・방직공장에 종사하는 노동자가 압도적으로 많았다.

조선인 임금노동자들의 노동조건은 차별적인 저임금과 장시간 노동, 그리고 강제적이고 억압적인 노동통제로 전반적으로 일본인에 비해 매우 열악하였다. 일부 규모가 큰 공장에서는 '하루8시간 노동시간 제한제'를 도입한 곳도 있다고 하지만 대부분이 소규모 공장에서 하루 12시간 이상의 살인적인 근무를 하고 있으며, 휴식시간은 12시간 중에 1시간에서 1시간 30분정도 였다.[28] 게다가 산미증식계획에 따라 농촌에서 끊임없이 창출되는 농촌과잉인구 현상도 노동조건의 악화를 부채질하였다.[29]

한편, 저임금・장시간이라는 비참한 노동조건 이외에도 식민지 조선은 심각한 '취업난'에 놓여 있었다. <표 Ⅲ-6>은 연도에 따른 취업률의 추이를 살펴본 것으로 취업률이 30% 선에서 계속 머무르고 있다.

<표 Ⅲ-6> 상설(常設) 노동자 취업률의 추이

	1927년	1928년	1929년	1930년	1931년	1932년
求人數	8,224	10,026	22,392	16,328	18,140	22,129
求職數	15,356	17,091	20,973	28,816	36,002	43,103
就職數	5,449	5,100	6,333	9,293	11,353	14,085
就業率	35%	30%	30%	32%	32%	33%

*출처 : 朝鮮總督學務局社會課, 『朝鮮の社會事業』, 昭和8年(1933), 97쪽.

28) 朝鮮總督府學務局社會課, 앞의 책, 1933, 86쪽.
29) 최경숙, 『한국 근대사의 이해』, 부산 : 부산대학교출판부, 2001, 194~195쪽.

이는 상대적으로 높은 실업률을 의미하는 것으로, 취업난은 일제 강점기동안 만성적인 사회문제였다.

따라서 당시 도시에 거주한 노동자 가정에서는 남자노동자 혼자의 수입으로는 가족의 생계를 꾸려갈 수 없는 처지에 있었기 때문에 다른 가족원의 취업은 불가피하였다. 살인적인 노동조건과 심각한 취업난이란 사회적 상황 속에서 극빈층 가정의 기혼 여성들은 임금노동자가 될 수밖에 없었다. 더구나 이들은 식민지 여성이란 이유로 민족과 성별에 의한 이중적 차별로 인해 최악의 노동조건에 처해 있었다.

<표 Ⅲ-7> 1931년 민족별·성별 공장 노동자 임금비교(錢)

	內地人		朝鮮人	
	男	女	男	女
成年工	187	85	85	46
幼年工	50	-	30	29

*출처 : 朝鮮總督學務局社會課, 『朝鮮の社會事業』, 昭和8年(1933), 86쪽.

일본인 성인남자노동자(男工)를 기준으로 보면, 조선인 성인남자노동자 임금은 1/2정도이고, 조선인 성인여자노동자 임금은 1/4 수준인 것으로 나타났다. 유년여자노동자의 임금은 그보다 훨씬 낮아 일본인 성년 남공(男工)의 1/6~1/7도 못되는 수준의 매우 격심한 임금 격차가 있었다. 조선인의 저임금을 목적으로 한 성냥, 고무공업을 포함하는 화학공업들의 진출이 1925년 이후 빠르게 진행되면서 이들 공장에서의 일차적인 고용대상은 여성노동자였기 때문에 기혼 여공들은 빠르게 증가해갔다. 공장노동자 중에서 여성이 차지하는 비율은 1922년에 20.5%에서 1930년에는 33.7%로 상승하였다는[30] 사실이 이를 말해주고 있다.

한편, 여성노동자의 연령별 추이를 보면, 15~16세 미만의 유년여공

30) 『朝鮮總督府統計年報』, 각년도(강이수·신경아, 『여성과 일』, 서울 : 동녘, 2001, 50쪽에서 재인용).

의 비율이 1920년에 27.9%, 1930년에 21.7%, 1940년에 26.2%정도였다고 했을 때,[31] 나머지 약 70%는 17세 이상의 여공들로서 이 중에는 기혼 여성도 상당히 포함되었을 가능성이 매우 높다. 이러한 가능성은 "평양부 사회과에서 1938년도 탁아소 설립의 실현을 앞두고 부내 47공장에 대해 여공수를 조사한 결과, 미혼자 1,710명 기혼자 1,234명이며 기혼자 중에서 자녀를 둔 부인은 847명인 것으로 조사되었다"라는[32] 신문기사의 내용을 통해서 당시 공장 내에 기혼 여공들이 상당히 있었음을 알 수 있다.

그러나 하층민 여성들, 특히 아이가 딸린 기혼 여성들이 노동시장에 나갈 수밖에 없는 이러한 사회적 구조에서는 자녀양육문제가 파생될 수밖에 없었다. 도시의 노동자 가족은 농촌과 달리 이웃과의 유대가 약하기 때문에 어머니의 취업으로 인한 양육문제는 더욱 심각했다. 이때 유아를 노부모, 실직한 남편, 딸 등에게 맡기기도 했지만 어떤 경우는 공장에 직접 데리고 가서 일하기도 하였다.[33] 기혼 여성이 많았던 정미소 고무공장을 방문한 여기자가 쓴 다음의 글은 당시 어린 자녀가 딸린 기혼 여공에게 공장 일을 하는 것이 얼마나 비참했는지를 말해주고 있다.

> "정미소나 고무공장에서 보는 애기 딸린 어머니들의 노동이란 너무나 비참하였다. 고무찌는 냄새와 더운 김이 훅훅 끼치는 공장속에서

31) 강이수・신경아, 위의 책, 2001, 59쪽.

32) 『동아일보』, 1938. 2. 7. 1920년대와 달리 1930년대는 운동상황이 크게 바뀌어 대중운동에서의 여성의 진출이 크게 눈에 뜨인다. 1930년대 도에 기혼여성노동자들이 중요한 역할을 한 평양의 고무공장쟁의와 인천의 선미여공파업 등에서 제기된 '산전산휴 휴가보장'이나 '수유시간 확보'를 위한 여성노동자들의 요구는 비록 탁아소 설치까지 이르지는 못했지만 기혼여성노동자들의 수적 증가와 이에 따른 집단적 힘이 확대되었음을 알 수 있다(강정숙, 앞의 논문, 1993, 6쪽).

33) 강정숙, 위의 논문, 1993, 3쪽.

애기에게 젖을 빨리며 쇠로 만든 룰러를 가지로 일하는 것이다. 정미소에 돌가루가 뽀얗게 날리는 데서 갖까논 병아리 같이 마른 자식을 굴리는 것을 볼 때는 가슴이 메어지는 것 같았다. 탁아소! 만일 공장으로 밀려나온 어머니들에게 산아제한을 근본적으로 허락지 않는다면 탁아소만이라도 그들을 위해 세워줄 필요가 있다."[34](고딕은 연구자)

푹푹 찌는 열악한 작업 환경에서 갓난 아기에게 젖을 물리면서 일을 할 수밖에 없었던 하층민 기혼 여공들의 비참한 실상을 잘 읽을 수 있다. 공장 이외에도 생계를 위해 행상을 했던 가난한 기혼 여성들도 아이를 데리고 나와야만 했다.

"조선에는 생계를 위해 가정부인들이 行商을 나가는데 도시나 농촌 할 것 없이 어린아이를 등에 업고 머리에는 과일이나 생선을 이고 물건을 팔기 위해 아침부터 밤까지 하루종일 걸어다닌다. 그리고 시장부근에서는 어린자녀를 데리고 나와 물건을 파는 부인들도 많다."[35]

이처럼 기혼 여성이 생계를 위해 공장에 나가든 거리로 행상을 나가든 어린 자녀를 동행할 수밖에 없었던 상황이었으며, 특히나 이웃과의 유대관계가 약했던 도시에서의 어머니의 임금노동은 어린 자녀의 양육 문제를 야기시킬 수밖에 없었다.

3) 설립목적

식민지 조선이 공업화되어 가는 과정 속에서, 그리고 기혼 여성들이 임금노동자화 되어가는 과정 속에서 필연적으로 생겨난 것이 '탁아소' 였다. 초기의 탁아소는 주로 도시 공단지역을 중심으로 극빈층 기

34) 『신가정』, 1935. 2(강정숙, 위의 논문, 1993, 3쪽에서 재인용).
35) 朝鮮總督府厚生局社會課內 朝鮮社會事業協會, 『朝鮮社會事業』 20권 1호, 昭和17年(1942), 25쪽.

혼 여성들이 생계유지를 목적으로 설립되었음을 다음의 기사를 통해 알 수 있다.

> "사립청진탁아소(私立淸津託兒所)는 5년 전에 ○○李應實氏가 설치한 것인데 처음에는 탁아가 30명에 불과하였으나 오늘날에 와서는 100명에 달하게 되어 오전 8시부터 오후 5시까지 보아줄 사람없는 아이들을 맡아주는 故로 그 **설치의 효과를 일반사회에서도 인정하게되어 李氏는 그것을 대대적으로 ○○할 계획을 세우고 잇다는 것**은 듣기에 매우 기뿐 일이라고 하지 아니할 수 없는 것이다.……설립이유를 들었을 때……**어느 공장문앞에서 여공이 어린애 때문에 공장에 들어가지 못하고 그냥 집으로 돌아가면서 ○○하는 여직공을 본 것이 이 청진탁아원설립의 동기라고한다**……"[36](고딕은 연구자 : ○는 파악하기 어려운 글자)

인용문이 1935년도 신문기사이므로 "5년 전에 설치"했다는 문구를 통해 사립청진탁아소는 1930년에 설립되었음을 알 수 있다. 설립하게 된 계기는 생계를 위해 공장에 취업을 해야 하는데 가난한 기혼 여공이 아이 때문에 일을 할 수 없게 되자 이를 안타깝게 생각한 한 개인이 탁아소를 설립했다는 것이다. 그리고 그 효과가 좋아 앞으로 증설할 계획이라는 기사 내용을 통해 당시 탁아소에 대한 수요가 많았음을 유추할 수 있다.

4) 운영실태

사료의 부족으로 당시 도시상설탁아소가 실제로 어떠한 아동들이 다녔으며, 보육여건은 어떠했으며, 어떠한 교육프로그램으로 운영되었는지를 정확하게 파악하는 데 한계가 있다. 그럼에도 불구하고 문헌

---

36) 『동아일보』, 1935. 5. 25.

에는 '동대문탁아소', '청진사립탁아보육원', '청진부 탁아소' 3곳 정도는 운영실태가 비교적 자세하게 실려 있다.

<표 Ⅲ-8> 1933년 도시상설탁아소의 현황

명칭		경성재단법인화광교원 동대문탁아소	청진사립탁아보육원	청진부탁아소
소재지		경성부 종로 5	함경북도청진부	청진부 신암동
경영주체		재단법인 화광교원	청진사립탁아보육원	청진부
개설		1928년 7월 1일	1930년 2월 1일	1930년 7월 5일
종교		불교	·	·
대표자		이사장 萩野順導	이응실	清津府尹
현황	종사자	보모 2명	보모 1명, 조수 1명	보모 2명, 촉탁의(囑託醫) 1명
	유아정원	50명	50명	50명
	재적유아수	50명	50명	40명
	일일평균 출석수	50명 내외	40명	·
	제한연령	3~6세	1~6세	4~7세
	보육시간	9~5시	8~6시	8~6시
	보육료	1일 1전(錢)	회비에 따라	·
	운동기구	그네, 미끄럼틀	유희기구	·
	악기	오르간 1대	오르간 1대	·
	건강진단	·	·	·
	보호자 주요직업	공장여공	일가(家長)노동자	대부분 노동자
경제	예산	1932년도 610円	1932년도 588円	1932년도 615円
	재원	화광교원 일반경비	후원회 기부금 보조금	일반경비

*출처 : 朝鮮總督府學務局社會課, 『朝鮮社會事業要覽』, 昭和8年(1933), 13~14쪽 재구성.

<표 Ⅲ-8>에 보육시간이 오전 8, 9시에서 오후 5, 6시까지로 부모의 노동시간에 맞추어 탁아소를 운영했으며 수탁아동의 연령이 1세에서부터 6, 7세 정도까지로 대개 미취학 유아들을 돌보았다는 점에서 오늘날 어린이집과 운영실태가 매우 흡사하다는 것을 알 수 있다. 아

동들은 대부분 노동자 가정의 자녀들로서 무산자 계급에서 탁아소를 이용했음을 알 수 있다. 특이한 점은 보육료의 지불방식인데 '동대문 탁아소'를 보면 하루단위로 보육료를 지불했음을 알 수 있다. 다음 장에 나오는 '숭의탁아소'의 경우도 3세에서 7세의 유아들을 위주로 하루에 5전씩 받고 돌보았다는 기사를 통해서도 알 수 있듯이 당시 탁아소의 보육료 지불방식은 대개 하루단위였던 것으로 보인다. 따라서 수탁아동들이 오늘날처럼 일정기간 동안 안정적으로 보육된 것이 아니라, 부모의 주머니 가정에 따라 어떤 날은 탁아소에 갈 수도 있지만 그렇지 못한 경우도 많았을 것으로 짐작된다. 그만큼 무산자 아동의 탁아상태는 불안정했다. 그러나 일일 평균 출석이 정원을 거의 채웠다는 사실에서 탁아소의 수요자는 상당히 많았던 것으로 보인다.

탁아소의 환경이 과연 어느 정도였는지 <표 Ⅲ-8>에서는 잘 드러나지는 않지만 단순한 아동들을 수용하고 보호했던 수준을 넘어 교육을 실시했다는 것은 주목해야 할 점이다. 당시 도시상설탁아소가 유아들에게 어떠한 교육프로그램을 제공했는지는 지금까지 발견된 사료에 의하면 자세하게 드러나 있지는 않다. 그러나 그네 · 미끄럼틀 · 오르간을 갖추고 있었다는 점에서 유아체육, 율동, 그리고 음악 등의 유아교육을 실시했던 것으로 보인다. '부산공생원 탁아부'의 경우, 보모 2명에 재적 유아수가 99명으로 되어 있는 것으로 봐서는[37] 보육의 질적 수준은 의심스럽지만 기존의 통설[38]처럼 단순히 보호 · 수용차원에서 그친 것이 아니라 보호와 교육이 결합된 '보육'이 행해지고 있었다.

5) 전개과정

37) 朝鮮總督府內務局社會課, 『朝鮮社會事業要覽』, 昭和4年(1929), 121쪽.
38) 임종운, 앞의 논문, 1984, 104쪽, "탁아사업은 극빈자녀를 위한 구빈적인 성격을 띤 보호를 제공했으리라 생각된다".

(1) 새로운 유형의 탁아소 등장 : 귀족형

그러나 탁아소가 반드시 빈민층 자녀들만을 위해 설립된 것은 아니었다. 1930년대 중반 쯤 경성에는 일반 가정 즉, 유산자 유아를 보육하는 일명 '귀족형' 탁아소가 설립되었다. 다음은 1935년도에 「조선에서 처음으로 託兒所를 設立」이란 제목으로 신문에 실린 기사이다.

> "조선에서는 탁아소(託兒所)라는 사회시설이 업서서 일반직업부인들은 여간 곤난을 느끼지 안흔바 이 점에 착안하에 ○○사회봉사직으로 탁아소(託兒所)를 시설하신 분이 개십니다. 그분은 일즉이 고등여학교와 개성○○병원의 간호부산파양성소를 졸업하고 오랫동안 태화녀자관의 유치원에서 어린이들을 양성하시든 손정자양(孫政子孃)탁아소 설치장소는 리화동(梨花洞) 19번지라고 합니다. 그리고 금번 탁아소설치에 ○○○경비는 일만원 가량이라 하며 주로 직업부인들이 회사나 사무소에 출근한 동안 그들의 아기들을 맡아서 돌보아주는 것으로 어린이는 一세에서부터 五세까지라고 합니다. 이외에도 조산부와 ○○영양부에서도 유아들의 체질을 일일이 조사한 후 가장 적당한 우유를 매일 ○○하며 또 보건부에서는 유아의 건강을 위하야 매주 二회씩 의사를 다려다가 유아의 체질검사를 한다고 합니다. 그리고 요금같은 것은 될 수 있는 대로 실리로 받겠다는 것이 특색이랍니다."[39] (고딕은 연구자)

'태화유치원'에서 오랜 보육의 경험이 있는 '손정자'라는 여성이 경성에 일반 직업부인을 위해 탁아소를 설치했다는 기사인데 기사 제목이 '조선에서 처음'이라고 한 것은 아마 무산자 가정이 아닌 일반 가정 대상의 탁아소는 이번이 처음이라는 뜻으로 풀이된다. 그 다음 해인 1936년도에는 캐나다의 여선교사가 경성에 일반 가정을 대상으로 시설이나 환경 면에서 최고 수준의 '경성탁아소'를 설립했다. 설립 목적은 다음과 같다.

---

39) 『朝鮮中央日報』, 1935. 2. 23.

"……**동대문 부인병원 한 뜰아래 경성탁아소라 써 부친 벽돌집 한 채가 오고가는 사람들 시선을 끌게 한 지도 벌써 1년이 되여오나 봅**니다. 다른 나라에서는 수 십년 전부터 이런 고마운 사회시설이 생겨서 어머니 없는 아이, 어머니 병든 아이, 어머니 아픈 아이, 어머니가 바쁜 아이, 어쨌든 어머니의 따듯한 손길이 아니래도 곱게 아름답게 천진하게 자랄 수 있도록 해왔습니다만 우리 조선은 이제야 겨우 소위 문화중심이라고 하는 서울 시내에 단 하나의 탁아소, 그나마도 서양사람의 손으로 생겨나게 되었다는 것은 매우 부끄러운 일이 아닐 수 없습니다. 여기 소장 魯仙福양은 캐나다 부인으로 13년 전에 조선에 나오셨다는데……**조선사람을 위해서 유익한 사업을 해 볼려고 노력하던 차에 이 탁아소를 작년 12월 10일에 창설했다는 것입니다.** ……"[40](고딕은 연구자)

조선 사람을 위해 사회사업 차원에서 동대문 부인병원 안에 탁아소를 설립했다는 내용이다. 이 탁아소에는 어떠한 유아들이 수탁되었는지를 이어서 보도록 하겠다.

"대개는 어머니가 없는 애기와 어머니 병든 애기 그 다음엔 어머니가 직업을 가진 애기입니다. 얼마 전까지는 **야구선수 李榮敏씨의 따님도 그 어머니가 직업을 가진 탓으로 여기와서 일년 너머를 자랐고 아이생활사 前주간인 崔鳳則씨의 아드님도, 어머니가 세상을 떠난 뒤에 여기서 길러졌다고 합니다.** 지금은 그 아이들이 자기집에 가서 잘 큰다니 얼마나 고마운 일이겠습니까."[41](고딕은 연구자)

---

40) 『삼천리』 제10권 제1호, 1938. 1. 1. 사료에 따라 설립자와 설립년도가 다르다. 이와 거의 똑같은 내용이 『女性』잡지 1937년도 3월호에 「경성탁아소의 밤풍경」이란 제목으로 실렸다. 『조선일보』, 1936년 12월 10일자에는 "**京城東大門婦人病院**내에 **京城託兒所**가 설립되다. 同託兒所는 美國人 **盧善福**이 12,000圓의 경비를 들여 설립하다"라고 되어 있다.

41) 『삼천리』 제10권 제1호, 1938. 1. 1.

인용문을 보면, '경성탁아소'는 '어머니가 없는 아이' 또는 '어머니가 직업을 가진 아이'들을 보육했는데 실제로 이 탁아소를 이용한 사람들의 사례로 야구선수의 딸, 잡지사 주간의 아들을 꼽고 있다는 사실에서 앞서 살펴보았던 '청진탁아소'와는 사뭇 다르다는 것을 알 수 있다. 보육료를 보면 더욱 확연해 진다. 경성탁아소의 한 달 보육료는 주간(晝間) 탁아의 경우는 15원, 주·야간 탁아의 경우는 25원에서 30원이었는데,[42] 당시 최고 수준의 유치원이었던 '애국유치원'의 월사금이 3원이었다는 것과 비교해 보면 상당히 비싼 액수라는 것을 알 수 있다. 지불방식도 무산자 계급 대상의 탁아소가 하루단위로 보육료를 냈던 것에 비해 한달 단위로 지불한 것도 다른 점이라 할 수 있다. 비싼 보육료를 지불했던 만큼 시설 면에서 최고 수준이었다.

"벽에 붙은 애기 그림으로부터 풍금, 축음기, 작은 의자와 탁자, 작은 그네, 여러 가지 장난감-소, 돼지, 개, 말, 양, 코끼리, 물고기의 가지각색 것들과 고운 꽃을 담은 화병과 화분 어쨌든 햇살을 잘 받은 방안은 그저 명랑하고 유쾌할 뿐이다. 그러나 이 방에는 애기들이 하나도 없습니다. 밤낮으로 맡기는 아이만 있을 뿐 낮에만 맡기는 아이는 아직 한 사람도 없는 까닭에 이 좋은 방은 그대로 비어 있다는 군요."[43]

풍금, 축음기, 그리고 여러 가지 장난감 등을 구비했으며 햇살이 잘 들어온다는 글귀에서 교육과 보호를 모두 고려한 양질의 보육시설이었다는 것을 다시 한번 확인할 수 있다. 다음은 경성탁아소에서의 아이들의 하루일과이다.

"애기들의 하루 생활은 이러하다나요. 아침에 깨어나면 옷을 갈아입히고 젖먹는 아이는 젖을 먹이고, 죽먹는 아이는 죽을 먹이고 밥먹는

42) 『삼천리』 제10권 제1호, 1938. 1. 1.
43) 『삼천리』 제10권 제1호, 1938. 1. 1.

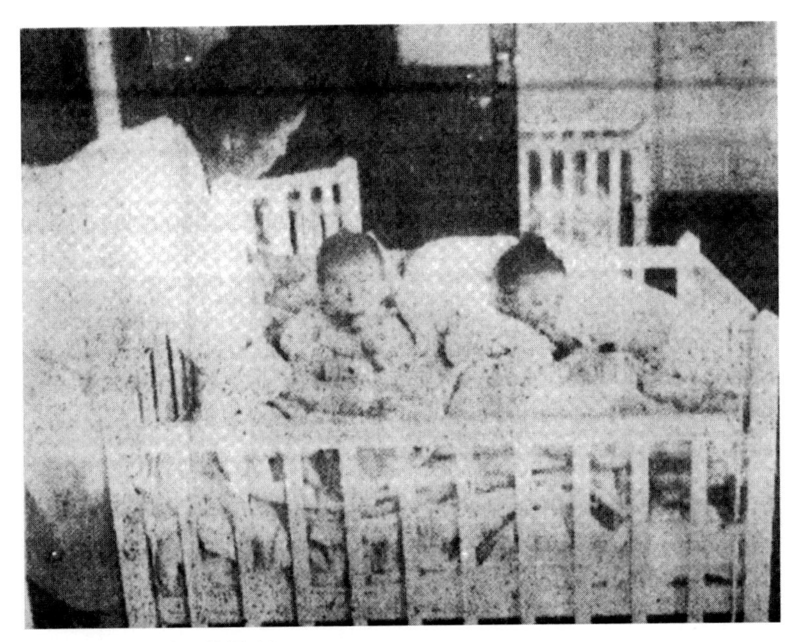

아기를 돌보는 모습. 경성탁아소

아이는 밥, 이렇게 제가 먹을 것을 먹은 뒤에 목욕을 하고 자다가 놀다가 오후 1시가 되면 옥상에 올라가 일광욕을 하고 그 다음에 또 자고 먹고 울고 놀고 웃고 하다가 해질 무렵 여섯시쯤 되면 물매미처럼 너도 나도 울기를 시작한다는데 그러는 때엔 보모엄마들이 정신을 못 차릴 지경이라구요. 그대로 업거나 안거나 하지 않고 가만 내버려둔대요. **애기를 먹는 음식은 소젖, 콩젖, 미국서 오는 汗油, 보리죽 밀감, 시금치국 등인데 월수에 따라 먹이는 음식의 종류도 달라지고 또 영양에 따라서도 각각 다르다고 합니다.**"(고딕은 연구자)

이처럼 아이의 발육상태에 따라 음식도 달리하는 등 상당히 수준 높은 보육을 했던 것으로 보인다.

(2) 도시상설탁아소 설립의 부진

극빈층 가정의 기혼 여성의 생계활동 및 아동의 보육 차원에서 1920년대 후반부터 생겨난 도시상설탁아소는 대부분 종교기관 또는 민간차원에서 설립되었다. 개인이 세운 탁아소로는 앞에서 살펴본 '사립청진탁아소'가, 불교계에서 세운 화광교원 내의 '동대문탁아소' 및 개신교 감리교에서 운영한 애인원(愛隣院)에서 세궁민(細窮民)의 직업부인과 아동을 위해 주간 탁아를 목적으로 '평양탁아소'를 설립되었다는[44] 사례에서 초창기 도시상설탁아소는 종교단체나 개인들이 주도해서 설립해 나갔다. 1933년에 조선총독부가 발행한 『朝鮮の社會事業』에는 "조선에는 부인이 屋外勞動에 종사하는 일을 혐오하는 까닭으로 탁아사업의 필요성이 별로 제기되지 못하고 있다"고 기술되어 있는 것으로 봐서는 일제 당국은 식민지 조선에서의 도시상설탁아사업의 부진을 한국인의 인식부족 탓으로 돌리면서, 적극적인 설립의지를 보이지 않았다. 물론 이 중에 '청진탁아소'는 부영(府營) 탁아소이기는 하지만, 탁아소의 양적 규모란 다섯 손가락으로 꼽을 수 있을 정도의 미약한 수준이었다(<표 Ⅲ-9> 참조). 동(同) 시기의 유치원의 양적 규모와 비교해 보면 도시상설탁아소 설립에 대해 국가나 사회가 얼마나 무관심했는지를 알 수 있다.

대표적인 공업지역이던 평양에서도 1938년에 와서야 비로소 '평양탁아소'와 '숭의탁아소' 두 곳이 설립되었는데 모두 민간에서 설립한 것이었다. '숭의탁아소'의 경우는 평양 숭의여학교[45]의 후신으로 숭의여학교 졸업생 동창회에서 1938년 하반기까지 탁아소를 개설, 운영키로 결정하여 만들어진 것이다.

"……숭의동창회에서는 지난봄 3월 31일 동창회총회를 열어 쓰러진

---

44) 『동아일보』, 1938. 10. 30.

45) 평양숭의여학교는 신사참배문제로 폐교되면서 그 후신으로 탁아소를 설치, 경영하게 되었다.

모교의 뒤에 사회적 기관으로 어떤 자선기관을 설치하야 모교의 후신을 삼어 가자고 발의되어 탁아소 설치를 결정하고 이래 준비해……헌신적인 노력으로 당국의 양해도 충분히 얻어 마침내 설치를 보게 되었다.……이 탁아소경비로는 숭의동창회가 20여 년간 회비로 모아 기본금으로 두었던 二千여 원의 재산을 기금으로 사용한다는데 앞으로 사회유지 후원을 받아 점차 대규모의 탁아소를 계획하고 있다하며 지금은 우선 70, 80명을 수용해서 이것을 2부로 나누어 재산이 있으면서도 어머니가 없는 아이를 기르는 부와 유아양육의 겨를을 못 가지는 직업에서의 유아를 맡아기르는 부 2부로 한다는데 1부는 3세에서 7세까지의 유아를 취급하야 양육비로 매월 18원가량의 양육료를 받고 제2부에서는 매일 아침 6시에 유아를 맡았다가 저녁 7시에 내어주어 매일 5전을 받기로 한다고 한다. 여기에는 간호원과 1인과 보조원 3인이 있어 어머니를 대신하야 정성껏 양육을 하므로 지금까지는 평양전매국내에 소규모의 탁아소가 있었을 뿐이므로 금번 중의 동창회의 쾌거에 이번 사회의 기대는 지극히 큰 바이다."[46](고딕은 연구자)

그리고 같은 해 11월 3일에 개설되었다. 기사를 통해서 알 수 있듯이 '숭의탁아소'는 1부와 2부로 나누어서 운영했는데, 1부에서는 "재산이 있으면서 어머니가 없는 유아"를, 2부에서는 "어머니가 직업을 가진 유아들 위해 설립한다는" 기사 내용에서나,[47] 한달 보육료가 18원 또는 일일 탁아료가 5전이라는 내용에 비추어 봤을 때 앞에서 살펴본 '경성탁아소'와 흡사하다는 것을 알 수 있다. 따라서 '숭의탁아소'도 유산자 가정의 유아들 중심으로 운영되었을 가능성이 농후하다.

1930년대 후반무렵 대도시 공단지역에 도시상설탁아소가 설립되었지만 대개가 민간차원에서 설립되었으며 양적 규모는 손가락에 꼽힐 정도로 매우 미비했다. 다음 <표 Ⅲ-9>에서 1939년에 내지(內地)에는 634개의 상설탁아소가 있었던 반면에, 식민지 조선에는 겨우 4개에 불

46) 『동아일보』, 1938. 9. 16.
47) 『동아일보』, 1938. 11. 3.

과한 대조적인 수치가 이 같은 사실을 분명하게 말해 주고 있다.

<표 Ⅲ-9> 사회구제사업의 조선과 내지(內地)의 비교

	임산부 보호	乳兒 保護	保育	乳幼兒 健康相談所	少年職業 指導	育兒
朝鮮	2	-	4	5	1	23
內地	565	72	952	201	10	127
	虛弱兒 保護	貧兒 敎育	虐待兒 保護	少年 救護	常設 託兒所	季節 託兒所
朝鮮	-	9	-	5	**4**	2,349
內地	10	42	11	183	**634**	5,745

*출처 : 「朝鮮社會事業의 現狀」, 『批判』, 1939. 2, 41쪽.

(3) 1940년대 일제의 탁아소 확충 노력

평양과 같은 공업도시에서 기혼 여성들의 탁아소에 대한 수요는 계속해서 증가했지만,[48] 일제는 1938년에 와서야 공설탁아소 설치계획을 발표하였다. 10년 계획으로 매년 3개소씩 전조선의 주요 도시에 29개소를 설치한다는 방침을 마련했다.

48) 1920년대와 달리 1930년대는 노동운동 상황이 크게 바뀌어 대중운동에서 여성의 진출이 크게 눈에 띄는데 1930년대 초에 기혼 여성노동자들이 중요한 역할을 한 평양의 고무공장쟁의와 인천의 선미여공파업 등에서 제기된 산전산후 휴가 보장이나 수유시간 확보를 위한 여성노동자들의 요구는 비록 탁아소 설치라는 구호로 나아가지는 못했으나 하나의 선상에 있는 것이라 볼 수 있다. 그리고 1930년대 활발하였던 혁명적 농민조합과 노동조합운동에서는 여성부서 설치와 여성과 관련된 강령을 정해 여성의 요구를 수용하는 과정에서 여성관계사항으로 인신매매 등 봉건적 인습철폐, 여성을 억압하는 일체의 악법폐지 등이 일반적으로 제시되었고 '국고부담으로 되는 탁아소와 무료산파원의 설치' 등의 구체적인 요구도 내걸었다. 이렇듯 단순히 탁아소 설치가 아니라 국고지원으로 운영되는 탁아소 설치를 요구했다는 것은 여성들의 의식화가 상당히 심화되었다는 것을 의미한다(강정숙, 앞의 논문, 1993, 6쪽).

"……여성들에게 딸린 어린이들을 맡기지 못하야 일에도 지장이 되고 또 직업을 붙들 기회를 잃게되는 수가 많아서 민간 측으로서도 탁아소(託兒所) 설치의……○○이 늘어나는 중인데 총독부 당국에서는 이 점을 중요시해서 드디어 명년도부터 실현시키기로 하였다. **이 공설탁아소는 ○十三년도에 二개소를 위시하야 매년 三개소로 10개년 계획으로 29개소를 전조선 주요 도시에 설치하기로 되었다.** 이 계획은 내무국에서 입안하여……여기에 어린이를 맡기는데 대한 비용은 약 매일 二전내지 三전을 내기로 하였다. 설치장소는 경성을 비롯하야……우선 十五萬명 인구를 한 단위로 한 개의 탁아소를 설치……"49)(고딕은 연구자)

이러한 계획이 현실화되는 것은 쉽지 않았다. 여성노동자가 많았던 서울이나 평양은 공설탁아소의 설치계획이 계속 미루어져, 1940년에 와서야 150명 수용 규모의 평양 부립공설탁아소가 7월에 완성 예정이었다.

"비약적 발전을 거듭하고 있는 평양은 최근 중소공업 방면에 놀랄만한 진보를 보여주고 있어 신설되는 공장수도 적지 않은 바……이 중 다소의 부녀부대가 직장에서 일하고 있다. 그리하야 이들의 생활상 편의를 도모키 위해 **현재 부내에 사설탁아소만으로도 숭의탁아소, 애린원탁아소 등이 있는데 이 사설기관만으로서는 도저히 일반의 요구에 응하지 못하여**……이번 여러 가지로 부심하여 오던 중 이번 기보한바와 같이……근로지구(勤勞地區)에서 부립공설탁아소 1개소를 설치하게 되었다 한다. 즉 三萬四百여원의 공비를 들여……**이에 대한 공사는 금월 이순경부터 착수하야 오는 7월에 완성 8월 1일부터 개소(開所)하리라고 하는데 1일에 150명가량을 수용하리라고 한다.**……"50)(고딕은 연구자)

49) 『동아일보』, 1938. 11. 8.
50) 『동아일보』, 1940. 6. 20.

도시상설탁아소의 수요가 많았음에도 불구하고, 그 설치에는 소극적인 자세를 취했던 일제는 1930년대 후반 이후 전시체제로 재편하는 과정에서 그동안의 소극적인 자세에서 벗어나 탁아소의 설립을 적극적으로 추진해 나간다. 경성부 사회과에서는 "세궁민(細窮民)이 가장 많기로 유명한 경성부에 무료탁아소가 한 곳도 없어서야 체면유지가 되겠느냐"면서 부영탁아소(府營託兒所)를 설치할 계획을 다음과 같이 발표하였다.

"……(경성)부의 계획에 의하면 현재 百萬인구를 포용한 부내에 탁아소는 겨우 두 곳이 엿을뿐이고 점차 부인층의 직업전선 진출에 격증되는 작금 더욱이 세궁민지대에는 전혀 아동보호기관이 없어 아동보호상 세민생활보호상 시급한 시설을 간절히 요구하고 잇는터로 세민지역으로 지칭되는 서부, 성동, 용강, 영등포등 4개 인보관 소재지에 부영무료탁아소를 명년부터 연차사업으로 신설하야 개방키로 하였다.……"[51]

그렇다면 왜 일제는 그동안 무관심했던 도시상설탁아소를 적극적으로 설립하려고 했을까? 다음의 신문기사를 통해 그 이유를 알 수 있는데, 다름아닌 전시체제하에서 하층민 기혼 여성의 노동력 확보와 동원이 절박해졌기 때문이었다.

"전시하 세민(細民)층의 생활향상을 토대로 한 경제적 보호와 인적자원의 확보를 위하야 경성부사회과(京城府社會課)에서는 금후인보사업(隣保事業)의 대확충을 단행하기로 되엿다.……부인층의 취로에 따로는 탁아소(託兒所) 또는 수입증가를 위한 직업보도소의 증설로서 부당국은 현재잇는 부내 각 隣保館의 ○○와 건물을 이용하야 탁아소 三개소 사원 一개소 직업보도소 一개소 등을 증설하기로 되엿다. 이 사업은 昭和18년부터 착수하여 三개년 계속으로 전부 완성케할 예정

51) 『동아일보』, 1940. 6. 20.

인데 탁아소는 한곳에 약九十명 예정으로 三세 이상 六세 이하 아동을 하루○○○에 수용하고……이 시설은 탁아소는 성동(城東) 서부(西部) 용강(龍江) 세인보관에……설치하리라 한다"[52] (고딕은 연구자)

뿐만 아니라, 1940년대를 전후로 해서 일제는 재정투입이 많이 드는 사회사업을 확충해 나갔다.[53] 종전에는 사회구제사업이 빈민층의 사회적 동요를 막고 최저생활 안정에 그 실시목적이 있었다면, 1940년대 전시체제하에서는 하층민들을 생산인력·전쟁인력으로 규정하고 이들을 조직적으로 동원·활용하려는 것이 주된 목적이었다. 일제는 1937년 중일전쟁, 1941년 태평양전쟁을 연달아 일으키면서 침략전쟁을 확대해 나갔다. 침략전쟁을 확대시킨 일제는 조선을 대륙침략의 병참기지로 설정하고 조선의 모든 인적·물적 자원을 끌어내어 침략전쟁에 동원하는데 가장 큰 목적을 두었다. 그리하여 지원병제·징용제·강제징발 등과 같은 다양한 방법을 통하여 식민지 조선의 인적 자원과 노동력을 수탈해 나갔다. 따라서 1940년대는 노동력의 최대 그리고 효과적 동원이 지상과제였다. 곽건홍(郭建弘)에 의하면, 1940년 1월 「근로신체제확립요강(勤勞新體制確立要綱)」에서 일본 정부가 규정한 노동이란 개념은 "皇國民의 奉仕活動으로서 皇國에 대한 皇國民의 책임과 동시에 영예이며, 능률을 최고도로 발휘하고, 질서에 복종"하는 것으로서 조선총독부는 황국근로관(皇國勤勞觀)에 기초해서 '국민정신'을 강조하고, '근로보국(勤勞保國)'이념을 전파했다고 한다. 여기서 '근로보국'이란 노동력으로 '국가'에 '봉사'하는 것을 의미하는 것으로 "노동하지 않는 자는 황국신민이 아니다"라는 구호 하에 전개되었는데, 이는 국민의 총노동력을 국가가 직접 지배하고, 국가가 필요한 부문에 노동력을 강제로 배치하는 것을 정당화하는 근거였다.[54]

52) 『每日申報』, 1942. 7. 25.
53) 『每日申報』, 1941. 3. 13.

일제는 1944년 '조선구호령(朝鮮救護令)'을 발표하게 된다. 이 법은 일제의 곧 이은 패망으로 제대로 시행되지는 못했지만 사회사업 관련의 최초의 법령이라는 점과 해방 이후 '영유아보육법'의 시초가 되었다는 점에서 중요한 의미를 갖는다.[55] '조선구호령'은 일본에서 1932년 1월 1일부터 실시되었던 '구호법(救護法)'을 1944년 3월 1일 식민지 조선에 전문(全文) 32조를 그대로 가져다가 공포한 법령이다.[56]

일제 말기 급박해져 가는 상황 속에서 경성부가 발표한 일련의 탁아소 확충계획들이 실제로 어느 정도 실현되었는지는 알 수 없지만, '근로보국(勤勞保國)'이념 하에 전쟁수행에 필요한 식민지 조선의 인적자원의 총동원 정책에서 기혼 여성 역시 예외일 수 없었고 이전에는 볼 수 없었던 일제의 적극적인 탁아소 설립은 이러한 맥락에서 나온 것이다.

3. 농촌형 : 농번기탁아소[57]

이 장에서는 도시상설탁아소와는 명칭부터가 전혀 다른 '농번기탁아소'에 대해 고찰하려 한다. 농번기탁아소라는 용어에서 알 수 있듯이 농촌의 바쁜 시기에 일시적으로 설치되어 운영하다가 철거되었던 일명 '계절탁아소'라고도 하였다. 도시상설탁아소가 1920년대 후반 서서히 등장했던 것에 비해, 농번기탁아소는 1930년대 초반에 갑자기 집중적으로 설치되었는데 그 원인에 대해 먼저 규명하려 한다.

---

54) 郭建弘, 『日帝의 勞動政策과 朝鮮勞動者』, 서울 : 신서원, 2001, 220~221쪽.
55) 이윤진, 「한국 영유아보육정책의 고찰과 함의(含意)」, 『연세교육연구』 제16권 1호, 2003 참조.
56) 『官報』, 1944. 3. 1.
57) 일반적으로 농번기란 봄 6월 상순~7월 중순, 여름 7월 중순~8월 중순, 가을 10월 상순~11월 상순으로 볼 수 있다. 따라서 농번기탁아소는 주로 봄, 여름, 가을에 설치·운영하였다.

1) 농번기탁아소의 등장 및 운영실태 : 1930년대

(1) 등장배경

① 남농(男農)인구의 감소

1930년대 등장한 농번기탁아소는 1920년대부터 본격화된 일제의 파행적이고 기형적인 농촌수탈의 식민지 통치에서 파생된 예고된 결과였다. 1920년대 산미증식계획 추진과정에서 일제와 친일 대지주들에 의한 농민수탈은 강화되어 갔으며 농민수탈의 강화는 농민계급 내부의 변화를 낳았다. '식민지지주제' 중심의 식민지체제를 확립하려고 했던 일제는 1920년대 들어서 농민들의 강력한 저항에 부딪치게 된다. 법적으로 별 보호를 받지 못했던 소작인 중심의 대 지주투쟁은 1920년대 들어 전국적으로 발생하였으며 식민지 조선 최대의 사회문제로 등장하게 된다. 토지조사사업(1910~18)을 통해 소유권을 보장 받았던 지주와는 달리 소작인의 권리는 제도적인 보호를 제대로 받지 못했고, 따라서 소작권 및 소작료 문제를 중심으로 한 소작쟁의의 발생은 어쩌면 당연한 결과였다.

3·1운동 이후 일제가 회유책으로 내건 '문화정치'에 힘입어 소작인의 조직화와 집단행동은 가속화되기 시작했는데, 총독부의 자료를 보면 1920년부터 소작조정령이 시행된 1932년까지 전국적으로 4,804건의 소작쟁의가 발생하고 74만 581명의 소작인이 참여하였다.[58] 지주·소작인간의 사회갈등으로 분열되던 조선의 농촌은 1920년대 후반 이후 농업공황에 빠져 들면서 더욱 심각한 위기를 맞게 되었다. 1927년 현미가격은 2년 전에 비해 무려 22%나 폭락하였고 1931년에는 1925년 가격의 39%에 지나지 않는 등 급격한 가격하락에 따른 농촌사회의 피폐화는 심각한 수준에 이르렀다.[59]

---

58) 朝鮮總督府農林局, 『朝鮮ニ於ケル小作ニ關スル參考事項摘要』, 1934, 1934쪽 ; 朝鮮總督府農林局, 『朝鮮農地年報』 제1집, 1940, 8~9쪽.

59) 신기욱, 「농지개혁의 역사사회적 고찰」, 홍성찬 편, 『농지개혁 연구』, 서울 :

결과 소작농과 농업노동자의 증가, 화전민으로의 전락, 농민의 이주 현상 등을 유발하였다. 1928년 44.9%의 소작 농가의 비중이 1936년에는 51.8%로 급증하였다. 또한 많은 농민들은 농업노동자나 화전민이 되었으며, 만주・일본 등지로 이주하기도 하였다. 1929년 3만 4천호의 순수화전 농가가 1936년에는 7만 5천호로 급증하였으며, 1936년에는 농업노동자가 11만 7천호에 달하였다. 1925~1927년 사이에 12만 6천명이었던 만주・일본 이주 조선인의 수가 1933~1935년 사이에는 33만 2천명으로 2.6배 증가하였다. 더구나 미곡중심의 단작 농업구조는 공황의 여파를 더욱 더 심화시켜 대부분의 농가가 빚더미 위에 앉게 되면서, 농촌계급은 양극화되었고, 초근목피로 연명하여 '죽지 못해 사는' 농가의 만주나 일본으로의 이민도 급증하게 되었다.[60]

그런데 조선을 떠나는 이주민들 가운데 농촌의 청・장년 남성층이 대부분을 차지했는데 농업에 종사하는 여성인구의 비율이 해마다 남성보다 높고, 감소폭도 작았다는 사실이 이러한 사실을 뒷받침해 주고 있다.

<표 III-10> 농업부문에서의 남・녀 구성비율의 변화(%)

	1920	1930	1940
남자	90.2	85.5	78.4
여자	93.3	91.2	89.7

*출처 : 강이수・신경수, 앞의 책, 2001, 58쪽.

일본에서 치열한 소작쟁의를 이미 경험한 바 있는 일제로서는 사회주의 세력의 농촌침투를 우려하면서 새로운 체제유지책을 서둘러 준비하게 된다. 기존의 '식민지지주제'의 한계를 인식하면서 농촌안정화를 통한 식민지체제 유지와 더 나아가 식민지 공업화와 대륙 진출을

연세대학교 출판부, 2001, 7쪽.

60) 최경숙, 앞의 책, 2001, 204~205쪽.

위한 기반 마련에 몰두하게 되었다.[61] 이러한 상황에서 일제가 구상한 것 중 하나가 농촌사회 질서의 재편을 추구한 '농촌진흥운동'이었다.

② 농촌진흥운동

일제는 1929년 이후 세계대공황으로 인한 정치·경제적 위기를 조선에서 타개하고자 하였다. 그 대책의 일환으로 1934년에 조선에서 산미증산계획을 중지하고 조선 쌀의 일본 내 이입(移入)을 금지시키는 등 조선 쌀 수탈정책을 수정하였다. 일제는 농민들의 소작쟁의가 급격히 증가하자, 농민들을 식민지 체제내로 끌어들이기 위한 농업정책의 전환을 표방하였다. 농가의 부채정리와 자력갱생 등 당시 조선 농촌이 처한 경제적 위기를 타개하는 것이 이 운동의 일차 목표였지만, 운동은 경제적인 측면에 국한되지 않았으며 소작쟁의로 야기된 농촌갈등을 치유하기 위한 '정신적 갱생'을 강조하면서 기존의 지주 중심에서 벗어나 관(官)이 좀 더 직접적으로 개입하는 새로운 농촌질서를 확립하려 하였다. 특히, 젊은 농촌 청년들을 대상으로 실시된 '중견인물' 양성은 새로운 농촌지배구조를 짜려는 총독부의 의도가 반영된 것이었다.[62] '농촌진흥운동'은 1932년 7월부터 1940년 12월까지 추진되었던 대표적인 관제 농민운동이라 할 수 있다.[63]

'농촌진흥운동'은 1932년 9월 30일 '조선총독부농촌진흥위원규정'과 같은 해 10월 8일 정무총감 통첩 '농산어촌(農山漁村) 진흥에 관한 건'이 공포됨으로서 시작되었다. 일제는 농촌진흥운동을 일사분란하게 전개하기 위하여 총독부는 물론 행정의 말단인 읍·명·경찰·학교 외에도 농회(農會)와 금융조합까지도 총동원하였다. 특히 경찰조

61) 신기욱, 앞의 논문, 8쪽.
62) 신기욱, 위의 논문, 15쪽.
63) 최경숙, 앞의 책, 2001, 202쪽.

직을 적극 활용하였으며, 이 운동기간 중에 농촌진흥회, 식산계, 청년단, 부인회 등의 농촌의 조직화를 본격화하였다.[64)]

이처럼 농번기탁아소는 1920년대 일제의 농촌수탈 강화로 인한 남농(男農)인구의 감소라는 간접적인 이유와 1932년부터 추진된 관제 농민운동의 일환인 '농촌진흥운동'이라는 직접적인 이유가 함께 작용하면서 1930년대 초반 설립되기 시작하였다. 그리고 1933년 이후부터 농번기탁아소 설치는 급증하게 되었다.

(2) 설립목적 및 운영지침

다음의 신문기사를 통해 농번기탁아소가 설치된 시기가 1932년 무렵이라는 것을 간접적으로 알 수 있다.

"조선에서 농번기탁아소의 설치는 작년 중 개풍, ○○ 두 곳이 그 효시이었다. 농촌부인들의 노동이 해마다 늘어감에 따라 이 탁아소의

64) 최경숙, 위의 책, 203쪽. 이 중에서 농촌진흥위원회는 농번기탁아소의 운영주체에서 다루도록 하고, 여기서는 금융조합과 식산계에 대해 언급하겠다. 금융조합은 1907년에 설립되었는데 1933년 현재 685개 지부에 1백만에 달하는 조합원을 갖고 있었으며 1933년과 1940년 사이에 총 5천 2백만 원에 달하는 금액을 부채정리자금으로 조합원에게 제공하는 등 부채정리와 자작농지설정사업을 지원하면서 막강한 힘을 행사했다. 이외에도 총독부는 마을마다 식산계를 조직해 농촌통제의 수단으로 활용하였다. 부채정리사업은 금융조합원(1932년 현재 자소작농의 34.9%, 소작농의 17.2%가 조합원)만을 대상으로 하였으므로 조합원이 아닌 농가는 이 사업에서 제외되었는데 이들은 대부분 열악한 위치에 처해 있던 농가들이었다. 총독부는 이러한 문제점을 보완하기 위해 1935년 8월 30일에 '식산계령'을 제정하고 30~40개의 가구가 연대보증을 통해 식산계를 구성하면 금융조합원과 동일하게 취급해 금융조합의 혜택을 받도록 하였다. 식산계는 갱생지도부락에 한정되어 농림국에 의해 관장되면서 진흥운동의 하부조직으로 이용되었고, 1943년까지 전체 농가의 약 83%가 식산계의 멤버가 될 정도로 농촌사회에 광범위하게 퍼졌으며 중앙권력과 농가를 매개하는 중요한 조직으로 기능하였다(신기욱, 앞의 논문, 2001, 17쪽).

필요가 더욱 절박하야 지었다."[65](고딕은 연구자)

1933년 이후부터 농번기탁아소가 급증하게 되는데 이는 1930년대 도시상설탁아소 설립이 미비했다는 것과는 대조적인 현상이다.[66] 일제가 농번기탁아소를 적극적으로 추진한 가장 중요한 목적은 여성 농민의 노동력 동원이었다.

"농번기를 당한 농가에서는 남녀 노유의 구별이 없이 **농사에 바쁜 중 부녀자에게 제일 고통을 만드는 것은 어린아이다.** 젖먹이를 등에 업고 좀큰 어린아이는 논두렁에 앉히고 모를 내고 김을 매는 것이다. **모녀가 다 지는 더위에 숨이 막히고 등에서 보채는 아이의 울음 소리는 어머니의 일을 손뜨게 하고 만다.**"[67](고딕은 연구자)

일제는 조선 농촌부인의 노동력을 동원·확보하는 데 최대 걸림돌로 어린아이들이라 판단하고, 이들을 어머니로부터 분리시키기 위해

---

65) 『동아일보』, 1933. 6. 15.

66) 1930년대 『동아일보』를 보면 1933년부터 농번기탁아소와 관련된 기사가 갑자기 많아진 것을 확인할 수 있었다. "新設될 託兒所 四十三個所-경기도에서 각처에 시설하여 農繁期에 必要한 施設"(1933. 6. 21) ; "農繁期託兒所 求禮鳳北里에서"(1933. 7. 20) ; "全南託兒所에 七百兒童收容(光州)"(1933, 7. 20) ; "託兒와 社會施設, 農繁期 農村의 託兒所 百九個所, 일본에는 三천六백여개소에 달해, 朝鮮엔 國家經費全無"(1933. 11. 3) ; "農繁期에 託兒所 慶南서 二十個所設置"(1934, 3, 3) ; "託兒所增設 婦人野外勞動獎勵"(1934. 5. 11) ; "忠南各郡農村에 託兒所를 設置"(1934. 5. 15) ; "京畿道內의 農村에서 託兒所 四百餘處-어린애기를 맡겨놓고 農터로나갈婦人네들-"(1934. 6. 8) ; "汶山託兒所 收容兒童 五百餘名"(1934. 6. 9) ; "安邊託兒所設置"(1934. 6. 20) ; "忠南道內에 託兒所十二個所(大田)"(1934. 6. 21) ; "託兒所를 設置, 富川西串面에(仁川)"(1934. 6. 22) ; "報恩에 託兒所"(1934. 6. 23) ; "農繁期爲해 託兒所設置, 高靈池山洞에"(1934. 6. 30) ; "安康에 託兒所"(1934. 6. 30) ; "忠南託兒所"(1934. 7. 6) ; "託兒所九十個所에 收容兒三千七百-전라남도에축일설치하는중-"(1934. 7. 13).

67) 『동아일보』, 1933. 6. 30.

농번기탁아사업을 추진해 나갔다.

농번기탁아소는 관 주도하에 추진된 정책이었기 때문에 이를 운영하는 지침이 문서로 제시되었다. 농번기탁아소의 운영지침은 각 지역마다 차이가 있지만 농촌진흥운동이 활발히 진행되었던 '경기도탁아소'의 설치운영방침을 그 예로 살펴보겠다. 먼저, 1930년대 운영방침의 사례로 각 지역마다 조금씩 차이가 있지만, 1934년 활발히 진행되었던 경기도탁아소의 설치운영방침을 중심으로 살펴보도록 하겠다.

<1930년대 탁아소 운영방침>

① 경영주체 : 농촌진흥회로 하고 토지상황에 따라 2, 3 진흥회를 연합한다.
② 경비 : 농촌진흥회의 적립금(공동경작의 이익금), 독지가의 기부, 사회사업협회지부, 애국부인회 조성금으로 충당한다.
③ 탁아소의 연령표준 : 3세에서 7세까지
④ 개설장소 : 학교 또는 공동작업장, 사원(寺院) 및 임지대(林地帶)
⑤ 개설일수 : 가장 바쁜 기간 15일
⑥ 설비 : 천막에 자리를 만드는 정도로 꽹과리 · 북 · 태평소 등을 갖춘다거나 그네, 모래밭 등을 농촌진흥회의 봉사로 만든다.
⑦ 보모 : 비교적 한가한 노파에게 맡기도록 하고 학교 여교원 또는 면장 주재원 부인의 봉사를 바란다.
⑧ 점심 및 간식 : 각기 지참을 보통으로 하고 경우에 따라 재료를 각 가정에서 가져와 공동취사를 하고 간식은 카라멜 등을 피하고 될 수 있는대로 고구마, 떡, 튀긴 콩 등으로 한다.
⑨ 탁아요금 : 본 시설을 충분히 이해할 때까지 무료로 한다.
⑩ 위생상의 주의 : 아이들의 소화기, 전염병에는 특히 유의하여 개설하는 부근의 公醫기타 의사의 봉사에 의해 건강진단을 행한다.[68]

이상의 사례를 통해 탁아아동은 3세에서 7세정도의 미취학 아동들

68) 京城朝鮮農會, 『朝鮮農會報』 제8권 6호, 1934, 80~81쪽.

이 주된 수탁아동이었으며, 쨍과리 · 북 · 태평소 · 그네 정도가 아이들의 보육시설이었으며 보모들은 대개 노동력이 없는 나이 많은 노파들이 담당했음을 알 수 있다. 이러한 운영지침에서 알 수 있듯이 농번기탁아소는 수탁아동의 양질의 교육을 제공하려는 일제의 의도나 노력을 부재했다는 점이다. 농번기탁아소는 부인노동의 확보를 위해 추진된 여성노동정책이었을 뿐 수탁아동을 위한 보육정책은 아니었음을 여실히 보여주는 대목이다. 그럼, 일제 당국이 정한 농번기탁아소의 운영방침이 실제로 어느 정도 실행되었는지 신문기사를 통해 검토해 보기로 하자.

(3) 운영실태

① 운영주체와 경비

농번기탁아소를 주관했던 단체를 알 수 있는 기사 내용이다.

> "경기도에서는 각 농촌에 대하야 농번기에 부인 야외활동을 하게 하기 위해서 탁아소의 개설을 장려하여 작년에는 56개소에 달하였다. 그리하여 호성적을 얻었는데 금년은 다시 **농촌진흥협회의 한 사업으로 사회사업협회 등에서 후원하여** 적극적으로 전 농촌에 이를 증설장려를 하기로 되였다."[69] (고딕은 연구자)

농촌진흥회는 농촌진흥운동을 실질적으로 실행하기 위해 각 부락마다 설치된 관제기관이었다. 이 기구는 기존의 농촌조직들을 흡수 통합해 만들었는데 농가갱생계획의 대상이 되는 부락마다 설치되어 부락내의 유일한 지도기관으로 기능하였다. 또한 부락 진흥위원회는 조선총독부농촌진흥위원회, 군 · 읍 · 면 진흥위원와 수직적으로 연결되어 중앙권력과 마을 농가를 연결하는 고리역할을 담당하였다.[70]

---

69) 『동아일보』, 1934. 5. 11.

관제 농민운동인 농촌진흥운동의 일환으로 등장한 농번기탁아소가 총독부가 연결되어 있는 농촌진흥위원회가 실질적으로 운영한 것은 당연한 일이다. 그렇다면, 농번기탁아소를 운영하기 위한 운영경비는 어떻게 조달되었는지 살펴보자.

> "……이 탁아소는 다른 선진국에서는 벌써부터 국가가 경영해 왔으나 우리 조선에는 간신히 금년도 109개소 농촌의 청년회나 부인회, 혹은 보통학교, 개인 등의 경영이요. **국가가 경영하는 것은 1개소도 없다.**……"[71](고딕은 연구자)

「탁아와 사회시설－조선에 국가경영전무」라는 제목으로 당시 실린 신문기사의 일부인데, 농번기탁아소가 총독부 주관 하에 전국적으로 추진된 관제농민운동이었지만 실질적으로 국고(國庫)지원은 하지 않았던 것을 알 수 있다. 설사 보조금식으로 지원했다 하더라도 66개소 탁아소 운영경비가 모두 합쳐 17원에 불과하다는 다음 기사를 통해 일제는 농번기탁아소에 재정지원을 거의 하지 않았음을 알 수 있다.

> "농번기에 탁아소를 설치하여 많은 공효를 보게 된 전남 각지에서는 추수모경기인 11월 중에는 현재 66개소의 탁아소가 도내 각지에 생겨났다고 한다. 그런데 이 탁아소의 주관자와 이 개수를 조사하여 보건데 면(面) 13개소 진흥회 17개소 농촌 5개소 농촌진흥실행조합 5개소라는데 전기 66개소의 탁아소에서는 유아 1,766명을 수용하여 있다고 하여 그 탁아소의 경비는 도내 66개소의 평균이 17원에 불과하다고 하여도 사회사업계에서는 각 탁아소에 보조금을 보내주도록 방금 주선하는 중이라고 한다."[72]

---

70) 신기욱, 앞의 논문, 2001, 17쪽.
71) 『동아일보』, 1933. 11. 3.
72) 『동아일보』, 1933. 11. 15.

경기도 농번기탁아소의 운영방침에서도 알 수 있듯이 농번기탁아소의 운영경비는 각 지역의 농촌진흥회, 청년회, 부인회·부녀회,[73] 사회사업협회 지부 등의 지원금 및 독지가의 기부금 등 주로 부락단위별로 자체적으로 충당해 나갔다. 국책사업임에도 불구하고 농번기탁아소에 대한 국고(國庫) 지원의 부재는 농번기탁아소가 얼마나 열악하게 운영되었을지를 쉽게 짐작할 수 있다.

② 보모

수탁아동에 대해 양육 수준을 가늠할 수 있는 척도 중에 하나가 보모의 수준일 것이다. 앞에서 살펴본 운영지침에서 보모는 "비교적 한가한 노파에게 맡기도록 하고 학교 여교원 또는 면장 주재원 부인의 봉사를 바란다"라고 명시되어 있는데 실상은 어떠했는지 살펴보도록 하겠다.

<가정부인이 보모역할을 한 사례>

"농촌부녀들의 옥외노동이 해마다 늘어가……농번기탁아소를 설치하고 농촌아이들은 수용……○○과 **지방유지의 가정부인들이 출동하야 보육에 질력하였다** 한다. 이와 같은 설비를 보고 안심할 뿐 아니라 한편으로 감격히 생각하는 동시에 매일 탁아하는 아이가 늘어간다고 한다."[74](고딕은 연구자, ○는 잘 보이지 않는 글자)

<여교원이 보모역할을 한 사례>

"……**문산공보(文山公普)에서는**……부근아이 ○○여 명을 모으고

73) 1920년대 후반에서 1930년대 초 각지에서 뚜렷한 사상적 경향을 띠지 않는 부녀회·부인회 등의 여성단체들이 무수히 생겨났다. 농촌진흥운동이 전개되자 이러한 단체들이 농촌진흥회 산하 혹은 이와 관련된 단체로 편제되어 들어가 저축·공동경작·농번기탁아소 설치 등의 활동을 벌였다(강정숙, 앞의 논문, 1993, 6쪽).

74) 『동아일보』, 1933. 6. 18.

매일 ○○교장……여선생이 6학년 여자생도 20명과 같이 10리나 되는 조남도에 가서 서늘한 숲 속에서 아이들을 창가도 시키며 젖먹이는 젖을 먹이고 큰 아이들에게는 점심밥까지 지어 먹여가며 아이들을 고아원과 같이 돌보아 주므로 동리부인들은 안심하고 농사에 종사하며 고통도 적어졌다고 한다."[75](고딕은 연구자)

<노파가 보모역할을 한 사례>

"……해마다 여름이 되어 한참 바쁠 때면 성사나무 밑이라든가 공회당 같은 곳을 빌어 도저히 일을 할 수 없는 할머니나 할아버지가 그 동네 아이들을 모아놓고 그 어린이의 어머니가 일하는 동안 온종일 보아주고 밤에는 각자 다시 어머니에게 돌려보내는 것이다."[76](고딕은 연구자)

이상의 사례들을 통해서도 어머니가 논밭으로 일하러 나간 동안 아이들을 돌봐준 사람들은 유아교육·보육에 관한 지식이나 이론을 배운 '보모'가 아니라 그 지역의 지방유지 부인들, 주변 학교의 여선생 및 여학생, 노동력을 행사할 수 없는 할아버지 할머니 등 동원될 수 있는 모든 사람들이 총출동하여 보모 역할을 대신했던 것으로 드러났다. 일손이 딸리는 농번기에 직접적으로 생산에 참여하지 않은 마을 사람들은 누구나 보모가 될 수 있으며 또 되어야 했다.

여기서 사례 마지막을 보면, 농번기탁아소는 수탁아동을 위한 전용시설을 별도로 세운 것이 아니라 공동작업 장소에 가까이 있는 큰 나무 밑이나 숲 속 등 자연물을 탁아장소로 이용하였다는 사실에서 농번기탁아소가 임시방편식으로 대충 운영되었다는 것을 알 수 있다.

지금까지 농번기탁아소가 본격적으로 등장하기 시작한 1930년대 농번기탁아소에 대해 일제의 운영방침과 신문기사에 실린 실태를 살펴보았다. 일제가 각 농촌지역에 시달한 운영지침과 실상이 크게 다르

75) 『동아일보』, 1933. 6. 30.
76) 『每日申報』, 1940. 5. 28.

지 않았음을 알 수 있었다. 농번기탁아소는 처음부터 관 주도하에 설치되었고 게다가 설치의 일회성, 간편성이란 속성 때문에 도시상설탁아소와는 양적으로는 비교도 안 될 정도였다. 그러나 국가 주도하에 추진되었다 할지라도 재정투입을 거의 하지 않았다는 점에서 수탁아동의 양육조건은 불량했으며, 여기서 농촌부인노동에 대한 국가의 '조직적' 수탈이라는 명백한 성격이 드러난다.

2) 농번기탁아소의 국가통제 강화 : 1940년대

(1) 중앙통제의 국책사업으로 전환

1940년대 전시체제 속에서 일제는 전체주의를 노골적으로 표방해 나갔다. 국가의 일사 분란한 감독 · 통제 · 지휘 · 동원을 위해 각 부문의 계통기구를 단일화하고 지도력을 합일하여 공통의 목적을 향한 총력운동의 전개와 함께 "종래 농촌진흥운동의 일관된 자유주의적 호별지도를 지양하고, 전체주의적 관념에 투철한 농촌부락단위의 지도로 방침의 전환을 하여야 한다"고 하여 1940년 12월 농촌진흥운동은 폐지되었다.[77] 그리하여 일제는 "자유주의적 개념에 기초한 자의적 경영을 배제하고 그것을 국가적 경영으로 바꿔 국방국가를 위하여 전력을 다해 생산보국을 철저히 구현시키려 한다"라고 하여 농촌진흥운동, 농가경제갱생계획을 폐지하였다. 그리하여 1940년 12월 「농산촌 생산보국 지도요강」을 발표하여 새롭게 '부락생산확충계획'을 수립하고 개별농가 단위로 이루어지던 농업생산을 농촌마을단위로 재편성하고 계획생산의 완수를 꾀하였다.[78] 이처럼 새롭게 농촌통제 방식을 강화하면서 급변하는 시대적 상황 속에서 농번기탁아소에 대해 조선총독부는 보다 직접적인 통제로 전환하게 되었다.

---

77) 秋定嘉和, 「조선 금융조합의 기능과 구조-1930~40년대에 걸쳐-」, 『조선사연구회논문집』 제5집, 1968, 101~102쪽.

78) 강정숙, 앞의 논문, 1993, 12쪽.

한편 농촌인구의 성비 변화를 보면, 1930년대 초까지 노동력 조달지였던 남부지방의 생산연령층 남녀 비율에서 여초(女超)현상이 뚜렷하게 나타나기 시작했다. 1935년에 여성을 100으로 할 때 남성의 전국 비율이 103이던 것이 1940년 101.7, 1944년 98.9가 되었다. 1944년의 남도의 4도를 보면 전북이 95.9, 전남이 94.6, 경북 96.5, 경남 96.8로 그 현상이 뚜렷이 나타났다.[79] 1939년 조선인 여성유업인구(女性有業人口)는 약 398만 명으로 여성인구의 36.4%였는데 그 가운데 농업에 종사하는 여성은 86.4%였다. 농업노동에 종사하는 경우에도 불과 10%정도만 농업노동에 할애했으며, 나머지는 가사노동이 대부분이었다. 이 점은 당시 일본의 농촌 여성이 농업노동에서 차지하는 비중이 49%인 것과는 큰 차이를 보였다.[80] 따라서 일제는 여전히 인구의 70%를 차지하고 있던 농민층, 특히 그 가운데서도 농촌 여성노동력의 존재에 주목하게 되었다.

(2) 농번기탁아소의 재정립

1940년대 접어들면서 일제는 농번기탁아소의 설립·운영을 강도 높게 추진해 나갔다. 이러한 맥락에서 농업생산력 증대를 위해 여성노동에 대한 구체적인 방책을 만들어 낸 것이 1941년 4월 '정무총감통첩'으로 다음은 각 도에 시달된 「농촌노동력조정요강」의 내용이다. 일반적인 방침, 부인에 대한 방침, 학생·생도 및 아동에 대한 방침 등으로 구성되어 있다.

「일반적인 방침」

1. 勤勞報告 정신의 양양·강화를 도모할 것

: 農山村 민중에 대한 근로보고 정신을 양양·강화하기 위해서 개

---

79) 최원규 편역, 『일제말기 파시즘과 한국사회』, 서울 : 청아출판사, 1988, 88쪽.
80) 田原實, 「朝鮮の勞務資源に就て」, 『朝鮮勞務』 제2권 3호, 1942, 14쪽.

인적·이기적 노동관념을 버리고 근로보고의 관념을 확고히 해서 노동시간의 연장, 노동능률의 향상, 일하지 않는 자는 철저하게 배격한다.

2. 전 가정 노동력의 철저를 기할 것
3. 농업 공동작업을 확충할 것
4. 부분적 공동작업을 확충할 것
5. 영농 공동실시를 확충할 것
6. 경지 및 경작원의 조정을 도모할 것
7. 농업노동력의 경쟁을 완화할 것
8. 농촌노동력의 이동력을 촉진할 것

「부인에 대한 방침」

1. 가사공동시설을 확충할 것
   : 가사노동력을 절감하고 출근노동을 증진시키기 위해서 농번기탁아소를 한층 계획적으로 확충하며, 농번기 때는 공동취사를 고려할 것
2. 부인작업반을 편성할 것
   : 부인들로 하여금 농업생산에 참가하게 하기 위해 부인공동작업반을 편성해서 적당한 작업을 부과해서 일정 계획하에 작업을 하도록 할 것
3. 부인공동작포(婦人共同作圃)를 확충할 것
   : 작업훈련을 철저히 기하기 위해 부락연맹부인을 단위로 해서 적당한 직업이 부과된 부인공동작포를 한층 확충해 나갈 것
4. 부인지도원의 활동을 촉진할 것
   : 부인지도원의 자질향상을 도모하여, 생산지도의 제일선에서 부인작업반의 훈련 및 활동촉진을 담당케 할 것

「학생, 생도 및 아동에 대한 방침」

학생, 생도 및 아동의 근로보국작업에 대해서는 농작업, 소요노동, 소요시간 등을 고려해서 한층 계획화하여 학업에 지장이 없는 한도 내에서 적극적으로 농업생산을 확충하기 위해 동원할 것.[81]

총독부는 농업생산력 증대를 위한 지침에서 「부인에 대한 방침」이란 항목을 따로 둘 정도로 부인노동에 초점을 두고 있었다. 「부인에 대한 방침」에서 제1항은 '가사노동의 공동화'를 의미하는 것이며, 부인노동의 동원을 위한 보다 직접적인 항목은 2항과 3항이라 할 수 있다. 그리고 2항과 3항을 실천하기 위해 탁아소 설치가 보다 강조되었던 것이다. 태평양전쟁이 일어나기 직전인 1941년 11월 총독부 내무부·농림부 양(兩)국장이 도지사에게 다음과 같은 '탁아소설치장려통첩(託兒所設置奬勵通牒)'을 내려 보냈다.

「1940년대 농번기탁아소 운영방침」

① 봄·가을 농번기에 동리 또는 부락을 단위로 하고 당해 국민총력연맹 등의 단체로 하여금 계절탁아소를 설치토록 할 것
② 계절탁아소 설치장소는 부락집회장, 공동작업장, 학교 등이 이미 설립된 장소를 이용하든가 토지상황에 따라 장소를 정하지 않고 필요에 따라 각 도에 개설할 것
③ 계절탁아소의 개설 일수는 농번기 중 20일 이상으로 할 것
④ 계절탁아소의 受託兒의 보육시간은 노동부족 완화라는 실효를 거둘 수 있도록 이른 아침부터 저녁까지로 할 것
⑤ 종업원(從業員)탁아소에서는 주로 3, 4세 이상의 유아만을 맡고 있지만 부인 노력의 동원상 필요한 것은 3세미만의 乳幼兒의 보육이므로 계절탁아소에서는 노력하여 이들 乳幼兒도 맡을 수 있도록 고려할 것
⑥ 보육종사자는 될 수 있는 한 봉사적으로 종사할 것
⑦ 탁아소 개설 전에 주지를 철저히 하는 것은 물론이고, 기간 중에도 적극적으로 이것을 지도해서 그 실효를 거둘 수 있도록 노력할 것.[82]

---

81) 朝鮮總督府, 『調査月報』 제13권 제4호, 1942. 4, 11~14쪽.
82) 朝鮮農會, 『朝鮮農會報』 제15권 11호, 1941, 66쪽.

1940년대 들어서면서 1930년대 농번기탁아소 운영방침과 비교해 보면 변화의 강도를 확연히 알 수 있다. 첫째, 탁아소의 설치장소의 확대를 꼽을 수 있다. 시간이 지날수록 탁아소의 설치가 시급하게 되면서 일제는 장소를 불문하고 필요하면 어디든지 탁아소를 설치할 수 있도록 적극 권장하였다. 숲 속이나 큰 나무 등 노천을 탁아소로 이용했다가 비가 오면 보모의 집으로까지 아이들을 데리고 가서 돌보았던 것으로[83] 봐서는 당시 농번기 탁아사업이 얼마나 중요하고 긴박했던가를 알 수 있다.

둘째, 탁아소의 개설일수가 확대되었다는 것을 알 수 있다. 1940년대 이후 농번기탁아소의 실태를 보면 대부분 20일 이상 개설되었다는[84] 것을 알 수 있는데 예를 들어 전라남도 금산지역에 설치된 '국민총력경당연맹탁아소(國民總力京堂聯盟託兒所)'의 경우는 6월 11일에서 7월 11일까지 약 한 달을, 황해도의 '청용동탁아소(靑龍洞託兒所)'의 경우는 6월 10일부터 7월 20일까지 약 40일 동안 개설한 것으로 나타났다.[85]

셋째, 탁아 아동의 범위가 3~7세에서 3세 미만의 젖먹이 유아까지 확대되었다는 점이다. 이와 같이 농번기탁아소의 수탁아동들의 연령대가 하향화되었다는 사실에서 농촌 부인들은 아이를 낳고도 곧바로 일터로 동원되었다는 것을 알 수 있으며 당시 여성 농민의 노동력 수탈 정도가 얼마나 심각했는지를 짐작할 수 있다. 그밖에 대부분의 탁아소가 아침 7시부터 저녁 8시까지 운영하면서[86] 하루 12시간 이상의 강도 높은 작업을 했다는 사실에서 농촌부인노동의 동원과 수탈의 강도가 한층 강화되어 갔음을 알 수 있다. 1930년대 1940년대의 내용들

---

83) 朝鮮總督府農林局農政課 編, 『農繁期託兒所開設の手引』, 昭和17年(1942), 18쪽.

84) 朝鮮社會事業協會, 앞의 책, 1941, 18~52쪽.

85) 朝鮮社會事業協會, 위의 책, 1941, 28, 40쪽.

86) 朝鮮總督府農林局農政課, 앞의 책, 1942, 18~24쪽.

중에서 가장 변화가 두드러진 항목을 중심으로 표로 작성하면 다음과 같다.

<표 Ⅲ-11> 1930~1940년대 농번기 탁아사업의 주요 변화 내용 비교

	1930년대	1940년대
개설장소	학교 또는 공동작업장, 寺院, 林地帶	부락집회장, 공동작업장, 학교 등 이미 설립된 장소를 이용하거나 토지상황에 따라 장소를 정하지 않고 필요에 따라 개설할 것
개설일수	가장 바쁜 15일	농번기 중 20일 이상으로 할 것
수탁아동 연령대	3세에서 7세 중심으로	부인노동력의 동원상 필요한 것은 3세미만의 乳幼兒의 보육이므로 계절탁아소에서는 노력하여 이들 乳幼兒도 맡을 수 있도록 고려할 것

(3) 강화된 농번기탁아소의 운영실태

1942년 12월 15일 총독부농림국에서 발간한 『農繁期託兒所開設の手引』에서는 농번기탁아소의 이론과 실제 등 전반에 관해 자세하게 기술되어 있다. 농촌의 생산기구의 합리적 조정이 불가피하게 되면서 그 중에서도 노동력 이용방법의 합리화는 최대로 중요한 요건이 되었고, 이러한 상황에서 농번기탁아소가 국책사업으로 강화되었음을 명시하고 있다.[87] 또한, "근로정신 묘양(昴揚)" "작업의 공동화" "농업노동의 이동" "부인노동의 철저"의 4개 항목을 중핵항목으로 설정하고 철저한 시행을 촉구하였다. "근로정신 묘양(昴揚)"은 "인보(隣保) 상부상조"한 것을 강조하는 것으로서, 한 사람이 열심히 일해도 목표양에 도달하지 못했을 때에는 부락 전원이 누구라고 할 것 없이 목표양 달성을 위해 부락민 전원이 협동해야 한다는 전체주의에 입각한 정신적 측면을 강조한 항목이다. 이러한 정신의 발현이 "공동의 작업화"로

87) 朝鮮總督府農林局農政課, 위의 책, 1942, 1쪽.

나타나고, 공동작업은 "농업노동의 이동"과 "부인노동의 철저"를 통해 성공적으로 실행될 수 있으며 농번기탁아소는 이를 실현하기 위한 기구라고 설명하고 있다.[88]

『農繁期託兒所開設の手引』은 총독부가 발행한 관제 책자이자, 당시 도 추천 탁아소 42개소를 중심으로 씌어졌다는 점에서 식민지 한국의 농번기탁아소의 일반적인 실태를 고찰하는 데에는 한계가 있다. 그러나 당시 농번기탁아소에 대해서는 가장 소상하게 기록된 책자이므로 여기서는 이 책을 중심으로 1940년대 농번기탁아소의 실상을 살펴보고자 한다.

① 농번기탁아소의 이상과 실제와의 괴리

『農繁期託兒所開設の手引』에서는 농번기탁아소의 설치 목적을 두 가지로 보고 있다. 하나는 '주요 목적'에 해당되는 것으로 "자녀를 그 보호자와 분리되더라도 안전하게 보육해서 궁극적으로 보호자의 노동률을 최대한 증진하는 데 있다"라고[89] 정의하고 있다. 다른 하나는 '부차적 목적'이라 하면서 "유아를 단순히 안전차원의 보호가 아니라 유아의 정신, 지능, 체력, 영양 등을 함께 고려해서 유아의 발달을 향상시키는 데에 있다"고 설명하고 있다. 그리고 '부차적 목적'을 달성하기 위해서는 두 가지를 전제로 해야 하는데 첫째가 유아를 수탁하는 동안 안전한 보육시설이 있어야 하며, 둘째 이 보육시설에서 유아의 흥미를 유발하고 집중시킬 수 있는 여러 가지 설비들이 함께 갖추어져 있어야 한다고[90] 기술되어 있다. 수탁아동들의 교육적 측면을 중시해야 한다는 '부차적 목적'에 해당되는 부분은 1930년대 농번기탁아소 설치와 관련돼서는 이야기되지 않았던 새로운 담론이라 할 수 있

88) 朝鮮總督府農林局農政課, 위의 책, 1942, 2쪽.
89) 朝鮮總督府農林局農政課, 위의 책, 1942, 2쪽.
90) 朝鮮總督府農林局農政課, 위의 책, 1942, 2쪽.

다. 그러나 곧 이어서 아무리 유아의 교육적 측면을 중시한다 하더라도 농번기탁아소는 유치원과 목적 자체가 다르다고 하면서, 부차적인 목적을 너무 강조하다보면 유치원과 유사한 설비 마련에 주력하게 되고 이에 따른 경영비가 증가하게 되며, 그 결과 탁아소가 고급화됨으로써 농촌현실과 유리되는 것을 경계해야 한다고[91] 기술하고 있다. 즉, 수탁아동들의 교육이 중요하더라도 주객이 전도될 수 없다는 논리이다.

또한, 농번기탁아소를 '고정식 탁아소'와 '이동식 탁아소' 두 유형으로 구분해서 각각의 장·단점을 서술하고 있다. 먼저, 이동식 탁아소란 공동작업반이 장소를 옮기면 그 때마다 탁아소도 함께 이동하는 것이다. 따라서 이동식 탁아소의 경우는 이동함에 있어 최대한의 편리가 최우선적으로 고려되어야 하므로 천막 등의 최소한의 설비만을 구비하게 된다. 이 탁아소의 장점은 작업장소와 탁아소가 근접해 있기 때문에 유아의 수유, 급식 등이 수월하다는 것이다. 단점으로는 천막 등 최소한의 장비를 갖춘 열악한 보육환경, 탁아소를 철수하고 다른 장소로 이동하기 전에 작업을 끝내야 한다는 초조감, 젖먹이 아이의 경우 이동하면서 일사병 등 병에 걸릴 가능성이 많다는 것이다.[92] 이동식 탁아소는 '주요 목적'만을 위해 설립된 경우가 대부분이므로 '부차적 목적'은 거의 고려되지 않았다. 실제로 유아의 보호차원에서 "햇볕을 차단하는 장치" "휴식할 수 있는 설비" "급수시설" "응급용 구급약" 등 최소한의 설비만을 구비하였다.[93]

반면, 고정식 탁아소는 이동식 탁아소보다는 한차원 높은 단계로서 최고의 보육시설을 완비해서 주요 목적과 부차적 목적 모두를 달성하기 위해 설치된 탁아소이다. 즉, 일정한 장소를 정해서 완구·그네·미끄럼틀 등 유희기구, 집짓기 놀이(積木), 서적 등의 교육시설들을

91) 朝鮮總督府農林局農政課, 위의 책, 1942, 2쪽.
92) 朝鮮總督府農林局農政課, 위의 책, 1942, 3쪽.
93) 朝鮮總督府農林局農政課, 위의 책, 1942, 10~11쪽.

구비해서 유아 발달에 따른 교육내용을 제공하여 어머니들의 탁아에 대한 만족을 높이고 궁극적으로는 노동능률의 증진을 가져오는 '일석이조'의 탁아소이다.

그러나 총독부는 고정식 탁아소를 '이상적'인 탁아소라 소개하고 있지만 그 설치에 있어서는 유보적인 태도를 취했다. 유아의 교육적 측면을 강조하다 보면 용구가 많아지게 되고 유치원처럼 고급화될 가능성이 높기 때문에 이는 농촌현실과 맞지 않을 뿐만 아니라 보모가 이러한 설비들을 제대로 활용하지 못하면 무용지물이 된다고 지적하면서[94] 어느 형태를 설치할 것인가는 각각의 농촌지역마다 사정이 다르므로 각 부락의 사정을 조사한 다음 탁아소 경영자가 정하도록 권장하고 있다.

> "유아의 교육적 측면을 강조하다 보면 용구가 많아지게 되고 **유치원처럼 고급화될 가능성이 높기 때문에 이는 농촌현실과 맞지 않을 뿐만 아니라** 보모(保姆)가 이러한 설비들을 제대로 활용하지 못하면 무용지물이 된다."[95] (고딕은 연구자)

이는 앞의 '두 가지 목적'과 유사한 논리임을 알 수 있다. 이동식보다는 고정식이 유아나 어머니들 모두에게 '바람직한' 유형이지만 농번기탁아소의 '주요 목적' 달성이 최우선이므로 이동식 탁아소만으로 충분하다고[96] 보고, 비용이 많이 드는 고정식 탁아소의 설립을 적극적으로 장려하지는 않았다. 실제로 충남의 '나교리탁아소'처럼[97] 대부분의 농번기탁아소는 공동작업반 근방에 풀을 베고 나무 밑을 확보하는 정도의 이동식 탁아소였다.

---

94) 朝鮮總督府農林局農政課, 위의 책, 1942, 4쪽.
95) 朝鮮總督府農林局農政課, 위의 책, 4쪽.
96) 朝鮮總督府農林局農政課, 위의 책, 10쪽.
97) 위의 책, 18쪽.

② 운영경비

양질의 농번기탁아소를 운영하기 위해서 가장 핵심적인 것이 비용 측면이라 할 수 있다. 특히, 1930년대와는 달리 총독부가 직접 통제하는 경우 탁아정책의 실현의지 정도를 보여주는 것이 재정의 투입여부라고 할 수 있겠다. 1930년대 부분에서 언급했듯이 국고 차원에서 재정 지원은 거의 없었다. 그렇다면 이 시기 농번기탁아소의 운영경비를 일제는 어떻게 조달하려 했을까? 이에 관련해서 『農繁期託兒所開設の手引』에는 다음과 같이 적혀 있다.

> "농번기탁아소는 인보상조의 정신으로 설립된 만큼 경비지급도 이 정신에 합당해야 한다. 즉, 농번기탁아소를 이용하는 사람들에게만 이익이 돼서는 안되며 지역 내의 농가 전체에 혜택이 가야한다. 따라서 **경비도 수탁료 등을 징수하는 것은 피하고, 경비전체에서 자기경비 또는 공동작업 공동 경작등의 이익금 혹은 유지들의 기부금 등으로 마련하는 것이 적당하다.**"98)(고딕은 연구자)

농번기탁아소의 운영경비만 보면 1930년대와 그다지 달라진 점은 없다. 실제로 농번기탁아소 1개소당 운영비용을 항목에 따라 정리해 보면 다음과 같다.

<표 Ⅲ-12> 농번기탁아소 1개소당 평균 운영비의 수입원과 수입금(円)

	경영주체 경비	수탁료	보조금 및 조성금	기부금	차입금	기타	합
1개소 평균 수입금	23.29	2.72	8.11	5.74	4.30	0.24	44.4

*출처 : 朝鮮總督府農林局農政課,『農繁期託兒所開設の手引』, 1942, 66쪽.

농번기탁아소의 평균 수입금은 경영주체에서 나온 경비로 주로 구

98) 朝鮮總督府農林局農政課, 위의 책, 13쪽.

성되어 있다는 것을 알 수 있다. 여기서 경영주체란 기초단위인 부락연맹과 애국부인회 산하 부락부인회들을 주로 의미한다. 당시 농번기탁아소와 관련된 총독부 부서는 내무국·농림국·후생국·사정국으로 이러한 부서에서 방침을 세워 각 도의 사회과에 지시하는 형식이었다.[99] 그러나 경영주체는 『農繁期託兒所開設の手引』에 사례로 실린 4군데의 탁아소 즉, 나교부락부인연맹농번기탁아소(羅橋部落婦人聯盟農繁期託兒所), 상호치부락연맹농번기탁아소(上芦峙部落聯盟農繁期託兒所), 가칠탁아소(加七託兒所), 다씨부락탁아소(多氏部落託兒所)의 경영주체를 통해서도 이를 알 수 있듯이[100] 행정적 지시전달체제에 따른 면리(面里)단위에서 뿐만 아니라 이와 긴밀한 관계 속에 있는 국민총력연맹 기초단위인 '부락연맹'과 애국부인회 산하 '부락부인회'가 실질적으로 담당했으며, 실질적인 운영경비도 이들 단체에서 자체적으로 충당하였다. 뿐만 아니라 운영경비가 부족해서 각자의 집에서 물품을 가지고 오게 했고, 보모는 무보수의 자원봉사 활동을 했다는[101] 사실들로부터 농번기탁아소는 일제의 재정지원이 없이 마을단위별로 자체적으로 열악하게 운영되었다는 것을 알 수 있다. 이처럼 농번기탁아소의 재정조달 문제와 총독부 탁아정책의 실현의지의 강도와는 비례관계에 있지 않았다. 1940년대 농번기탁아소 운영에 있어 수탁아동들의 교육을 중시해야 한다면서 고정식 탁아소를 이상적인 농번기탁아소라고 했지만 실제 고정식 탁아소는 거의 운영되지 않았던 이유는 바로 비용문제였다. 그러나 일제는 탁아소 운영에 있어 탁아시설보다는 보모의 자질이 더 중요하다는 논리로 이를 은폐하려 했다.

"탁아소 설립에 있어 유아의 교육적 측면을 고려하는 부차적 목적을 완전하게 실행하려면 경비가 막대하게 드는 것뿐만 아니라 이것이

99) 강정숙, 앞의 논문, 1993, 17쪽.
100) 朝鮮總督府農林局農政課, 앞의 책, 1942, 14, 25, 38, 48쪽.
101) 朝鮮總督府農林局農政課, 위의 책, 1942, 18쪽.

농사일을 용이하게 하는 것도 아니다. 그러나 유아시설들이 어린이들의 흥미를 유발하기 위해서는 필요하므로, 각 부락의 재정상태를 고려해서 적당한 범위 내에서 하는 것이 바람직하다. 또한 탁아소의 부차적 목적을 달성하기 위한 경영은 경영자의 공부와 자질정도에 따라 달라진다. 書・寢도구 또는 식기 등은 굳이 살 필요가 없으며, 유희도구도 비싼 완구를 구입하기보다는 주변의 나무조각, 흙, 나뭇잎 등 자연을 잘 활용하면 비싼 완구보다도 오히려 교육적 효과가 좋을 것이다. 부락내의 축음기가 있다면 빌려서 쓰는 것이 좋으며, 탁아소 가까이 국민학교가 있으면 학교시설물 – 오르간, 모래, 건물등 –을 차용하는 것도 한 방법이다. 무엇보다도 유아에게 가장 필요한 것은 사랑하는 마음으로 돌보는 것이다."[102](고딕은 연구자)

그러면 농번기탁아소가 실제로 어느 정도의 설비를 갖추고 있었는지를 『農繁期託兒所開設の手引』에 실린 '도 추천 42개 탁아소의 실태 조사'를[103] 통해 살펴보도록 하겠다. 설비 중 '건물 및 건물류적 설비'로 분류되어 있는 사옥(舍屋)은 42개 중 35개가 1동 정도를 갖추었다는 점에서 고정식 탁아소로 볼 수 있겠고, 나머지 7개는 전혀 건물을 확보하지 못한 이동식 탁아소로 볼 수 있겠다. 양적으로 고정식 탁아소가 훨씬 많았는데 이는 도가 추천한 탁아소라는 특별한 경우라는 점을 감안해야 할 것이다. 설사 고정식 탁아소가 많았더라도 다른 항목들을 보면, 고정식 탁아소도 이동만 하지 않았을 뿐 별반 다를 것이 없었다. 욕탕을 확보한 곳은 3곳, 변소가 확보된 곳은 겨우 1곳뿐이었으며 천막은 2곳에서 가지고 있었고, 7군데 이동식 탁아소 중에서는 1곳만이 천막을 가지고 있었다. 그리고 위생설비라곤 세면기가 있는 곳이 19곳, 소변기가 있는 곳이 1곳, 단순한 의약이라도 갖춰져 있는 곳이 겨우 2곳뿐이었다.[104]

102) 朝鮮總督府農林局農政課, 위의 책, 13쪽.
103) 朝鮮總督府農林局農政課, 위의 책, 82~87쪽.
104) 강정숙, 앞의 논문, 18쪽.

고정식 탁아소에 대해 "조선에 있는 농번기탁아소 발전에 하나의 과정으로서 앞으로 발전을 기대한다"105)라고 한 것으로 봐서, 당시 조선에는 제대로 시설을 갖춘 고정식 탁아소는 거의 없었던 것으로 보인다. 이상을 종합해 보면 유치원처럼 수탁아동들의 흥미나 호기심을 유발하기 위한 특별한 놀이시설은 거의 마련되지 않은 채, 농번기탁아소는 대부분이 큰 나무, 숲 속 같은 주변의 자연환경이나 기존 시설물들을 이용하면서 불량한 환경에서 열악하게 운영되었음을 알 수 있다.

다음의 신문기사는 1940년 5월 사회과장회의에서 내무국장이 노동력 동원의 특별조치로서 각 노동장에 여자를 동원시킬 것을 지시한 것과 관련해서 발언한 내용인데 글에서 농번기탁아소에 대한 일제의 이상과 현실의 간극을 재차 확인할 수 있다.

> "……현재 농번기를 앞둠에도 불구하고 내외도시, 광산 등 대규모적 공작으로부터 노동력의 공급지인 농촌인구에 대한 요구가 이러하므로 총독부에서는 이 勞務動員에 관한 여러 가지 당면문제를 협의키로 위하야 수일전 社會課長會議를 열었는데 이 席上에서 내무국은 勞動力動員의 特別措置로서 各勞動場에 女子를 대신 動員시킬 것을 지시했다 한다. 그러나 女子를 動員하자면 무엇보다도 일정한 근무시간에는 그들 자녀를 대리 간호하는 기관의 설치가 선결적 문제이다. 이 대책으로 농촌마다 탁아소를 설치하고 적어도 농번기에 있어서는 유아를 탁아소에 맡겨 共同看護하는 동시에 그 어머니들로 하여금 자유롭게 노동에 종사할 수 있게 하리라 한다.……만일 託兒所의 設備가 豫想과 같이 되면 婦女의 屋外活動이 훨씬 자유로울 뿐만 아니라 따라서 능률이 물론 증진될 것이며 또는 육아의 양육에 있어서도 그 성적이 훨씬 良好할 것이다. 貧寒하고 바쁜 農家女子가 赤身의 幼兒를 등에 업거나 품에 안거나 하며 勞務에도 여간 不利한 것이 아니다. 託兒制는 이 兩者를 同時救濟하는 社會的社業이다. 선진사회에서는 이

105) 赤木輝一, 「朝鮮に於ける農繁期託兒所の概況」, 『調査月報』 제13권 제6호, 1942, 24쪽.

제도를 아동보호와 농촌건설에 대한 중요한 것으로 해서 착착진행하고 있는 바이다. 현재 빈궁한 조선농촌에서 만일 당국의 예정과 같이 부녀의 노력을 전부 자유롭게 옥외활동할 수 있게 된다면 이 비상시의 노무계획을 위해서 또는 어린 국민의 보건을 위해서 最大慶賀할 바가 아닌가. 그러나 **이것을 실시하려면 시설의 점에 있어서는 설립 및 基維持費는 일종 공영사업으로서 국가가 전부 부담하여 동시에 諸般設備를 충분히 하야 모성으로 하여금 불만없이 안심하고 유아를 任託케 하지 않으면 안될 것이다.**……하루빨리 실시되기를 기대하여 마지 않는다."[106] (고딕은 연구자)

1940년대 이후 전쟁수행을 위해 본격적인 비상체제로 돌입하게 된 일제는 최대한의 군량 확보를 위해 혈안이 되어 있었다. 이러한 상황에서 농촌부인의 노동력 확보와 동원을 위해 농번기탁아소의 필요성은 이전 시기보다 더 강력하게 대두될 수밖에 없었다. 그러나 부인노동의 최대한 동원을 위해 국고에서 전액 부담하는 탁아소를 설립해야 한다는 일제 당국자의 위와 같은 주장은 실제로 실현된 것이 거의 없는 공언(空言)이었을 뿐이다.

③ 탁아아동과 보모, 수전인(手傳人)

1940년대 농번기탁아소의 수탁아동은 원칙적으로 '전(全)농가의 전(全)유아'로 규정하고 있으며 실제로 갓난아이가 수탁아동들의 반 이상을 차지하는 영아들 중심으로 운영되었다. 또한 대부분 농번기탁아소는 9세 이상 아동은 수탁하지 않는 것이 보통이었다.[107] 1941년 총독부가 당시 38개소 농번기탁아소를 조사한 바에 의하면, 유유아(乳幼兒)가 차지하는 비율이 57.7%, 이유아(離乳兒)가 42.3%로 농번기탁

106) 『동아일보』, 1941. 6. 1.
107) 赤木輝一, 「朝鮮に於ける農繁期託兒所の槪況」, 『調査月報』 제13권 제6호, 1942. 25쪽.

아소의 전체 아동의 반 이상이 갓난 유아들 중심으로 운영되었다.[108] 이를 통해 농번기탁아소의 수탁아동은 대부분 영유아기에 해당하는 어린아이들이었다는 것을 알 수 있다. 특집으로 우수한 농번기탁아소 사례들을 소개하고 있는 1941년 『조선사회사업』에 실린 경기도 포천에 설치된 '신촌농번기탁아소'에서도 수탁아동들의 연령을 보면 이와 유사한데, 총 수탁아동 33명 중 만 1년 미만의 갓난아이를 포함해서 4세까지의 영유아들이 총 19명으로 반 이상을 차지하고 있었다.[109]

여기서 특이한 사실은 보모 역할을 했던 '수전인(手傳人)'의 존재이다. 경기도 포천의 '신촌농번기탁아소'의 경우 보육보조자로 여자아이(少女) 3명이 기록되어 있는데[110] 바로 이들이 수전인이다. 육아경험이 있는 부인들이 주된 보모 역할을 담당했다면, 수전인은 수탁아들보다 불과 몇 살 위인 누나・언니에 해당하는 어린 아동들로, 보조자 역할을 수행했다. 이들은 학교에 갈 나이지만 사정상 가지 못하게 되어 동생을 돌봐주러 나오는 경우가 대부분이었다.[111]

실제로 농번기탁아소에서 보모보다 수전인의 수가 훨씬 많았던 것으로 나타났다. 총독부가 1941년에 농번기탁아소 42개소를 대상으로 한 조사에 의하면, 37개소 탁아소를 합해서 보모는 남자 9명, 여자 105명으로 합해서 114명이었으나 수전인은 정확하게 파악하기는 어렵지만 1,753명이라고[112] 기록되어 있다. 또한 이 조사에서 농번기탁아소 1개소 일일평균 보모의 출석인원은 3.3명이고, 보모 일인당 담당한 유유아(乳幼兒)와 이유아(離乳兒)를 합해서 11.3인으로 나타났다.[113] 그러나 강원도의 '다씨부락탁아소'의 경우는 한 명의 노인이 60명의 유

108) 朝鮮總督府農林局農政課, 앞의 책, 64쪽.
109) 朝鮮社會事業協會, 『朝鮮社會事業』 제20권 11호, 1941, 18쪽.
110) 朝鮮社會事業協會, 위의 책, 1941, 18쪽.
111) 강정숙, 앞의 논문, 19쪽.
112) 朝鮮總督府農林局農政課, 앞의 책, 63쪽.
113) 朝鮮總督府農林局農政課, 위의 책, 64쪽.

아기를 업고 돌보고 있는 여아

아를 돌보기도 했다.[114]라는 기록에서 총독부의 조사가 실제와는 상당한 차이가 있었던 것 같다.

(4) 식민지 교육의 공간

운영주체에서 알 수 있듯이 농번기탁아소는 총독부 산하의 그 하급 기관들이 감독·관리한 관제 기구였다. 따라서 농번기탁아소 그 자체가 하나의 식민지 교화의 기능을 담당했다. 1930년대 이후 일제는 종전의 지주중심에서 관제 기구를 통한 지배방식으로 전환하면서, 이를 주도해 나갈 '새로운' 인물로 젊은이들을 대상으로 중견인물 양성에 주력하였다. 이들에게 일본제국의 '신민'이 될 수 있도록 농가에 관한 교육뿐만 아니라 정신적인 교육—황국예배, 신사참배, 국기에 대한 훈련, 농도를 통한 국가봉사—을 실시하여 장래 농촌사회의 새로운 지도자로서 식민체제 유지와 일본제국주의 건설에 기여할 있도록 훈련시켰다.[115] 농번기탁아소는 이렇게 양성된 친일 인물로 구성된 관변 단체들이 운영하였다. 농번기탁아소가 개설되는 날에는 부락연맹의 이사장 등 주요 인물들이 개설식에 참석했으며, "1. 개식(開式)의 사(辭) 2. 궁성요배(宮城遙拜) 3. 묵도(默禱) 4. 황국신민서사 제창 5. 만세삼창 6. 폐식(閉式)의 사(辭)"의 식순으로 진행되었는데[116] 농민들은 이러한 일상의 체험을 통해 식민지 체제에 교화되어 나갔다.

일시적으로 그것도 이동식 형태의 불량한 양육환경 속에 수탁된 농번기탁아소의 아동들을 그저 수용·보호만 했을까? 그렇지 않았다. 『手引』에 관련된 내용들이 기록되어 있는데 그 내용을 신체교육·사상교육·위생교육으로 분류해서 정리해 보았다.

---

114) 朝鮮總督府農林局農政課, 위의 책, 53쪽.
115) 신기욱, 앞의 논문, 2001, 18~19쪽.
116) 신기욱, 위의 논문, 2001, 43쪽.

<신체교육>

보모들은 수탁아동들에게 깃발행렬, 물총쏘기 등 전쟁놀이와 일본의 전통씨름인 스모(角力)시합을 시켰다든가,[117] 아침, 점심, 저녁 인사를 일본말로 큰소리로 하도록 교육시켰으며 또한 줄서기,[118] 일렬로 또는 원형으로 정렬하는 법,[119] 체조[120] 등 배운 내용을 매일매일 반복하게 했다는 사실에서 일제의 군국주의 교육의 핵심인 '규율', '규칙', '질서'의 개념을 어렸을 때부터 몸으로 체득하도록 교육했음을 알 수 있다.

<사상교육>

수탁아동들에게 동경(東京)에 천황이 있다는 이야기를 들려주면서 절을 할 때는 동쪽을 향하도록 가르쳤다든가,[121] 일제의 대표적인 전래동화로써 군국주의 내용을 담고 있다는 「도태랑(桃太郞)」을 들려주었다.[122]

<위생교육>

일제의 식민지 정책의 핵심 개념 중 하나인 '위생'관념을 아동들에게 주입했던 것으로 나타났다. 즉 '손씻기', '몸을 청결하게 하기' 또는 '기생충약 먹기'와 같은 구체적인 행위를 지속적으로 실천하도록 했다. 예들 들어 '나교부락부인연맹탁아소'에서는 점심을 먹기 전에 반드시 손을 씻게 했으며[123] '상호치부락연맹탁아소'에서는 손 씻는 습관을 배우기 위해 물을 많이 준비했다든가 떡을 먹으려고 아이들이

117) 朝鮮總督府農林局農政課, 앞의 책, 1942, 21쪽.
118) 朝鮮總督府農林局農政課, 위의 책, 1942, 23쪽.
119) 朝鮮總督府農林局農政課, 위의 책, 1942, 24, 34쪽.
120) 朝鮮總督府農林局農政課, 위의 책, 1942, 35쪽.
121) 朝鮮總督府農林局農政課, 위의 책, 1942, 24쪽.
122) 朝鮮總督府農林局農政課, 위의 책, 1942, 43쪽.
123) 朝鮮總督府農林局農政課, 위의 책, 1942, 24쪽.

열심히 손을 씻었다는[124] 기록이 있으며 이 밖에도 경기도의 '신촌농번기탁아소'와 충남의 '신중농번기탁아소'에서 기생충약을 수탁아동들에게 먹이면서 위생에 특히 주의시켰다는 사실[125]에서 일제는 수탁아동들에게 위생관념을 어렸을 때부터 끊임없이 의식화하려 했다는 것을 알 수 있다.

이상의 내용으로 봤을 때, 농번기탁아소는 그저 수탁아동을 수용해서 보호했던 기구만은 아니었음이 드러났다. 유치원처럼 서구식—은물과 같은—교육은 아니었지만, 그리고 계획성을 갖고 지속적인 교육 프로그램을 운영한 것도 아니었지만, 적어도 '의도'를 갖고 식민지 교육을 실시했음을 알 수 있다. 농번기에 한시적으로, 그것도 제대로 된 장소하나 없이 이동식으로 절박하게 운영되었던 열악한 탁아소였지만 이 속에서도 수탁아동들은 어렸을 때부터 식민지 교육, 황국신민화 교육을 경험하였다.

124) 朝鮮總督府農林局農政課, 위의 책, 1942, 33쪽.
125) 朝鮮社會事業協會, 앞의 책, 1941, 20, 23쪽.

Ⅳ. 보모(保姆)의 탄생

역사적으로 오랫동안 사적(私的)영역의 몫으로만 인식되었던 아동의 보육이 공적(公的)영역으로 옮아가기 시작한 것이 근대교육에 있어 주요한 특질 중의 하나라 할 수 있겠다. 서구 근대적 개념의 유치원 및 탁아소가 생겨나면서 이 곳에서 보육을 담당할 교사가 필요하게 되었다. Ⅳ부에서는 근대 이후 새로운 여성 직업의 하나로 등장한 보육 교사인 '보모'가 어떻게 양성되었으며 당시 사회와 보모 자신들은 보모를 어떻게 인식하였는지 그리고 보모탄생의 의미에 대해서 다루고자 한다.

1. 보모 양성의 필요성 대두

유치원 설립이 활발해지면서 보모 양성 문제는 필연적으로 대두되었다. 1913년 12월 브라운리(C. Brownlee)가 내한(來韓)하면서 이화유치원의 운영과 더불어 보모양성이 본격적으로 시작되었다. 다음 글은 브라운리(Brownlee)가 친구에게 쓴 편지 내용의 일부이다.

"……이듬해 이화학당의 한 과(a department)로서 유치원사범과(the Kindergarten Training School for Teachers)를 시작하였다. 첫 수업은 Alice Cho[1]라는 학생 1명만 있었다. 그녀는 일본에서 1년을 수학

(修學)하고 왔기에 1916년도 졸업을 했다. 그녀는 유치원사범과를 졸업한 최초의 한국여성이다."[2]

이 글에서 이듬해는 이화유치원을 시작한 1914년의 그 다음 해를 말하는 것이다. 따라서 유치원사범과는 1915년부터 이화학당에서 한 과로서 출발하게 되었고 이는 전문적인 보모 양성의 신호탄이었다.

2. 보모가 되기 위한 (명시적) 조건 1 : 보육학교의 입학과 졸업

식민지 시기 한국여성이 보모가 되기 위해서는 원칙적으로는 정해진 전문적인 교육과정을 밟아야 했다. 요컨대, 보육학교라는 곳을 진학해서 2년 과정의 교육과정을 이수해야지만 '공인된' 보모가 되어서 유치원 교사로 활동할 수 있게끔 제도적 장치가 마련되었다. 그러나 제목에서 괄호를 한 것은 반드시 준수 조건은 아니었기 때문이다.

식민지 시기 대표적인 보육학교로는 인가를 받은 '이화', '경성', '중앙' 3개 학교를 꼽을 수 있다.[3] 경성의 3대 보육학교 이외에도 재령

---

1) 조앨리스(趙愛理施)라는 여성을 말한다. 그녀는 1912년 이미 이화학당 중등과를 졸업하고 매일학교 교사로 있다가 일본에 유학하여 活水女學院 유치원사범과를 1년간 다니다 온 여성으로 브라운리는 그를 사범과 2학년에 편입시켰다. 그리하여 2년 과정의 사범과를 1년만인 1916년에 졸업하게 된 것이다(이화여자대학교, 『이화100년사』, 서울 : 이화여자대학교출판부, 1994, 117쪽).

2) Edna Vanfleet Hobbs, 「Charlotte Brownlee A Pioneer」, *KMF*, 1939. 12, 256쪽.

3) 이상금, 앞의 책, 1987, 242쪽. 평양의 숭의여학교에 '보모과'가 1924년도에 세워졌고 1927년에 인가를 받았지만 보육학교로 명칭을 변경하지는 않았다(숭의90년사 편찬위원회, 『崇義九十年史』, 서울 : 숭의학원, 1993, 145쪽). '숭의 보모과'는 북쪽 지방의 보모 양성 공급원으로서 이화, 중앙, 경성과 나

(황해도), 정의(평양), 효성(나남), 영생(전주) 등의 유치원 사범과가 있었다는[4] 사실에서 수적으로 많지는 않았지만 전국적으로 보모양성 기관이 산재해 있었음을 알 수 있다. 그러나 미국에서 받은 기부금으로 똑똑한 여학생을 보모로 기르기 위해 평양에서 서울의 이화학당으로 보냈던 사실에서 서울의 3개 보육학교가 보모양성의 실질적인 공급원으로 기능했던 것으로 보인다.

> "유치원 방법론을 배우게 하기 위해서 유능한 젊은 여학생을 서울의 이화로 보냈다. 그녀가 과정을 이수하고 돌아와서 주임 선생님(supervisor teacher)으로 활동하였다. 이후에 다른 똑똑한 여학생을 이화로 보내서 이전 선생님이 그만둔 자리를 대신하도록 하였다."[5]

보모는 처음부터 보육학교에서 양성되지 않았다. 다음은 경성보육학교가 갑자유치원사범과에서 출발했는데, 지정인가를 받아 처음으로 보육학교로 승격되었다는 것을 보도하는 신문기사이다.

> "……同校는 본래 갑자유치원사범과라 하는 이미 경영하여 내려오는 보모양성기관으로 보육학교로서 지정을 받은 동시에 정도를 높이어 여자고등보통학교생이나 소학교 교원의 경험이 있는 사람에 한하여 입학을 허락하게 되었고, 수업연한도 2년으로 연장되었다. 정원은 100명. 목하 강사와 교수는 교수 2명, 강사 3명, 촉탁강사 2명이요. 수업과목은 윤리, 교육심리학, 아동학, 자연과학, 유희, 음악 등이며, 경성시내에서 유치원 보모양성 지정을 받아 설치되는 학교는 이것이 처음이라 하며 다음과 같이 학생을 모집한다고 한다."[6]

란히 식민지 시기 4대 보육학교로서 그 역할을 했다(이상금, 위의 책, 1987, 236쪽).

4) 이상금, 위의 책, 1987, 237쪽.

5) Helen K. Bernheisel, "Early Days of Kindergarten Work in Pyengyang", *KMF*, 1939. 12, 252쪽.

6) 『동아일보』, 1927. 8. 25.

이처럼 3개 주요 보육학교의 前身은 '유치원사범과'(the Kindergarten Training School for Teachers)라는 곳이며 1927년 경성보육학교를 필두로 해서 이화, 중앙 순으로 보육학교로 지정인가를 받았다.

이화유치원사범과(1915) ⇒ 이화보육학교(1928. 3. 14)[7]
중앙유치원사범과(1922) ⇒ 중앙보육학교(1928. 9. 5)[8]
갑자유치원사범과(1926)[9] ⇒ 경성보육학교(1927. 8. 20)[10]

일제 당국으로부터 지정인가를 받았다는 것은 일제 당국이 정한 요건을 갖춘 학교임을 뜻한다.[11] 유치원사범과가 보육학교로 지정인가 받아 승격하게 된 것은 "유치원 교사교육에 중요한 전기를 마련"한[12] 것으로 교사교육의 독자성을 확보했다는 점,[13] 고등교육기관 및 전문교육기관으로서의 명문화된 체제를 갖게 되고 이를 위해 충실한 교육이 체계화되도록 실천하게 된 점, 독자적인 건물을 갖게 된 점[14]의 의미부여를 할 수 있다. 동시에 보육학교는 각종학교였다. 각종학교란

---

7) 이화여자대학교, 앞의 책, 1994, 17쪽.
8) 중앙대학교, 『중앙대학교 80년사(1918~1998)』, 1998, 81쪽.
9) 이화여자대학교, 위의 책, 1994, 116쪽. '갑자(甲子)유치원'은 1924년 4월 경성 청진동에 柳一宣이 세운 유치원이다(朝鮮總督府學務局, 『朝鮮諸學校一覽』, 大正7年(1918), 373쪽).
10) 『중외일보』, 1927. 8. 24.
11) 1911년 발표한 「사립학교규칙」의 인가항목을 보면, 1) 목적 2) 명칭 및 위치 3) 학칙 4) 校地, 校舍평면도 및 그 소유자 5) 1년 간 수지예산 6) 유지방법(기본재산, 기부금, 증빙서류 첨부) 7) 설립자 학교장 및 교원씨명, 이력서 등이 명시되어 있다. 총독부는 이와 같은 기준에 도달한 사립학교만을 인가해 주었다(김경미b, 앞의 글, 2004, 33쪽).
12) 이상금, 앞의 책, 1987, 242쪽.
13) 유치원사범과는 유치원에 사범과가 부설되는 형태였다면, 보육학교라는 독립된 학교 형태가 됨으로써 유치원이 보육학교를 위한 실습장으로 관계 개념이 전도되었음을 의미한다(이상금, 위의 책, 1987, 242~243쪽).
14) 이상금, 위의 책, 1987, 243쪽.

고등보통학교·전문학교 등의 정규 교육체계에 포함되지 않는 사립학교를 말한다. 각종학교는 크게는 「조선교육령」의 규제는 받지만 「중등학교령」이나 「전문학교령」에서 규정된 여러 제약들은 받지 않아서 설립자의 교육이념을 소신있게(?) 실시할 수 있었던 반면에, 각종학교의 졸업생들은 정규학교 졸업생에 비해 불이익을 받았다.[15] 보육학교는 최종단계의 종결교육기관이라는 점에서 각종학교로 운영되었다 하더라도 졸업 후 보모로 취업하는 데 불이익은 없었다. 일본의 경우는 졸업하면서 보모자격증이 부여된 것에 비해 한국의 경우는 자격증은 없었다. 이는 보육학교와 유치원의 경우 관·공립이 단 1곳도 없었다는 사실과 연결지어 생각해 볼 수 있다. 즉, 보모는 유일하게 일제 당국의 교원양성체계 밖에서 사립각종학교에서 양성되었던 교원아닌 교원이었다. 이에 반해 초등학교의 교원은 처음부터 일제 당국의 관리·감독 하에 양성·임용되었고 '교원면허증'이라는 것이 발급되었다.[16] 중등학교 교원은 식민지 한국에는 중등교원양성기관은 없었지만,[17] 「사립학교교원의 자격 및 원수에 관한 규정」에 의해 사립학교 교원의

15) 1920년대 이후 한국인의 학제를 일본인의 것과 동일하게 하는 과정에서 일제는 법령에 명시된 조건들을 갖춘 중등학교를 '고등보통학교(이하, 고보)'로 인가해 주면서 정규학교로 완전하게 인정해 주었던 반면에 요건을 갖추지 못했거나 혹은 따르지 않는 학교- 특히, 종교학교 -는 '각종학교'로 차별적으로 위치지어 상급학교 진학에 있어 불이익을 주었다. 가령, 고등보통학교의 졸업자는 검정없이 일본 전문학교를 진학할 수 있었지만, 사립각종학교 졸업자는 전문학교에 진학하기 위해서는 시험검정을 치러야만 했다(김경미 b, 앞의 논문, 2004, 40쪽).

16) 한국에서의 초등교원 양성은 1895년부터 관립 한성사범학교에서 출발되었으며 식민지 시기 몇 번의 변화가 있었지만 국가차원에서 양성되었다(김영우, 「교원교육」, 『한국 근현대 교육사』, 서울 : 한국정신문화연구원, 1995, 501~525쪽).

17) 그러나 김영우는 중등교원 양성기관이 1920년대 후반에 이르러 설치되었다고 했다(김영우, 위의 책, 1995, 525쪽). 학교 출신자 또는 일본의 고등사범학교 졸업자 및 자격이 지정된 제국대학, 대학, 전문학교 출신자들을 중등교원으로 임용하였다(김경미, 앞의 논문, 2004, 41쪽).

자격을 가질 수 있는 지정된 전문학교 출신자 또는 일본의 고등사범학교 졸업자 및 자격이 지정된 제국대학, 대학, 전문학교 출신자들을 중등교원으로 임용하였다.[18]

논의를 다시 보육학교로 돌려서, 그렇다면 보육학교는 어떠한 학생들이 입학할 수 있었을까? 보육학교의 입학 조건은 앞선 신문기사에서도 알 수 있듯이 유치원사범과 시절부터 입학자격을 여자고등보통학교 졸업자로 제한하는 등 처음부터 높은 학력을 요구하였다.[19] 이러한 학력제한 조건은 보육학교로 승격되면서 학칙으로 명시되었다. 다음은 이화보육학교의 입학자격이다.

> 제11조 입학 허가가 가능한 자는 다음 중 하나에 해당된 자여야 함.
> 1. 여자고등보통학교 또는 고등여학교 졸업자.
> 1. 舊조선교육령에 의한 여자고등보통학교를 졸업한 자.
> 1. 연령 만17세 이상으로서 제14조 시험에 의해 구조선교육령에 의거 여자고등보통학교 졸업자 또는 동등이상의 학력을 소지한 것으로 검정된 자[20]

보육학교 지원자들은 경우에 따라서는—예를 들어, 정원을 초과할 경우 또는 자격요건이 갖추지 못했을 경우—입학시험을 보기도 했으며, 신체검사, 성적증명서, 면접 등의 종합적 평가를 통해 입학할 수 있었다.

> 제13조 입학자 선발은 시험예정에 의해 다음의 각 항을 사정하여 행함.
> 1. 선발시험성적(전 조항의 경우에 한함)
> 2. 신체검사서

18) 김경미, 위의 논문, 2004, 41쪽.
19) 중앙대학교, 앞의 책, 1998, 77쪽.
20) 『梨花女子專門・梨花保育 學校一覽』, 昭和12年(1937), 28~29쪽.

3. 이력서 또는 학업성적 증명서
4. 구두시험[21]

이러한 입학조건은 다른 보육학교도 거의 비슷하였다. 경성보육학교의 입학자격으로 "16세 이상 30세 이하 조선여자로서 여자고등보통학교 또는 고등여학교를 졸업한 자 급 동등이상의 학력자"[22]로 이에 해당되는 자는 시험이 면제되지만, 자격이 미달되는 경우에는 "국어, 산술, 한문, 작문, 초등음악 5과목의 학술시험"과 "구술 및 면접시험"을 치러야 했다.[23] 보육학교는 유치원사범과 시절부터 2년제로 운영되었다.[24] 입학 이후에도 2년 동안 학과 공부를 성실하게 이수해야만 졸업을 할 수 있었다. 시험성적은 100점 만점으로 해서 각 과목 50점 이상, 평균 60점 이상이 되어야만 진급과 졸업을 할 수 있었다.[25]

보육학교를 다닌 여학생의 위상 정도를 살펴보자. 1922년도 제2차 조선교육령이 발표되었는데 이때 정해진 학제를 기준으로 보면, 한국

21) 위의 책, 昭和12年(1937), 29쪽.
22) 「各女子學校 入學指南 : 京城保育學校」, 『동아일보』, 1928. 2. 16.
23) 「各女子學校 入學指南 : 京城保育學校」, 『동아일보』, 1928. 2. 16.
24) 1918년 아펜젤러(A.R. Appenzeller)는 이화유치원사범과는 명백히 고등교육의 범주에 속해야 한다고 했으며, 밴플리트(VanFleet)는 유치원교육이 워낙 중요하고 원대하기 때문에 2년의 교육과정은 최소한의 과정일 뿐이라고 했다. 이화유치원사범과는 중등과(1917년 대학 예과로 개편)와 마찬가지로 여자고등보통학교 졸업 이상의 학력을 가진 자에게만 입학을 허락하였으며 실제로는 대학예과 졸업자, 드물게는 대학과를 졸업한 후 다시 사범과에 입학하는 경우도 있었다. 사범과와 대학과는 고등교육기관으로서의 이화를 지탱하는 두 기둥이었다. 1925년 대학과와 예과가 전문학교로 개편되고, 1928년 유치원사범과가 보육학교로 개편을 한 뒤로 이화는 이화여자전문학교와 이화보육학교를 나란히 칭하게 되었다. 1940년에는 보육학교가 수업연한을 3년으로 늘리고 전문학교의 보육과로 개편되어 하나가 되었으며, 이것은 해방후 이화여자대학교 교육과로 그리고 사범대학으로 발전하게 된 것이다(이화여자대학교, 『이화100년사』, 서울 : 이화여자대학교출판부, 1994, 117쪽).
25) 『梨花女子專門・梨花保育 學校一覽』, 昭和12年, 31쪽.

여성의 경우 제도권 학교를 다니게 된다면 그 코스는 보통학교(6년)→여자고등보통학교(4년)→보육학교(2년) 또는 여자전문학교(3~4년) 순(順)으로 진학이 가능하다. 이 같은 학력코스에서 보육학교는 전문학교급의 고등교육 수준의 최고 단계의 학교라 할 수 있으며, 따라서 보육학교를 다닐 정도의 여성이었다면 당대 최고의 엘리트 여성이라 할 수 있다. 1920년대 후반만 하더라도 한국여성들의 보통학교 취학률이 5~6%정도에 불과했다는 사실에서[26] 최고 단계의 보육학교를 다닌 여성은 전체 여성인구수에 비해 극히 일부였음을 쉽게 추론할 수 있다.

이상의 내용을 정리해 보면, 보모가 되기 위해서는 원칙적으로 보육학교의 입학과 졸업이 필수조건이었는데 보육학교에 진학하기 위해서는 여고보 이상의 수준 높은 학력이 요구되었다. 당시 조선여성들의 교육수준을 고려해 볼 때, 보육학교는 여성고등교육 단계의 최고 수준의 학교였으며 따라서 보육학교 출신 학생들은 당대 최고의 엘리트 여성 중의 한 부류였다고 할 수 있겠다. 그러나 보모는 「조선교육령」에 명시된 교육기관에 종사하면서도 초·중등교원와는 달리 일제의 감독·관리를 받지 않은 교원 아닌 교원이었다.

3. 보모가 되기 위한 조건 2
: 서구 유아교육학의 습득

보육학교에 입학한 예비보모들은 2년 동안 무엇을 배웠을까? 교육과정(curriculum)은 교육목표와 유기적인 관계가 있으므로 먼저, 보육학교의 교육목표를 살펴보자.

---

26) 오성철, 앞의 책, 2000, 133쪽.

"사립학교 규칙에 의거하여 특히 **덕성함양**에 **힘쓰고** 유아보육의 방법을 교수하는 것을 목적으로 한다."[27](고딕은 연구자)

보육학교의 교육목적은 '덕성의 함양'과 '유아보육방법의 습득' 2가지로 요약된다.

1) '덕성 함양'을 위한 이론 공부

덕성의 함양이라는 교육목적을 달성하기 위해 교육과정은 어떻게 편성되었는지 유치원사범과 시절의 교육과정을 살펴보도록 하겠다. 다음 <표 Ⅳ-1>은 중앙유치원사범 졸업생들의 회고담과 더불어 거의 동일하다고 여겨지는 이화유치원사범과의 교과과정표를 종합해서 작성한 것이다.

<표 Ⅳ-1> 유치원사범과 시절 교육과정

학과명	1학년	2학년	담당교사
윤리학	2	1	박희도
교육학	2	1	독고선
아동심리학	2	2	홍병선
음악	5	2	독고선
*보육학	4	1	차사백
영어	2	2	미상
미술	2	2	김의식
자연과학	2	1	미상
율동유희	5	1	차사백
동화	1	1	방정환
수공	2	1	차사백
일어	2	2	미상
실습		15	미상

*출처 : 중앙대학교, 『중앙대학교 80년사』, 1998, 77쪽.

27) 『梨專・梨保 學校一覽』, 1937, 26쪽.

<표 Ⅳ-1>에서 예비 보모들은 교육학, 아동심리학, 보육학 등 서구 근대의 유아교육학 학문을 배웠을 뿐만 아니라 윤리학, 음악, 영어, 미술, 일어, 자연과학 등의 다양한 학문을 두루 공부했음을 알 수 있다. 그렇다면, 다양한 학문을 공부하면서 보모가 습득했어야 할 '덕성 함양'은 구체적으로 무엇이었을까? 다시 말해서 덕성함양을 위해 구체적으로 어떠한 내용을 보모들에게 가르쳤을까? 하는 질문이 생긴다. '덕성'이란 것 자체가 관념적인 개념으로서 무어라고 정확하게 파악하기는 어렵겠지만 '보모'라는 특수한 직업에 초점을 맞춰서 고찰해 보도록 하자. 따라서 보육학교에서만 가르쳤을 가능성이 농후한 '보육학'이란 교과를 분석해 보았다. <표 Ⅳ-1>에서 '보육학'은 음악·율동 유희라는 기술적 측면을 다룬 교육과정을 제외하고는 이론 공부에 있어서는 시간 할당이 가장 많은 주요 교과라고 했다. 한국에 최초로 소개된 서구 유아교육학 서적은 미국인 선교사 브라운리(C. Brownlee)가 프뢰벨(Frobel)의 *Education of Man*을 1923년에 번역·출판한 『인지교육(人之教育)』이다.

> "브라운리가 처음 선교 활동했던 1913~1918년 동안, 그녀는 프뢰벨(Fredrick Froebel)의 Education of Man을 번역을 해서 출판하였다. 이 책은 수년 동안 '이화'뿐만 아니라 다른 보육학교에서도 사용되었다. 또한, 프뢰벨의 "어머니 유희와 노래"(*Mother Plays and Songs*), 이외의 많은 어린이 이야기를 번역해서 등사판 인쇄를 하였다(mimeographed)".[28]

그러나 이 책의 처음을 보면, 브라운리(C. Brownlee)와 노병선(Noh Pyung Sun)이 함께 쓴 것으로 되어 있다.[29] 한국어가 서툴렀던 브라운리가 배재학당 교사인 노병선의 도움을 받아 번역했던 것이다. 『인

---

28) Edna Vanfleet Hobbs, "Charlotte Brownlee A Pioneer", *KMF*, 1939. 12.
29) 『人之教育』, 1923, 목차부분.

지교육(人之教育)』은 예비 보모들이 접했던 대표적인 텍스트이자 가장 오래된 텍스트로서 이화뿐만 아니라 다른 보육학교에서도 사용했었다. 유치원을 창시한 프뢰벨의 저서를 처음 소개한 것은 어쩌면 당연한 일이다. 『인지교육』은 총5장 82절 344페이지로 구성된 방대한 양의 서적이다. 이 책을 시작으로 근대 유아교육・보육학 서적들이 많이 유입되었다. 서구 유아교육・보육학 서적을 소개하는 주체들은 선교사, 일본인, 한국인으로 구분되는데, 주로 일본인 학자가 저술한 일본어로 된 서적이 대다수를 차지하였다. 한국인이 저술한 최초의 유아교육・보육학 서적은 1936년에 간행된 차사백[30]의 『보육요체(保育要諦)』인[31] 것으로 추정된다. 이들 텍스트들의 목차를 비교해 봤을 때, 그다지 크게 다르지 않으며 그 논지도 별반 차이가 없다. 논지란 다름 아닌, 루소가 주창했던 '자연주의교육사상'이라 할 수 있다. 소극적 교육이라고도 하는 자연주의 교육사상은 아동기의 교육은 주입식 교육을 최대한 자제하고 아동 내면에 있는 적성, 개성, 능력을 자연스럽게 외현(外現)될 수 있게 끔만 교육이 기능해야 한다는 것이 그 핵심 내용인데, 이와 같은 자연주의 교육사상을 계승한 프뢰벨의 교육철학은 『인지교육』에 그대로 계승되었다. 『인지교육』의 "제1장 인간의 초기 제31절. 아동의 식물"이라는 편에서 아이를 식물에 비유하면서 인위적인 양육을 반대하였다.

> "어머니의 젖 다음으로 될 수 있는 대로 식물은(아동) 될 수 있는 대로 단순한 인위적 세공(細工)을 베풀지 아니한 것이 매우 좋고 특별

30) 차사백은 일본 오사카에 있는 램버드보육학교를 마치고 1922년 서울에 돌아와서 중앙유치원에서 활동하면서 중앙유치원사범과를 설립하는 데 적극 관여했으며 1931년에 처음 창설된 "朝鮮保育協會"의 초대회장으로 활동하는 등 초창기 보육운동에 큰 업적을 남겼다. 당시 보육학교의 교수진은 미국 유학파와 일본 유학파로 구분할 수 있다. 이화보육학교는 전자가, 경성과 중앙보육학교는 후자가 중심이 되었다(이상금, 앞의 책, 1987, 267~270쪽).

31) 차사백, 『保育要諦』, 중앙보육학교, 1936.

> 히 향기로운 것과 기름진 것을 써서 식욕(食慾)을 자극케 하지 아니할지니 이러한 식물은 내장기관의 활동을 방해할 것이다."[32]

라고 하면서 이어서 "식물에 관한 근본적인 진리를 부모와 보모—보모는 유치원 여교사를 지칭하며 어린 아이를 인도하며 보호하는 자—된 자들이 항상 기억해야 될 것이다"[33]라고 기술하고 있다. 자연주의 교육사상에 입각해서 아이를 양육할 것을 주장하는 이러한 논지는 다른 보육학 서적에서도 마찬가지이다. 자연주의 교육사상에 입각해서 아이들을 "있는 그대로" 양육・교육할 것을 주장하면서 동시에 강조되는 대목이 아동기 교육의 절대성이다. 즉, 한 사람이 아동기의 어떠한 교육을 받느냐에 따라 미래의 인생에 지속적인 영향을 미친다는 것이다.

> "사람이 이후에 장년이 된 때에 행복과 강건함으로 무슨 일이든지 능히 창조력을 발휘하기 위해서는 나이 어렸을 적에 신체상의 필요한 것을 아무쪼록 단순한 것으로 해서 사람의 자연의 성질의 적당하게 함이 필요하다"[34]

어렸을 때 교육・보육 여하에 따라 현재 행복뿐만 아니라, 한 인간의 미래의 행복까지도 직결된다는 프뢰벨의 주장은 아동기 교육의 중요성을 절대화하였다. 이는 아동기 교육의 절대성・결정성을 부여하는 것으로 곧, 이 시기의 양육과 교육을 (배타적으로) 맡은 어머니와 보모의 전적인 책임으로 귀결된다. 어느 보육학 서적에는 "훌륭한 인격을 갖춘 보모만 있다면, 유치원이 없어도 노천(露天)에서 아이들을 보육할 수 있다"라고도 기술되어 있으며[35] 유치원사업에 종사했던 앤

---

32) C. Brownlee・노평선, 『人之教育』, 1923, 76쪽.
33) C. Brownlee・노평선, 위의 책, 1923, 76쪽.
34) C. Brownlee・노평선, 위의 책, 1923, 77쪽.
35) 坂内ミツ, 『幼稚園の生活』, 東京：賢文館, 1939, 16쪽.

더슨(Anderson)이란 여선교사가 남긴 글에서도 이와 유사한 맥락을 읽을 수 있다.

> "물질적인 요소를 갖추는 것도 중요하지만 결국 **유치원의 성공 · 실패 여부는 교사에 달려있다. 그녀는 유치원의 정신이자 생활이다. 아이들의 영원한 모범이며 그들의 헌신과 복종의 대상이다.** 보모의 말이 아이들에게는 최고이다. 부모들에게도 영향력은 마찬가지이다."[36] (고딕은 연구자)

아동기 보육을 맡게 된 보모의 덕성 · 인격은 그 무엇보다도 중요하며 이는 곧 아이들에게 '헌신'과 '복종'을 요구하고 있다. 이는 전근대의 아동 교육관과는 대조적인 것이다. 전근대의 아동은 어른의 종속물이라 해도 과언은 아니다. 어른에 의해 엄격하게 훈육되고 체벌이 일상이었던 아동이 근대의 자연주의 교육사상이 형성되면서 존중받아야 할 인격체로 급부상하였다. 아동에 대한 이러한 발상은 어찌 보면, 획기적인 발상의 전환이면서 '진보'되었음에 틀림없다. 그러나 아이러니하게도, 아동기의 양육과 교육을 책임지게 된 어머니와 보모는 이에 상응하는 책임감과 의무감이 전적으로 전가되면서 오히려 여성의 삶을 구속하는 이데올로기가 되었다.[37]

---

36) W. J. Anderson, "The Kindergarten as an evangelistic agency", *KMF*, 1928. 3, 45쪽.

37) 이윤진, 「루소이래 아동중심교육학이 근대 모성이데올로기 성립에 미친 영향」, 『교육학연구』 제46권 3호, 한국교육학회, 2004, 200~201쪽. 이 논문에서는 아동중심교육학 - 자연주의 교육사상을 근간으로 하는 - 의 성격을 다음과 같이 규정하였다. 첫째, 루소, 페스탈로찌 및 아동중심교육학은 산업혁명 이후 가정과 일터를 이원적으로 분리된 사회변화 속에서 여성과 아동을 가정 내로 묶어두려는 18세기 이래 서구 백인 시민계급의 아이디어와 일치한다는 점에서 부르주아 계급에 부합되는 학문이다. 둘째, 아동중심교육학은 여성과 아동을 한 쌍으로 묶는 데 결정적인 역할을 하면서 여성을 규율하는 이데올로기로 작동했다. 따라서 아동과 분리될 수밖에 없는 직업을 가진 여

서구 근대의 자연주의 교육사상은 보육학교에서 예비 보모들이 '덕성 함양'을 위해 보육학에서 다뤘던 주요 핵심 내용이다. 자연주의 교육사상은 '최소한의 소극적' 교육을 주장함과 동시에 아동기에 어떠한 교육을 받느냐에 따라 한 사람의 미래가 결정된다는 내용으로서 아동기의 교육을 절대화하였다. 따라서 아동기의 교육을 맡은 보모의 인격·덕성이 가장 중요한 조건으로 될 수밖에 없었다. 이러한 맥락에서 볼 때, 보육학교의 교육목적의 하나인 덕성함양이란 아동을 체벌하거나 야단치거나 하는 권위적인 교사가 아니라, 아동과 대등한 때로는 아동에게 헌신하고 복종하는 관계로 자신을 낮추면서 이러한 관계구조를 '잘' 맺는 보모가 자연의 법칙에 순응하는 소위 덕성을 갖춘 보모이자 이상적인 보모였던 것이다.

아이 수준에 맞게 눈높이를 낮추고, 그들을 이해하고 함께 놀아 주는 친구가 되겠다는 이화보육학교 졸업생의 다음의 글을 통해, 이상적인 보모가 지녀야 할 덕성으로 자연주의 교육사상을 내면화하고 있었음을 알 수 있다.

> "……장차 갈 길이 어디냐고 물으신다면 물론 지금까지 배운 것이 園兒敎育이매 이 방면에 적은 힘이나마 쓰랴합니다. 조선이 이해 못 해주며 等閒히 하고 눌르기만 하는 이 땅에 어린이를 위해 싸우려고 합니다.……**나도 童心으로 노래 부르려 합니다.**……**이들과 같이 기뻐하려 합니다.**……조선의 부모들은 어린이가 꿈적거리는 것을 장난이라고 해서 장난하지 말고 점잖으라고 꾸짖는다. 나는 이런 가정에서 시들어가는 불쌍하고 서러움 많은 **이 땅의 어린이들에게 참 기쁨을 줄 수 있는 놀이터로 끌고 와서 참다운 친구가 되여 동족동락하려고 합니다.**……"[38](고딕은 연구자)

성은 항상 죄책감에 시달려야 했으며 결국은 직업을 통한 자아실현보다는 자녀양육을 통한 대리만족의 어머니의 길을 선택하도록 무언(無言)의 심리적 장애물로 작용했다.

38) 「어린이의 동무되려」, 『신가정』, 1935. 3, 25쪽.

조선사회에서 아이들을 억압하고 엄격하게 다루려는 기존의 관습을 비판하면서 보모는 아이에게 선생님보다는 친구에 가까운 존재이어야 하며 이를 '이상적인', '좋은' 선생님으로 보모 스스로 인식하고 있었던 것이다.

2) 독특한 교수방법 습득

보육학교의 또 하나의 교육목적은 '유아보육방법의 습득'이다. 당시 유치원과 관련된 법령에 보육항목으로 "유희(遊戲), 창가(唱歌), 담화(談話) 및 수기(手技)"라고 명시되어 있다.[39] 앞에서 언급한 인격・덕성을 갖춤과 동시에 보모는 유아보육의 기술적인 측면을 습득하는 것이 그 못지않게 중요하였다. <표 Ⅳ-2>에서 보듯이 보육학교 교육과정에는 이들 과목에 가장 많은 시간이 할당되어 있었다.

<표 Ⅳ-2> 이화보육학교 교육과정

학과목	매주교수 시간수	제1학년	매주교수 시간수	제2학년
수신	1	실천도덕	1	윤리학
성경	2	신구약	2	左同
교육학	2	교육사・교육학	1	교육의 의의~학습의 원리
심리학	2	교육심리학	2	아동심리학・응용심리학
*보육학	4	유전 및 태생기~유년기 보육	1	소년기~장년의 교육상태와 이에 적응하는 보육
*遊戲	5	母遊 유희 은물		
*음악	5	樂理, 唱歌, 악기사용법(오르간・피아노)	2	악기사용법, 창가
국어및한문	4		2	
영어			2	
자연과학	1		1	과학개론

39) 『朝鮮總督府官報』 조선총독부 제11호, 大正11年 2月 16日.

*도화	2	간단한 輪廓形體畵	2	회화와 미술사
*수공	2	종이와 점토의 細工	1	
*동화	2	어린이를 위한 간단한 위인의 전기		
실습			15	유치원사업의 전반적인 사업
계				

*출처 : 『梨專・梨保 學校一覽』, 1937, 26~27쪽.

보육학교 1학년의 경우 매주 총 수업시간이 32시간이었는데 유희・창가・담화・수기가 차지하는 시간이 16시간으로 반을 차지하고 있었다. 2학년의 교육과정을 보더라도 실습이 15시간으로 배당되어 있는데 실습이란 유치원 현장에 나가서 그동안 배운 것을 직접 실천하는 시간이라는 점에서 보모에게 있어 유희, 창가, 담화, 수기는 보육학교 2년동안 가장 중요하게 배워야 할 교육과정이었다.

그렇다면, 유희, 창가, 담화, 수기란 구체적으로 무엇일까? 차사백은 자신의 저서 『보육요체』에서도 유희, 창가, 담화, 수기를 "보육의 방법"이라 하였다.[40] 보육방법이란 보모가 유치원에서 행하는 교수방법을 의미한다. 아동기의 어린이에 문자나 지식을 가르치는 교육방식은 "아동발달의 자연 순서에 따를 것이라는 주의(主意)를 무시하는 것"[41]이라는 자연주의 교육사상을 수용하면서 아동기의 발달단계에 있는 어린이들에게는 문자위주의 책이나 지식위주로 가르치는 것은 잘못된 교수방법으로 인식되었다. 보육학 서적에는 아동기의 교수방법으로 유희, 창가, 담화, 수기가 적혀 있으며 이 내용들을 예비 보모들은 배웠던 것이다. 배운 내용을 개괄적으로 살펴보자. '유희'라는 교수방법의 일례로 '구유희(球遊戲)'에서 '공을 머리위로 넘김'이란 것이 있다.

40) 차사백, 『保育要諦』, 중앙보육학교, 1936, 목차.
41) 차사백, 위의 책, 1936, 5쪽.

"모든 어린이를 두 줄로 가지런히 세울 것이다. 다시 각각 머리 뒤로 향해서 선 후에 공을 선두에 선 어린이가 자기 머리 위로 넘기면 그 다음 사람이 또 한 모양으로 할지라. 마지막까지 한 후에 마지막 어린이가 공을 가지고 선생에게 올 것이다. 선생은 두 줄의 중앙에 서서 받을 것이며 먼저 오는 사람이 이기는 것이다."[42]

보모는 이와 같은 지침대로 현장에서 유희를 가르쳤을 것이다. 창가라는 교수방법을 보모가 행할 때의 주의할 점으로 ① 어린이의 부정확한 발음을 교정하도록 하며 ② 항상 아름다운 음성으로서 노래하도록 하며 ③ 어린이의 음성을 주(主)로 해야 하므로 악기 소리는 작게 해야 할 것[43]을 배웠으며, 담화라는 교수방법을 행할 때는 ① 언어는 명료하고 이해하기 쉽게 하며 억양(抑揚)의 변화가 있을 것 ② 순서를 분명히 할 것 ③ 적당한 문답법을 쓰며 유아가 상상할 수 있는 여지를 남겨둘 것 ④ 유아의 경험은 반드시 유아가 스스로 말하도록 해서 활동성을 만족시키고 언어연습을 하게 할 것 등을 유의할 점으로 배웠다.[44]

보모는 보육학 텍스트에 실린 유희, 창가, 담화, 수기의 교수방법을 이론적으로 배우고 2학년 실습시간이나 졸업 후 유치원에서 근무하면서 이를 실천했을 것이다.

보모가 습득한 이와 같은 교수방법은 교과서 중심의 지식을 가르치는 초·중등학교의 교수방법과는 질적으로 전혀 다른 것이었다. 어린이의 눈높이에서 좀 더 솔직히 말하면 어린이와 같은 수준에서 뛰놀고, 노래하고, 이야기하고, 그리고 만들기를 하는 '유아적' 교수방법을 예비보모들은 배워나갔다. 1931년 7월에 처음으로 전국의 보모들이 결성한 '조선보육협회(朝鮮保育協會)'의 가장 중요한 활동이 다름 아

42) 차사백, 위의 책, 1936, 175쪽.
43) 차사백, 위의 책, 1936, 415쪽.
44) 차사백, 위의 책, 1936, 54~625쪽.

닌 유희, 동화(담화), 음악(창가)을 전국 각지의 보모들에게 전파하는 것이었다는[45] 사실에서 보모 스스로가 유희, 창가, 담화, 수기의 교수 방법의 구사를 보모의 정체성을 규정짓는 핵심 요건으로 인식했음을 알 수 있다. 이러한 측면에서 한국여성이 사회에 진출하는 데 많은 제약이 따랐던 당시, 음악·무용 등에 소질과 취미가 있는 여성들이 그녀들의 재질을 살리는 방도로 보모라는 새 직업 분야를 택하기도 하였다.[46]

4. 보모에 대한 인식

보육학교의 선생님이나 학생과 같은 당사자들은 보모라는 새로운 직업을 어떻게 인식하고 있었을까? 『이전·이보 동창회보(梨專·梨保 同窓會報)』 창간호에 다음과 같은 글이 실려 있다.

> "……**보모는 보통어머니와 訓育法**이 다르다. 언어, 동작, 표정, 상식, 지식, 음률적 태도가 판이하야 그의 자녀도 따라서 보통어머니의 자녀와는 동작, 표정, 음율이 민첩하게 발달된다. 그의 가정이 유치원이며 그의 母가 보모이다. 그야말로 어머니로서의 保姆는 그 子女에게는 理想的 保姆가 될 것이다. 새사람을 앞으로 기대한다면 새어머니 卽 直接敎育할 保姆로서의 어머니가 많이 나오기를 고대한다."[47](고딕은 연구자)

이 글에서 "보모는 보통어머니와 훈육법이 다르다"라는 글귀에 주목해야 하겠다. 보모는 어머니이지만, 동시에 일반 어머니와 구별되는 데 그 지점이 '다른 훈육법'이었다. 다른 훈육법이란 다름아닌 보육학

45) 『신가정』, 1933. 4, 50~515쪽.
46) 중앙대학교, 앞의 책, 1998, 795쪽.
47) 「이화는 보육의 모교」, 『梨專·梨保 同窓會報』 제1권, 1937, 45쪽.

교에서 서구 근대 유아교육・보육학문의 습득과 이를 토대로 유희, 창가, 담화, 수기의 유아교수방법으로 아이들을 교육하는 것을 뜻한다. 이렇게 교육받은 아이들은 그렇지 못한 아동에 비해 민첩하게 발달하게 된다는 것이다. 이처럼 보모는 서구 보육학이라는 근대적 지식과 유희, 창가, 담화, 수기라는 기술을 습득함으로써 일반어머니와 구별됨과 동시에 그녀들보다 우월의식을 갖게 되었다. 가정도 마찬가지이다. 이제 가정도 유치원과 유사할수록 '이상적' 가정이 되었다. 라이거(Reiger)에 의하면, 근대이후 모성은 각종 근대적 지식, 전문가들이 만든 표준을 학습해야 획득할 수 있는 사회적 기술로 변하여, 모성술(mothercraft)이라고 하는 것으로 되고, 그것이 여성들의 새로운 권력기반으로 작용하게 될 가능성을 시사한 바 있다.[48] 1920년대 후반부터 나타나는 식민지 한국에서의 일반 어머니에 대한 보모들의 우월의식은 이 같은 이론으로 설명될 수 있을 것이다.

이와 같이 보육학교 선생님의 글에서, 그리고 앞장의 보육학교 졸업생의 글을 통해서 보육학교에 몸담고 있었던 당사자들은 보모라는 새로운 여성 직업을 일반 어머니에 대해서 우월성을 가질 정도로 자부심을 갖고 있었다. 『이화100년사』에는 "보육학교는 비교적 짧은 교육연한과 함께 보모라는 전문직업이 보장되었기 때문에 학부모와 여학생들 사이에 인기가 매우 높았다."[49]라고 기록되어 있기도 하다. 그러면, 당시 사회는—보육당사자가 아닌—보모를 어떻게 인식하고 있었을까? 『별건곤』 1927년 3월호에 "여성직업 안내"라고 해서 '보모'를 소개하고 있다.

<유치원 보모>

48) 김혜경, 「일제하 자녀양육과 어린이기의 형성 : 1920-30년대 가족담론을 중심으로」, 김진균・정근식 편저, 『근대주체와 식민지 규율권력』, 서울 : 문화과학사, 1998, 259~260쪽에서 재인용.
49) 이화여자대학교, 앞의 책, 1994, 1175쪽.

(자격) 유치원사범과 졸업
(연령) 별로 제한이 없음
(월수) 초급 40원 오래되면 50원 이상 60원
(직업의 성질) “착한 애기 잠자는 벼개머리에 어머니가 홀로 안저 꿰매는 바지 꿰매여도 꿰매여도 밤은 안 깊어” 이와 같은 노래를 어린 아기들과 같이 부르면서 장난감을 가지고 아침부터 저녁때까지 같이 놀고 뛰기도 하며 무시로 어린아기들의 흘리는 콧물 눈물을 더럽게 생각하지 않고 말짱히 씻겨주고 하는 것이 유치원 보모의 하는 직책입니다. 몸이 아프거나 괴롭거나 곤하거나 잠시도 쉬지 못하고 뛰고 노래를 불러주어야 하는 것입니다.……아무리 정들고 귀여운 어린이들이라도 팔자에 없는 노릇을 하려는 정신으로나 육체로나 그 고통이 적지 않은 것입니다.……그러나……천진난만하게 뛰노는 모양을 듣고 보는 때에는 귀찮고 성가시던 생각은 봄눈 녹듯 다 스러지며 도리어 눈물이 나도록 귀엽고 사랑스러운 생각에 즐겁고 기쁨이 끝이 없다합니다.

이 글에서는 아이들과 함께 생활해야 하는 보모라는 직업이 꽤 고단한 직업으로 기술되어 있다. 아이를 돌보는 것이 육체적으로나 정신적으로 피곤하고 힘들다는 것이다. 한편, 월급인 초급 40원은 보통교원의 초급인 45원, 중등교원의 초급인 70, 80원과[50] 비교하면 상대적으로 낮은 수준의 급여였다. 상급학교 교원에 비해 보모는 급여나 사회적 인식 면에서 낮게 평가된 것으로 짐작된다.

더 나아가 보모는 사회적 비난의 대상이 되기도 했다. 1934년에 ‘유치원 폐지론’을 주제로 약 3개월 동안 『조선중앙일보』에 일련의 기사들이 실렸는데,[51] 이 중에서 1934년 11월 13일부터 12월 6일까지의 기

50) 「여자 직업 안내」, 『별건곤』, 1927. 3, 296쪽.
51) 『조선중앙일보』, 1934. 10. 12. “보내야 올흐냐? 안보내야 올흐냐? 응석바지를 그곳에 보내 맘껏 뛰놀게 하라”(이만규) ; 1934. 10. 13. “지금 조선의 유치원을 나는 반대한다” ; 1934. 10. 14. “유치원을 업새고 그대신 公園을 만들자” ; 1934. 10. 16. “나는 유치원이라는 것을 근본적으로 반대” ; 1934. 10. 17.

사가 "유치원 개혁은 보육학교서부터"라는 주제로 지면이 채워졌다. 오늘날 유치원의 문제가 많은데 이를 해결하기 위해서는 보육학교에서부터 개혁이 시작되어야 한다는 내용들인데, 기사 제목을 열거해 보면, "보모는 제2의 어머니 좀 더 삼가뽑으라",[52] "음악회 열 번보다 동요회를 한 번이 필요",[53] "발부치고 이 땅의 현실에 着眼하도록",[54] "진정한 보모는 노픈 스승미테서",[55] 배화여고의 김윤경이란 사람이 상·중·하 3번을 거쳐 쓴 "보모교육에 대한 나의 의견 나의 요구",[56] "남을 탓하기 전에 반성함이 잇스라", "철업는 아기네의 천진성을 유린말라", "어른도 어려운 외국의 동화·신화" 등이다. 얼핏 봐서는 비판의 내용을 잘 알 수 없는데, 자세히 들여다보면 '보모'에게 주로 비판의 논점이 맞춰져 있다. 즉, 1930년대 유치원의 무용론(無用論)이 제기되면서 그 문제 원인을 보육학교로, 보육학교에서 다시 보모로 비판의 초점이 집중되면서 논의되었다.

> "(보모 중에는) 우울한 성격을 가진 이가 많습니다. 보모란 어린이들의 생모 다음에 가는 제2의 어머니라 하겠습니다. 그런데 보육학교에 들어온 사람들이 전부가 그런 것은 아니지만 다른 학교와 비교하여 대다수의 우울한 처지에 사람들이 많이 모여 있는 것이 사실입니

"불조아지들의 돈작락인 유치원을 업새라" ; 1934. 10. 19. "가정에서 들복느니 유치원에 보내라"(김활란) ; 1934. 10. 20. "이번 이 논전은 우리에게 만흔 교훈을 준다"(윤치호) 윤치호는 유치원을 지지하는 입장이었다. ; 1934. 10. 21. "젊고 경험업는 처녀로는 보모자격이 업다"(김동인) ; 1934. 10. 24. "거기 보내느니 차라리 집에서 놀리라" ; 1934. 10. 25. "실로 중대한 문제는 유치원의 교회화" : 신문기사 제목만 보더라도 당시 유치원의 可否에 대해 다각적 측면에서 팽팽한 논쟁이 있었음을 알 수 있다. ( )의 이름은 우리가 흔히 알고 있는 사람 중심으로 연구자가 기입한 것이다.

52) 『조선중앙일보』, 1934. 11. 14.
53) 『조선중앙일보』, 1934. 11. 15.
54) 『조선중앙일보』, 1934. 11. 16.
55) 『조선중앙일보』, 1934. 11. 17.
56) 『조선중앙일보』, 1934. 11. 18.

다. 전문학교에 가자니 처지가 어렵고 또는 자격이 부족해서 갈 수 없는 사람들이 대개 가는 곳이 보육학교라 할 수 있겠습니다."[57]

"근래 유치원의 결함은 보육학교 결함에서 나왔다고 볼 수 있다.……현재 보모들을 보면 간혹 너무 몸치창을 한다든가 아이들을 대하는데 쌀쌀하게 대하는 등 보육학교 당국자들은 이것을 좀 더 단속해야 할 것이다."[58]

유치원의 무용론을 논의하면서 결국에는 보육학교에서 자질이 부족한 여성을 보모로 양성하기 때문에 유치원 무용론에 이르게 되었다는 논리이다. 즉 유치원 무용론의 주범이 바로 보모라는 것이다. 보모의 "외모가 사치스럽다",[59] "현실인식이 부족한 아가씨들이다",[60] "쌀쌀맞다", "결혼 전까지 생활보장을 위해 일시적으로 보모를 한다"[61] 등의 보모 개개인의 자질 문제로 환원되고 있었다. 보모에 대한 사회적 인식은 보모 당사자들이 스스로 자부심을 갖고 있었던 것과는 상당한 괴리가 있었다. '유치원 가부론(可否論)'에 대한 사회적 논쟁은 이듬해에도 계속되었다. 그 내용도 대동소이하다.

"유치원의 소기한 목적만 달성하고 진리의 교육을 주고 못주는 것은 오즉 보모의 인격과 지도방법이 좋고 아니 좋은데 달려있다. 유치원을 비평하는 이는 현재 유치원의 보모들이 너무나 직업화하였다고 한다. 보육학교나 혹은 그만 못한 정도의 학교를 나온 후 교육에 대하야 아무 이상 결심도 없이 오죽 待婚期의 일종 방편으로 유치원의 보모가 된다고 한다."[62]

---

57) 『조선중앙일보』, 1934. 11. 14.
58) 「음악회 열 번보다 동요회 한 번이 필요」, 『조선중앙일보』, 1934. 11. 15.
59) 『조선중앙일보』, 1934. 11. 15.
60) 『조선중앙일보』, 1934. 11. 16.
61) 『조선중앙일보』, 1934. 11. 21.
62) 「幼稚園 可否論」, 『신가정』 1935. 3, 34쪽.

이상의 내용을 정리해 보면, 1930년대 유치원이 무용론, 가부론의 문제로 도마 위에 놓였을 때, 유치원의 교육철학인 '자연주의 교육사상'이라든가 유치원의 교수방법인 '유희, 창가, 담화, 수기'의 교육적 가치를 논쟁하기보다는, 잘못의 '탓'을 보모에게 돌리면서 보모에게 책임을 전가하는 양태를 보였다.

5. 보모 탄생의 숨은 의미 : 식민지 시기 새롭게 탄생한 '제2의 어머니'

지금까지 식민지 시기 새롭게 탄생한 여성 직업의 하나인 '보모'가 왜 등장하게 되었는지, 어떠한 교육과정을 거쳐 양성되었으며 그 교육의 성격은 무엇인지, 당시 보모에 대한 인식은 어떠했는지에 대해 보모 당사자와 사회 각각의 입장을 고찰하였다. 지금까지 연구 결과를 가지고 근대 이후 탄생된 보모의 숨은 전제나 의미를 여성학적 관점에서 비판적으로 논의하려 한다.

전통사회에서는 미취학 아동의 양육·보육·교육이 사적 영역에서 해결되었다면, 근대 이후 프뢰벨이 유치원을 설립하면서 공적 영역으로 옮아갔다. 그리고 여기서 아이들의 보육을 담당해야 할 인력이 필요하게 되었고, 이러한 맥락에서 탄생된 것이 '보모'이다. '보모'의 탄생은 아동의 보육이 누구나 아무 곳에서 아무렇게나 해서는 안 되는, '전문성'을 요구하기 시작했음을 의미한다. '보모'는 보육전문가인 것이다.

19세기 페미니스트들은 보육이 공적 영역에서 전문성을 가진 하나의 영역으로 구축되었다는 점에서 프뢰벨을 지지하였다. 요컨대, 프뢰벨에 의해 여성의 가치가 새롭게 논의되고 특별한 능력으로 간주되면서, 여성이 이전에는 불가능했던 공적 활동의 기회를 획득하게 되었기 때문이다. 프뢰벨의 관점을 따르는 여성들이 '정신적인 모성(spiritual motherhood)'의 개념을 만들어 내면서 책을 쓰고 강연을 하며 유치원 교육을 통해 공적 영역에서의 여성의 활동을 정당성을 부여받았다.[63] 분명, 이러한 측면에서 '보모' 탄생은 오랫동안 가정이란 사적 영역에서 제한되어 있었던 여성을 공적 영역으로 나오게 했다는 점에서 긍정적인 평가를 받을 수 있다.

그러나 20세기로 들어서면서 프뢰벨의 사상은 도전받게 되었다. 프뢰벨은 여성이 교육을 통해 독립을 획득하는 데는 무관심했기 때문에 여성해방문제에 대해서는 동의하지 않았으며, 다만 여성은 교육적 기술과 아동에게 말하는 법, 아동 놀이를 지도하는 방식을 가르쳐야 한다는 그 주장의[64] 한계가 드러나면서부터이다. 이 연구에서 다룬 보모가 되기 위한 조건 두 가지인 1) 덕성함양과 2) 유희, 창가, 담화, 수기의 교수방법 습득에서 프뢰벨의 이 같은 주장을 확인할 수 있었다. 유치원의 가부론을 이야기하면서 한 남성 지식인 보모에게 충고했던 글이다.

> "보모는 아동들의 동무이며 선생은 되지 말 것이다. '가르치'는 이가 되지 말고 아동들과 같이 '노는' 이가 될 것이다. 사랑의 원천인 '어머님'이 될 것이오 이지적으로만 인도하는 '훈련자'가 되지 말 것이다. 아동발달에 관한 지식소유자로써 아동들의 고유한 재능을 더 낳은 수준으로 인도하는 이가 될 것이다."[65]

이에 반해 상급학교 교원에게는 경우에 따라서는 학생들에게는 '체벌'이 '금'보다 더 값진 것이라고 하면서[66] 학생에 대한 교사의 '권위'

---

63) G. S. Cannella 저, 유혜령 역, 『유아교육이론 해체하기』, 서울 : 창지사, 2002, 197쪽.

64) G. S. Cannella 저, 유혜령 역, 위의 책, 2002, 197쪽.

65) 『신가정』 1935. 3, 35쪽.

66) K. O. OH, "important ideas in Korean schools from the Korean

를 정당한 것으로 부여했던 것과 비교해 볼 때, 보모에게 아이들의 선생님이 아닌, 친구・어머니가 되라는 충고의 그 이면에는 순종・희생・복종을 여성의 가치 있는 덕목으로 여전히 인식하는 가부장적 태도가 느껴진다. 다시 말해서 보모—아동 관계에서는 상급학교 교원이 가졌던 '권위'는 찾아볼 수 없으며—오히려 권위를 가진 보모는 바람직하지 않은 교사였다—결국, '권위'가 배제된 보모는 최고 수준의 학교 단계에서 서구 근대의 지식을 습득한 엘리트 여성이었다 하더라도 일반 어머니에게만 우월의식을 가졌을 뿐 사회적으로 무기력한 존재였다. 예전이나 지금이나 남자 보모의 부재(不在)는 연구자의 이 같은 주장이 과하지 않다는 것을 의미한다.

그루멧(Grumet)이 "단순히 여성이 가르치는 일을 맡은 것이라기보다는, 가르치는 일, 곧 교육이 여성을 맡았다"[67]라고 예리하게 지적한 것처럼, "여성이 보육을 맡은 것이 아니라 보육이 여성을 맡은 것이다."라고 하는 것이 적절한 표현일 것이다. 가부장적 권위 속에서 여성이 공적 영역에서 어린이를 '가르치는 일'을 담당하게 되자, 복종・순종・희생의 봉건적 여성이데올로기를 아동과의 관계맺음에 결부시켜 '보모'를 개념화했고 여성(만)이 이를 수행하게 되었다.

한 가정에서 자녀교육이 잘못되면 일차적으로 어머니에게로 그 책임이 고스란히 전가되는 것처럼, 유치원 가부론의 논쟁에서 유아교육의 잘못을 보모의 문제로 환원하였던 사실에서, 보모는 근대 이후 가부장적인 권력구조를 전제로 남성 지식인들 그리고 이를 추종하는 여성 지식인들에 의해 만들어진 공적 영역에서의 '제2의 어머니'였다. 온갖 수사로 미화・찬양하지만, 그에 합당한 사회적 대우, 권리는 없고 책임과 의무만 강요하는 어머니와 그 본질이 너무도 흡사하기에.

---

standpoint", *KMF*, 1914. 10, 318쪽.

67) M. R. Grumet, *Bitter Milk : Women and teaching*. Amherst : University of Massachusetts Press, 1988, 33쪽(G. S. Cannella 저, 유혜령 역, 앞의 책, 2002, 273쪽에서 재인용).

Ⅴ. 종합적 논의 : 여성과 직업, 보육, 그리고 국가

지금까지 식민지 한국에서의 유치원과 탁아소, 탁아소는 다시 도시형과 농촌형을 구분해서 고찰하였다. 고찰한 내용을 토대로 Ⅴ부에서는 보육과 여성, 그리고 국가의 관계에 대해 여성주의 관점에서 비판적으로 논의하고자 한다.

'근대'라는 패러다임으로 전환되기 시작하면서 여성은 유사(有史)이래 처음으로 제도권 학교교육의 대상이 되면서 '배운 여성'이라는 신여성 집단이 등장하기 시작하였고 학교교육을 받은 여성들은 공적 영역의 직업을 가질 수 있게 되었다. 식민지 시기 여성들은 남성지식인들의 점유하고 있던 교사, 의사, 기자와 같은 화이트칼라 직업군에 소수지만 진출하기 시작하였다. 그러나 직업여성들은 블루칼라 직업군에 더 많이 포진하고 있었으며 그들은 대다수 하층민들이었다. 다음 글은 1930년대 숙명여고보와 경성사범학교를 마치고 보통학교 교원을 지낸 한 지식인 여성이 잡지에 기고한 글인데, 조선여성들이 직업을 갖게 되는 사회적 배경과 원인을 정확하게 진단하고 있었다.

"근대 자본주의 발달의 필연적 현상으로 품삯이 싼 부인노동자와 소년노동자를 날로 더욱 더욱 동시장으로 끌어들이게 되는 것은 당분간 어찌할 수 없는 사실인 것 같다.……여러 가지 종류의 직업여성이 날로 늘어가게 됨을 따라서 여성직업문제가 오늘날 우리 조선사회의 중대문제를 일으키게 되었다.……우리는 여성이 직업을 가지는데 대하여 그른 것을 말하기 전에 먼저 그 원인을 생각할 필요가 있지 않은가 한다.……그 하나는 부인해방의 한 수단으로서의 경제적으로 독립하겠다는 의식에서 직업부인이 되는 것이며 다른 하나는 먹고 입고 살기를 위하여—즉 생활난(生活難)으로 인하야—직업부인이 되는 것이라고 볼 수 있다. **그러나 조선 직업부인의 대다수는 남성과 평등하게 되려는 선결조건 즉 경제적 독립을 하겠다는 의식을 가지고 직업에 진출한다는 것보다도 당장 기한(飢寒)이 도골(到骨)하게 되는 생활난에 부대껴 찬밥덩이라도 얻어먹고 살려는 생존욕 때문에 문을 박차고 나오게 되는 것이 아닌가 생각한다.**"[1](고딕은 연구자)

직업여성의 대다수는 하층민 여성들인데, 이들이 직업을 갖게 되는 주된 원인은 '생존'을 위해서이다. 직업은 여성해방을 위한 경제적 독립과 같은—이 맥락은 Ⅲ부의 1. 탁아소에 관한 수사(修辭)에서 이미 언급했듯이—'고상한' 차원이 아니라 생존 자체가 시급한 하층민 여성들의 '어쩔 수 없는' 선택 내지는 강요의 결과라는 것이다. 이유 여하를 막론하고 근대화, 산업화, 도시화의 추진과정에서 전통사회와는 달리 여성에게 직업이 '공식화'되면서 보육문제는 필연적으로 동반될 수밖에 없었고 사회적 문제로까지 대두되었다. 그런데 보육문제를 바라보는 시각이 입장에 따라 달랐다. 위의 글을 쓴 허영순(許永淳) 같은 여성은 직업여성의 직업과 가정의 이중 부담을 국가가 앞장서서 해결해야 한다고 주장하면서 국가가 책임져야 할 일들 중의 하나가 자녀교육임을 주장하였다.

"……**자녀의 교육비를 국가에서 부담하도록 하여야 할 것이다.** 웨그런고 하면 즉 아이는 결코 一개인의 아이가 아니라 국가 사회의 한 구성분자인 동시에 그(국가와 사회)장래 성쇠홍망의 무거운 책임의 一부분을 지게 되는 터인즉 그 부모된 이에게만 자녀교육의 책임을 지

1) 許永淳, 「여성과 직업문제」, 『신가정』 제13권 2호, 1935. 2, 69쪽.

> 워둔다는 것은 불합리하며 또한 무리한 일이다. 하물며 임신 산아 육아와 같은 여자에게만 있는 소위 천직—이것만은 하기 싫던지 좋던지 여성으로서는 병신이 아닌 다음에는 누구나 다하는 일이기 때문에 천직이라고 한다—을 가지고 세상에 태어난 여성에게 그 밖에 자녀교육비와 한 가족의 생활비를 부담시킨다는 것은 근본적으로 무리한 일이다. **도리어 아이를 낳아서 젖을 먹여 기르는 어머니 된 여성에게는 국가나 사회에서 그 생활비를 보장하여 줄 뿐만 아니라 거기대하야 상당한 보수를 주어야 맛당하다고 생각한다.**……”[2](고딕은 연구자)

아이교육의 책임은 가정뿐만 아니라 국가에게도 있으며 더 나아가 아이를 낳은 여성에게 합당한 대우(보수)를 지급해야 한다는 주장은 오늘날 관점에서 보아도 상당히 진보된 생각이다. 그러나 이와는 상반되는 입장도 있었는데 여성이 직업을 갖게 된 것은 “기쁜 현상”이지만 동시에 “비극”이 존재한다고 하면서 여성 본연의 임무—천직이라는 이름의—를 망각하지 말 것을 경고하였다.

> “……참으로 현대는 인류의 수란시대입니다. 안(內)에서는 가정을 잘 지키며 자녀를 양육하고 남편을 도와 살림을 해 나아가야 할 여성 본래의 천직을 무시하고 혹은 가정을 나와, 혹은 가정을 등한(等閑)히 하고 혹은 자기의 유아를 떼어놓고까지 일터로 나아와서 벌지 않으면 안되게까지에 우리들의 생활문제가 막다른 골목으로 절박해 왔나하면 새삼스럽게도 현대사회의 불안과 공포를 아니 느낄 수 없는 것입니다. ……”[3]

이 글을 기고한 사람도 동경유학까지 갔다 온 의사직업을 가진 엘리트 여성이다. 이 여의사는 여성이 직업을 갖게 될 수밖에 없게 된 현대사회가 불안과 공포스럽다고 진단하면서 여성의 본질은 ‘모성애’

---

2) 許永淳, 위의 글, 1935. 2, 73쪽.
3) 張文卿, 「직업여성과 육아」, 『신가정』 제13권 2호, 1935. 2, 79쪽.

에 있다는 지극히 가부장적인 사고방식을 전제로 하고 있었으며 탁아소를 설치하자는 주장은 "아무리 직업여성이라 하더라도 될 수만 있으면 이 유아보육을 위해서는 직업을 희생하고까지라도"[4]라는 인식에서 나온 것이므로 소극적이고 부정적일 수밖에 없었다. 결국, 여성이 직업과 육아를 병행하기가 어려울 때 직업을 포기하는 것은 당연하다는 결론을 내리게 된다.

> "……「육아는 어머니 손으로!」 이것은 평범한 말 같으면서도 또한 진리입니다. 자기의 아이를 아무리 다른 사람이 친절하고 의리와 인정이 두터운 사람이라 하더라도 어떻게 그 보육을 맡기어놓고 안심할 수 있습니까? 유아의 보육이 잘못되면 그 아이의 일평생에 불행을 가져오게 되는 가장 큰 중대문제인 것을 어머니 자신이 깨달을 수 있다면 어떻게 남의 손에다 제 아이를 맡기겠습니까. 남은 아무래도 무책임하다는 것을 잊어서는 안됩니다. **직업을 버릴 것인가? 육아를 맡을 것인가?** 이렇게까지 조선의 직업여성제군은 고민하기도 할 것이나 말하자면 **육아를 위해서는 직업을 버려야 할 것입니다.** 그러나 직업이 없이는 도저히 육아뿐만 아니라 살어갈 수 없는 형편이라면 여기에는 다만 진퇴양난의 현실의 악희가 젊은 모성애를 슬프게도 짓밟을 뿐이겠지오. **젊은 조선의 모성이여! 당신의 자녀는 당신의 젖을 먹이어 키우고 당신의 품속에서 당신의 손으로 어루만져 키우십시오.**"[5](고딕은 연구자)

직업을 가질 수밖에 없는 여성들은 슬프지만 어쩔 수 없다고 하면서 육아는 남의 손이 아니라 어머니가 직접 손수 해야 한다는 내용이다. 이처럼 식민지 시기 여성들은 직업과 육아의 양자택일에 놓이게 되었고 선택의 기로에서 후자를 선택하는 것이 '바람직한' 여성으로 상정되었다. 그리고 국가는 '바람직한' 여성을 만들기 위해 '근대 모성

4) 張文鄕, 위의 글, 1935. 2, 83쪽.
5) 張文鄕, 위의 글, 1935. 2, 90쪽.

아이와 엄마 : 육아는 어머니만의 몫이 되었다.

이데올로기' 또는 '현모양처 이데올로기'라는 새로운 이데올로기를 동원하였다. 이는 여성을 가부장 사회의 심성에 맞도록 의식화하는 작업으로서 근대 이후 공적 영역으로 '공식적'으로 진출할 수 있게 된 여성을 가정 안으로 묶어두려는 기제로 작동하게 되었다.

서러(Thurer)에 의하면, 여성은 각 시대별로 그 이상형을 달리해 왔는데 18세기 이후 여성(어머니)은 가정의 '천사'로 비상(飛上)하게 되면서 모성이 개혁되는데,[6] 근대 이후 '바람직한' 어머니는 직업 활동을 하는 '공적'인 사회구성원이 아니라 가정에서 가사노동자, 자녀 양육자, 남편 내조자로서 가정을 '안락한 휴식의 공간'으로 만드는 '사적'인 존재로 새롭게 규정된 것이다. 서러(Thurer)도 지적했듯이, '근

6) S. L. Thurer, 박미경 역, 『어머니의 신화』, 서울 : 까치, 1996, 255~273쪽.

대 모성이데올로기'에 있어 여성의 가장 중요한 역할이 '배타적'인 자녀양육이다. 한때 어머니와 아버지를 포함한 모든 가족구성원들 또는 아버지들이 주로 담당했던[7] 자녀교육의 의무가 이제는 어머니만의 배타적인 영역으로 바뀌게 되었고,[8] 이제 가정에서 '배타적'인 자녀양육자로서의 여성은 자신의 꿈과 직업을 포기하고 자녀들에게 충실하고 종속적이며 정숙한 어머니로 살아가는 존재로 새롭게 규정되었다.[9] 그리고 식민지 시기부터 이와 같은 '근대 모성이데올로기'가 중산층의 배운 여성들을 중심으로 점차 수용되기 시작하였다.[10] 이때부터 여성은 '새로운'(=서구적) 육아지식을 배우고 이를 토대로 육아를 해 나갈 것을 요구받았다. 다시 말해서 자녀를 양육하는 데 있어 전통과는 전혀 다른 방식인 '위생과 영양', '수량화된 양육표준', '시간에 의한 아동관리' 등 소위 '과학적인 양육법'으로 무장해서 어머니가 전담해서 자녀를 키우는 것이 '바람직한' 여성의 역할이자 자녀양육방식으로 변화되었다.

근대 이후 훌륭한 어머니란 자녀에 대한 사랑과 희생이라는 '감성'과 더불어 근대 학문을 습득하여 자녀를 과학적으로 양육하는 '이성'적 태도를 모두 겸비한 여성을 의미한다. 이러한 '이성적' 지식과 태도를 겸비하는데 주력했던 것이 제도권 여학교였다. 당시 여자고등보통학교의 교육목표가 '현모양처'[11]였다는 점에서 여학교는 근대적 모성

---

7) 조선시대 선비들의 일과에서 중요한 부분을 차지하던 자녀의 교육을 보면, 아버지가 하루 5~6차례씩 자녀의 독서를 지도한 것으로 나타났다(김혜경, 「일제하 자녀양육과 어린이기의 형성」, 김진균·정근식 편저, 『근대주체와 식민지 규율권력』, 서울 : 문화과학사, 1998, 229쪽).

8) S. L. Thurer, 앞의 책, 1996, 274쪽.

9) 이윤진, 앞의 논문, 한국교육학회, 2004, 185~204쪽 참조. '배타적'이란 용어를 사용한 것은 기존의 유모에 의한 대리양육을 전면적으로 비판한 것이 '근대 모성이데올로기'이기 때문이다.

10) 김혜경, 앞의 논문, 259~264쪽.

11) 「高等女學校規程」 제1조 : 고등여학교는 여자에게 마땅히 요구되는 고등보통교육을 시행하고 특히 국민도덕의 함양, 婦德의 함양에 뜻을 써, 良妻賢母

이데올로기를 여학생들에게 적극적으로 의식화하고 재생산하는 공식 기관이었던 것이다. 식민지 한국의 어려운 현실 속에서 학교교육을 받은 여학생들을 '특혜자'라고 추켜세우면서 인류공영을 위해 이 여성들에게 주문한 내용은 다름 아닌 '주부'가 되는 것이었다.

"풀잎사귀와 나무껍질로도 그날 그날의 생활을 유지하야 가지 못해서 애통하고 있는 사람이 얼마나 많겠습니까? 또 수천 년 수백 년 살어내려오던 이 땅을 할 수 없이 버려버리고 북으로 압록강 두만강을 건너서 남북만주로 흩어지고 남으로 현해탄을 건너서 정처없이 나가는 무리가 그 얼마나 되겠습니까? 이러한 가운데서 상급학교에 와서 공부하게 된 여학생 여러분은 남다른 생각이 있지 아니하면 아니되겠습니다. 남보다 일을 많이 해서 우리사회를 향상시키고 따라서 인류사회에 공헌하는 바 있어야 할 것입니다.……여학생들에게 특별히 두 가지를 말씀하려고 하는 것입니다. 첫째, 여학생들은 일을 잘하기를 명심하여야 할 것입니다.……내가 여기서 일이라고 하는 것은 가정에 있어서 하는 일을 가리키는 말입니다.……가정에서 하는 일을 잘 처리하고 못하는데 따라서 그 가족간 개인의 활동하는 능력이 커지고 적어진다고 할 수 있는 것입니다. 누구든지 한 사람은 가정에서 책임을 지고 그 일을 해 나가야 할 것입니다. 누가 그것을 해야 하겠는가 하면 그것은 여자에게 맡기는 것이 적당하다고 하지 아니할 수 없습니다. 여자는 아이를 낳고 또 그 아이를 젖먹이는 자연적 직책이 있은 터로

로서의 자질을 얻음으로써 忠良至醇한 황국여성을 양성하는데 노력한다. 제12조 6항 : 女性의 心身特質을 알게 하여 결혼생활 및 육아에 관한 사항을 깨닫게 한다. 제12조 8항 "각 學科目의 敎授는 그 目的 및 方法이 잘못되지 않게 서로 連絡하여 協助하고, 將來 家庭主婦나 어머니가 될 만한 自覺을 촉구하고 여성의 公務를 깨닫게 하여, 家庭生活上 특히 필요한 사항에 관해 항상 반복하여 知能의 硏磨를 도모하고, 공히 國家社會의 進運에 順應하는 皇國女性의 養成에 힘쓸 것을 趣旨로 한다(朝鮮總督府 學務局, 「高等女學校規程」, 『植民地朝鮮敎育政策史料集成』 4, 1938, 59~76쪽). 일제 강점기 여학교와 관련된 내용은 현경미, 「식민지 여성교육 사례연구－경성여자고등학교를 중심으로－」, 서울대학교 석사학위논문, 1998 참조.

> 가정에 많이 있지 아니할 수 없게 됩니다.……여자는 살림하는 사람이 되어야 하겠습니다.……"[12](고딕은 연구자)

여성에게 학교교육은 한 개인의 직업을 통한 자아실현을 목적으로 하는 것이 아니라 가정을 책임지고 꾸려나가는 데 궁극적인 목적이 있었던 것이다. 여성은 가정이란 테두리 안에서만 인정받는 존재이자 가치있는 존재로 규정되면서 남편이나 자식을 통한 '대리적'인 자아실현만이 가능하며 바람직한 것으로 여겨졌다.

> "……여자는 천재가 될 수 없다는 것을 말하였다.……그리고 여자는 원칙적으로 천재가 될 수 없지마는 오직 한 가지 천재는 될 수 있다는 것을 말하였다. 그것은 여자 자신은 천재가 될 수 없지마는 여자는 천재를 남(生)으로 말미암아 비로소 천재가 될 수 있다는 것을 예외 단서적 결론을 붙여서 말한 것이다. 즉 여자자신은 천재가 될 수 없으나 천재의 아들을 낳고 천재의 아들을 키워주고 천재의 남편을 만들어 주는 것으로써 천재가 될 수 있는 것이다.……"[13]

여기서 우리가 비판적으로 접근해야 할 것은 이처럼 '새롭게' 설정된 어머니로 살아갈 수 있는 여성은 현실적으로 경제력을 갖춘 남성과 결혼을 한 중산층 이상의 여성만이 가능하다는 점이다.[14] 다시 말해서, 여성이 자녀양육에만 전념해서 자녀를 천재로 키울 수 있는 상황은 부엌 찬장에 먹을 것이 가득 있는 가정에서나 가능한 일인 것이다. 하층민 여성들이 '직업을 갖는 것'이 아니라 '가질 수밖에' 없는 사회구조 속에서 이들 여성들이 과연, 하루 종일 가정에서 자녀양육에만

12) 「여학생들에게」, 『신가정』, 1935. 9.

13) 「천재와 여자」, 『신가정』, 1935. 9, 109쪽.

14) 이와 같은 맥락에서 이윤진은 루소이후 형성된 유아교육학(아동중심교육학)의 성격은 근대 서구 시민계급의 이데올로기를 반영한 근대의 발명품이라 하였다(이윤진, 앞의 논문, 2004, 200~201쪽).

몰두하는 '바람직한' 어머니 역할을 수행할 수 있었을까?

그러나 이와 같은 자녀양육에만 전념하는 '훌륭한' 어머니만이 현실에 존재한다고 보는 국가의 인식과 태도에 문제의 본질은 있다. 싸순(Sasson)에 의하면, 근대화를 통해 전통사회가 와해되고 새롭게 구조화되면서 도시에서는 남성은 공적 영역에서 일을 하고 그의 아내가 집안에서 가사노동을 전적으로 맡아서 한다는 것을 전제로 모든 사회 분야들이 조직화된다고 비판하였다.[15] 즉, 국가는 노동시장과 가정의 두 영역을 넘나드는 여성이 현실적으로 존재하더라도 무시하거나 없다고 간주한다는 것이다.

근대화로 재편되는 식민지 시기에 각종 직업을 가진 여성들이 등장했지만 직업여성을 위한 보육정책은 전무(全無)했으며 설사 유치원과 탁아소가 설립되었다 하더라도 여성의 경제활동을 지원하는 지지책으로 기능하지 못했다는 사실이 이 같은 주장을 입증해 준다.

유치원은 법령상으로는 「조선교육령」에 명시된 교육기관이었지만 실질적으로는 개신교의 확대를 위한 '복음주의 기관'으로 기능했으며 '반일제'로 운영되었기 때문에 여성의 경제활동 측면과는 무관하였다. "유치원이 필요하다"는 당시의 주장을 보면 주로 가정교육의 결함을 보완하기 위해 유치원이 설립되어야 한다고[16] 했지만, 오히려 실제로는 무산자 가정에 비해 자녀양육에 충실할 수 있는 조건을 갖춘 유산자 아동들의 점유물이었다.

탁아소는 담론이나 실질적인 운영면에서 유치원보다는 여성의 경제활동 지원이라는 측면은 있었지만 양적으로 손에 꼽힐 정도로 너무

---

15) A. S. Sasson, 한국여성개발원 역, 『여성과 국가』, 서울 : 한국여성개발원, 1998, 156쪽.

16) 차사백, 「유치원의 필요」, 『우리집』 1권(창간호) 동계호, 1931, 26~27쪽. 결함이 있는 가정으로 1) 부모가 우환이 있는 경우 2) 부모가 편친인 경우 3) 생업으로 자녀교육을 할 틈이 없는 경우 3) 옛습관과 그 밖의 다른 관계로 하인에게 맡기는 경우 4) 가정생활이 불량한 경우를 열거하였다.

도 적었으며 대부분 개인차원에서 설립되었다는 사실에서 직업여성에 대한 일제 당국의 무관심을 확인할 수 있었다. 도시화, 산업화로 인해 이웃과의 연대가 약해지면서 보육문제는 사회적 문제로 확대되었지만, 양적으로 극히 적었던 도시상설 탁아소는 이 기관의 수혜를 받을 수 있는 아동 역시 극히 일부였음을 말해 준다. 더군다나 빈민층 자녀들을 수탁했던 공단 주변의 도시상설탁아소는 부모가 보육료를 지불하는 '수익자부담의 원칙'에 따라 운영되었기 때문에 보육료를 지불하지 못하는 가난한 부모를 둔 아이들은 거의 무방비 상태에 놓여있을 수밖에 없었다. 당시 빈민층 아동들의 열악한 보육 실태는 '육아의 책임은 여성(가정)에게 있다'라는 국가의 '숨은' 의도를 반증하는 것이다. 일제 강점기 조선 여공의 값싼 임금으로 인한 고용 증가와 만성적인 취업난이 서로 맞물리면서 빈민층 기혼 여성들의 임금노동화가 빠르게 진행되고, 여공들이 의식화되면서 탁아소에 대한 수요는 증가했지만 탁아소 설립에 대한 일제의 무관심은 근본적으로 여성노동에 대한 가부장적인 입장을 보여주는 것이다.

여성을 국가의 중요한 노동인력으로 규정하고 추진한 농번기탁아소는 양적으로는 도시상설탁아소와는 비교도 안 될 정도로 엄청나게 많이 설치되었다. 그러나 국고지원이 거의 없었기 때문에 농번기탁아소는 열악하게 운영될 수밖에 없었고 따라서 여성노동은 수탈과 착취의 대상이었을 뿐이다. 더군다나 공적 영역으로 끌어들이면서 일제는 '효부' '효녀' '절녀'를 표창하는 등 봉건적인 여성이데올로기를 계속해서 확인시켰다는 사실에서[17] 여성 노동에 대한 국가의 이중적인 태도를 읽을 수 있다.

17) 『매일신보』, 1942. 2. 12. 이외에도 조선총독부의 『朝鮮總督府 時局對策調査會 諮問答신안 시안』(1938년 9월)에서 "생활쇄신"을 위해 '부인의 자각을 촉구하고 옥외활동을 장려 훈치할 것'을 위해 내린 지침에서 "부인에 대한 교화는 양처현모주의로써 임하고 그의 수신제가는 물론 가정교육, 일상경제 등은 오로지 부인의 담임으로서 夫인자로서 後顔의 優를 하지 않도록 할 것"이라고 명시하였다(강정숙, 앞의 논문, 1993, 15쪽 재인용).

흥미로운 사실은 여성과 보육을 사적인 영역으로 머물게 만드는 데 중추적인 역할을 한 '근대 모성이데올로기'가 세기가 바뀐 21세기 우리 사회에서 여전히 충실하게 작동하고 있다는 것이다. 다음은 한 여성잡지에 중학생 자녀를 둔 취업모(就業母)가 겪은 일을 실은 글인데 자녀교육에 집착하는 한국여성의 일그러진 삶의 모습을 엿볼 수 있다.

> "……소위 잘 산다는 동네의 어느 중학교. 입학식 신입생 선서를 누굴 시킬 것인지, 선발 기준을 글짓기로 하겠다고 발표했단다. 어머니들이 워낙 극성인 동네라 특정아이를 잘못시켰다가 기준이 뭐냐고 항의가 빗발칠 것을 염려한 학교 측에서 낸 궁여지책이었을 것이다. 그랬더니 대한민국의 장한 어머니들! 며칠 사이 글짓기 집중과외에 돌입했단다. 긴급 공수 글짓기 과외를 받은 학생들 중 누군가가 급조한 실력 덕에 선서자로 선발되었는지는 알 수 없는 일이다. 하지만 선정된 선서자를 두고 일부 어머니들 사이에선 글짓기는 요식행위였다고, 신학기 학부모회의에 가서 이 이야기를 듣고 와 전해주던 그 학부모는 학부모회의에 가야 아이의 한 학기 스케줄을 꿸 수 있는데 왜 안 갔느냐며 추궁했다.……지난 해 아이의 친구 엄마로부터 전화가 왔다. 자기 아이와 함께 과외를 하자는 것이었다. 나는 학원의 그룹(대개 이 동네 학원은 엄마들끼리 아예 한 팀을 짜서 일정 금액을 만들어 들어간다)에 끼어들지 못해, 학원비의 두 배나 되는 과외비를 들이고 있는 터였다. 고맙다는 말을 수십 번 하며 반갑게 동의를 했다. 과외학원은 집에서 상당한 거리에 있어 엄마들이 차편으로 데려다 주어야 했다. 일주일씩 돌아가면서 담당을 하기로 했지만, 나는 장롱면허 소지자인데다 운전을 하더라도 직장을 다니기 때문에 낮에 맘대로 나올 수도 없는 형편이었다. 하는 수 없이 엄마들에게 사정을 얘기했다. 그랬더니, 한 엄마왈 "저는 아이 교육을 위해 다니던 직장을 그만 두었어요?" 한다. 다른 전업주부 엄마들이 필자를 쳐다보는 눈빛이 "당신 친엄마 맞아?"다.……대한의 엄마들은 이렇게 정말 바쁘다. 이렇게 아이의 교육과 교통편의의 충실한 운전자가 되어야 한다. 그런데 감히 나가서 일을 해? 이건 엄마로서의 직무유기다. 일하는 엄마들은 그래서

> 늘 한 구석에 아이에 대한 죄책감에 시달려야 한다.……교육을 핑계로 이기적인 행동을 서슴지 않는 엄마들을 볼 때마다 나는 우울해지고 불안해진다. 내가 좀 더 극성스럽게 행동해야 옳은 것은 아닐까, 하는 생각에서 자유로울 수가 없어서다"[18](고딕은 연구자)

이 글을 읽으면서 앞에서 기술한 1930년대 여성잡지에 실린 「천재와 여자」의 기사내용과 본질은 바뀌지 않았다는 생각이 들었다. 여성은 주체적으로 천재가 될 수는 없지만 자녀를 통해 그리고 남편을 통해 천재가 될 수 있다는 논리가 21세기 한국의 어머니들의 삶에 그대로 이어지고 있는 것이다. 자녀의 성공이 곧 자신의 성공, 아니 그 이상의 사회적 인정을 받는 등식—자녀의 성공≦어머니 성공—이 성립되고 이러한 여성의 삶이 더 의미 있는 식으로 사회적 추앙을 받는 한 여성들은 자녀교육에 더욱 집착하게 된다. 여성의 삶이 이러하고 여성에 대한 이러한 의식이 팽배한 사회에서 과연 국가가 책임지는 공보육 시스템이 어느 수준까지 구축될 수 있을까?

요사이 수많은 보육정책이 나오고 있지만 우리나라 여성들, 특히 대졸 이상의 고학력 여성들의 경제활동참가율이 OECD 국가들의 평균을 훨씬 밑돌고 있는 현실은 우리나라 보육정책이 아직까지도 여성의 경제활동을 원활하게 지원해 주지 못하고 있다는 것을 반증하는 것이며 이는 전반적인 사회제도가 공보육체제로 재구조화되기에는 아직 요원하다는 것을 의미한다. 식민지 시기 유아보육의 실태와 21세기 오늘날의 보육실태를 비교해 보면, 보육시설의 양적 증가와 함께 이들 기관을 이용하는 아동들이 비교도 안 될 정도로 많아졌다는 것이 가장 큰 변화라 할 수 있다. 그러나 동시에 많은 보육시설들이 여전히 민간차원에서 설립·운영되고 있으며 여성의 경제활동을 지원해 주는 측면이 미흡한 지금의 현실은 식민지 시기와 21세기의 보육은 본질면에서는 같은 닮은꼴이라는 것을 말해 준다. 쉽게 말해서, 크기는 커

18) 「대한민국에서 아이를 키운다는 것」, 『보그』, 2001. 5.

졌지만 모양은 그대로인 닮은꼴 도형에 비유할 수 있다. 그렇다면 아직까지도 국가는 급속도로 변화하는 여성의 위상을 인정하지 않고 자녀양육자로만 보는 시대착오적인 '근대 모성이데올로기'에 안주하고 있다고 말하면 너무 심한 비약일까?

Ⅵ. 맺음말

이 연구는 오늘날까지도 우리 사회의 뿌리깊은 유아보육 문제라 할 수 있는 '유(幼)·보(保) 이원화 문제'와 '민간보육의 높은 의존도'의 역사적 뿌리를 탐색하는 것이 오늘날 보육문제를 보다 정확하게 진단할 수 있는 열쇠를 제공할 뿐더러 미래지향적인 보육정책 수립의 지침을 제시할 수 있다는 당위성을 가지고 진행하였다.

오늘날 유치원과 어린이집의 역사는 일제 강점기부터 그 맹아가 싹텄다. 이 시기를 통해 유아보육은 전통적인 유교식을 벗어나 '근대적' 유아보육으로 전환되어 갔으며 이와 더불어 사회 전체가 근대화되는 과정에서 서구적 개념의 유치원과 탁아소가 생겨나기 시작하였다. 유아를 대상으로 했던 두 기관은 꽤 다른 이질적인 역사적 배경을 갖고 등장하였다. 먼저, 유치원사를 고찰한 내용을 정리해 보겠다. 1928년 한 여자 선교사의 보고이다.

> "……유치원은 처음부터 선교 또는 교회기관의 하나로써 출발하였으며 여전히 한국교회 선교사들의 감독 하에 있다.……"[1)]

유치원 보육사의 연구는 개신교가 한국인 유치원사의 시작과 전개를 주도했다는 위의 인용문을 확인하는 과정이기도 했다. 이처럼 한국인 유치원과 개신교는 동전의 양면과 같은 관계였다. 따라서 유치원

---

1) *KMF*, 1928. 3, 47쪽.

보육사를 고찰하는 데 있어 개신교를 바라보는 연구자의 관점이 중요하였다. 개신교를 어떻게 보느냐에 따라 유치원의 역사를 해석하는 방식이 달라지기 때문이다. 필자는 개신교 선교사들의 선교정책 및 선교활동을 순수한 종교적인 차원에서 보았던 기존의 관점—호교론적(護教論的) 관점—을 비판하면서, 이들을 주요한 정치·사회적 현상이자 제국주의 팽창의 중요한 세력의 하나로 규정하고, 이러한 관점—탈호교론적 관점—에서 유치원 보육사를 고찰해 나갔다. 이전의 천주교 신부들과는 달리 개신교 선교사들은 미국 정부의 비호라는 정치적 안전장치 하에서 선교활동을 전개했다는 사실, 세계경제공황의 여파로 1930년대 직후부터 미국본부로부터 유치원 지원금이 삭감 또는 중단된 사실, 미국과 일본의 관계가 급속도로 악화되는 1940년대 초반 선교사들이 강제귀국을 당했다는 사실 등은 개신교의 선교활동이 순수한 종교활동만이 아니라 국내외 정치적·사회적·경제적 상황과 긴밀하게 관련되어 있었다는 것을 말해 준다. 따라서 유치원의 보육사를 제대로 서술하기 위해서는 먼저, 초기에 내한한 선교사들의 특징과 이들의 선교정책의 성격을 규명할 필요가 있었다.

초기 내한한 선교사들의 주된 특징은 1) 80% 이상이 미국국적자였으며 2) 표면적으로는 세속과의 거리를 두는 전형적인 청교도형의 근본주의자들이었으나 아이러니하게도 3) 이들 근본주의자들은 제국열강의 약육강식의 논리를 내재하고 있는 식민주의적 팽창주의를 적극 지지했던 친(親)세속주의자들이었다. 이러한 속성을 지닌 선교사들은 일제에 의한 한국의 식민지화를 원칙적으로는 지지하고 협조했으며, 일제 당국과 마찰이 있었던 경우—학교에서의 종교교육 금지 또는 신사참배 강요—도 대부분이 신앙이나 교리와 연루되었던 것이지 한국의 독립과 같은 정치적인 문제는 아니었다. 내한 선교사 및 선교정책의 이와 같은 특징들을 토대로 해서 유치원 역사를 분석하였다.

19세기말 무렵 한반도에도 유치원이 설립되었지만 주로 일본 불교계에서 일본인 거류민 자녀들을 위한 일본인 유치원들이었다. 한국인 유치원이 사료에 본격적으로 등장하게 되는 시점은 일제 강점기 직후이다. 1910년대 초부터 개신교 중에서도 특히, 감리교 여선교사들이 주축이 되어 주로 교회 내에 부설유치원식으로 운영하기 시작하였다. 1910년대 한국인 유치원은 사료에 따라 조금씩 다르지만 10~17개 정도—이들 중 다수가 1910년대 후반이후 설립됨—에 원아수는 809명(조선총독부 조사에 의거) 정도의 굉장히 미비한 수준이었다. 그러다가 1920년대 접어들면서 유치원은 급증하는 현상을 보였다. 1920년대 한국인 유치원이 증가하게 되는 주요 원인은 첫째, 1915년 발표된 「개정사립학교규칙」과 둘째, 1910~1919년 약 10년 동안의 개신교의 신도수 증가의 실패에 있었다. 일제가 「개정사립학교규칙」을 제정하게 된 목적 중 하나가 학교에서의 종교교육을 금지하는 것인데 학교사업을 통해 교세를 확대해 온 개신교 입장에서는 커다란 암초를 만난 것이다. 이 사건을 계기로 개신교는 법적 구속력이 거의 없었던 유치원에 눈을 돌리게 되었고, 후자의 원인에 의해 보다 탄력을 받으면서 이전에는 유치원 설립에 관심이 적었던 장로교까지도 유치원 사업에 적극 가담하게 되었다. 그 결과 1920년대 이후 전국적으로 한국인 유치원들이 많이 세워지게 되었다. 유치원은 유상제로 운영되었으며 게다가 비싼 월사금을 지불했다는 점, 원아들을 무대에 올리는 각종 연극회, 가극회, 학예회 등을 수시로 개최하면서 입장료 및 기부금을 거둬들였다는 점 등에서 유치원은 신도수의 감소로 침체되어 있던 교회 분위기의 쇄신차원에서나 재정적인 차원에서 효자 노릇을 했을 것으로 짐작된다.

1930년대 접어들면서 대내외적으로 많은 변화를 겪게 된다. 1920년대 후반 미국을 강타한 세계대공황의 여파 및 만주사변 발발로 사회 전반이 전체주의로 기울게 되었다. 한국교회 내부에서도 장로교와 감리교의 연합전선 붕괴, 남・북 감리교단의 통합과 한국교회의 친일・

어용화로 변질되는 일련의 과정 속에서 개신교 주도하에 있었던 유치원 역시 자유로울 수는 없었다. 1930년대 초반 선교본부로부터 보조금의 삭감·중단이란 소식이 전해졌다. 한국인 유치원의 절대다수를 차지했던 개신교 유치원의 주된 재원(財源)은 주로 선교부의 기부금(지원금)과 보육료(월사금)였는데 그 한 축이 빠져버리게 된 것이다. 물론, 1920년대 유치원이라고 해서 재정적으로 안정된 유치원은 일부였다. 대다수 유치원들은 수시로 학예회·연극회·가극회·촌극을 개최해서 입장료와 기부금을 거둬들였으며 어머니 모임인 자모회로부터 상당한 재정지원을 지속적으로 받았다. 이러한 상황에서 선교본부의 지원금 중단은 유치원의 존속 자체를 흔드는 것이었다. 1930년대 유치원 관련기사에는 '폐쇄' '중단' 등의 용어를 자주 볼 수 있는데 당시 유치원이 처한 상황을 반영하는 것이다. 그러나 한국인 유치원은 위기의 상황에서도 더디지만 양적 증가를 지속해 나갔는데 여기에는 한국인들의 숨은 노력이 있었다. 문을 닫게 된 유치원을 독지가·유지(有志)·교회가 인수해서 부활해 나갔으며 자모회의 절대적인 후원과 원생들의 각종 공연 등으로 존속·유지해 나갔다.

다음은 한국인 유치원을 개신교 또는 불교—1920년대부터 소수지만 한국인 유치원을 세움—계에서 세운 '종교계 유치원'과 특정 종교를 표방하지 않은 '비종교계 유치원'으로 나누어서 유치원의 실태를 살펴보았다. 전자가 한국인 유치원의 절대다수를 차지했다는 것은 이미 진술한 바이다. 후자의 경우로는 주로 내선일체형을 표방한 유치원들이었는데 친일파들이 세운 '사립경성유치원'과 총독부 정무총감 부인이 세운 '애국유치원', 역시 일본인 오쿠무라(奧村敏子) 부인이 세운 '덕풍유치원'을 꼽을 수 있겠다. 정리하자면, 이들 유치원의 주된 교육목적은 공립 소학교 입학이었기에 '일본어'를 가장 중요하게 가르쳤다. 일제 말기에는 유치원 내에 신전과 궁정사진을 설치하고 절을 하도록 하는 등 황국신민화 교육의 장으로 이용되었다.

유치원의 수준은 지역에 따라 편차가 심했다. 지방의 유치원이 도시의 유치원들보다 여러 면에서 열악했다. 도시의 유치원들이 '철제 그네, 목제 미끄럼틀, 은물, 완구, 오르간'과 같은 최신식의 서구식 시설을 갖추었던 반면에, 지방의 유치원들은 주변 자연환경이 곧 장난감—어촌 지역은 조개껍질이, 광산지역은 돌이나 모래—이었다.

한국인 유치원이 처음부터 개신교가 주축이 되어 위에서부터 유치원을 설립했다면, 아래로부터는 한국인의 '협력'이 있었다. 아무리 개신교가 유치원을 많이 설립했다 하더라도 입원(入園)시켜야 하는 의무조항이 없었던 상황에서 수요자인 한국인의 자발적인 '협력'이 없었다면 유치원 사업은 성공하지 못했을 것이다. 한국인 부모들이 자녀를 유치원에 보낸 주된 목적은 저마다 다르겠지만, 비신자 가정에서 자녀들을 개신교 유치원에 보냈던 데에는 "개신교 유치원에서의 교육이 더 만족스러워서 자녀를 보낸다" 또는 "아이들이 좋아해서 보낸다"고 했다는 점에서 유치원이라는 새로운 서구 근대적인 교육을 자녀들에게 접해주고 싶었던 부모의 교육열이 작용했던 것으로 보인다. 더 나아가 조기교육을 받아서 보통학교 진학에 유리한 고지를 점하고자 하는 현실적인 이유도 강력하게 작용하였다. 유치원은 종결기관이 아니었다. 원아들 전원이 보통학교 진학으로 그대로 이어졌다는 사실에서 오히려 유치원은 최초의 교육기관이었다. 이상의 내용을 종합해 볼 때, 비신자 가정에서 자녀를 개신교 유치원에 보낸 주된 목적은 '개종'보다는 '교육'이었다고 할 수 있다. 그리고 개신교 유치원은 한국인 부모들의 이러한 기대에 일정 부분 부응하였다. 학부모들의 교육적 기대에 부응하는 교육내용을 가르친 유치원, 그리고 유치원 운영에 재정적 도움을 줄 수 있는 학부모를 가진 유치원, 이 두 가지를 충족했던 유치원은 비교적 안정적으로 운영될 수 있었다.

근대 한국교육사에 있어 개신교의 영향력은 실로 크지만 유치원은 특히, 절대적이었다. 왜냐하면 유치원은 법적 규제가 거의 없었기 때문에 종교교육 및 선교활동을 다른 교육기관보다 자유롭게 그리고 충실하게 할 수 있었기 때문이다. 개신교는 유치원이란 기관을 통해 비신도 가정의 원아들을 개종하고 더 나아가 그 가정까지도 개종의 대상으로 인식하고 있었으며, 한 달에 한 번씩 열었던 자모회도 중요한 선교 공간이었다. 이처럼 일제 강점기 한국인 유치원은 '순수한' 유아교육기관이기보다는 개신교의 '복음주의 기관'을 목적으로 세워졌으며, 개신교의 선교정책 및 복음주의 활동이 한국민족의 독립과 같은 '민족주의' 속성과 거리가 있다는 이 책 Ⅱ부 1장의 연구 결과에 비추어 봤을 때, 한국인 유치원을 교육구국주의 차원에서 설립하였다는 종전의 연구는 재해석되어야 할 것이다.

유치원을 수용한 한국인 가정의 특징을 통해 유치원의 성격을 새롭게 규정할 수 있었다. 관・공립 유치원이 하나도 없었고 입원(入園)시켜야 하는 의무조항이 없었던 일제 강점기, 자신의 자녀를 유치원에 보내는 것은 전적으로 부모의 의사에 달려있었다. 더 중요한 요건은 부모의 사회・경제력이다. 즉, 사회・경제력이 뒷받침 되는 유산자 가정의 아이들이 유치원 교육을 선점해 나갔으며 이는 상급학교 진학과도 연결되는 것이었다. 이러한 측면에서 볼 때, 프뢰벨이 '어린이의 지상낙원'이란 개념으로 설립된 서구의 유치원은 개신교 선교사들에 의해 한국에 도입・실천되었지만, '지상낙원'의 문은 일부 유산자 가정의 아이들만을 허용하였던 '좁은 문'이었다. 그리고 이 '좁은 문'을 통과한 아동이 이후 상급학교 진학에 보다 유리했다는 사실에서 취학 이전부터 교육이 불평등하게 분배되었음을 알 수 있다. 이러한 측면에서 볼 때, "유치원은 서민적이었다"[2]는 기존의 해석 역시 수정되어야 하겠다. 유치원이 서민교육기관이 아니었다는 것은 이상금의 연구에서 이미 드러났다. 그가 계산했던 취원율 평균 1.3%라는 수치가 이를 말해 준다.[3] 지극히 낮은 취원율을 보인 한국인 유치원을 서민교육기

---

2) 이상금, 앞의 책, 1987, 295쪽.

관이라고 해석한 것은 논리적 모순이다.

당시 유치원에 자녀를 보낸 가정은 우리 사회에서 근대적 의식과 문물을 가장 먼저 수용한 '개화된' 가정이었다. 이들 가정은 최소한 교육에 있어서는 딸과 아들을 차별하지 않았던 것으로 추정된다. 유치원 원아들의 남녀 성비가 보통학교의 남녀 성비와 비교해 봤을 때 현저하게 다른 수치를 보여주었기 때문이다. 예를 들어, 1937년 유치원의 남녀 성비는 남 100 대 여 79.5였던 데 비해 동년의 보통학교의 남녀 성비는 남 100 대 여 29.7였다. 유치원과 보통학교의 남녀 성비 수치의 현저한 차이는 일제 강점기 내내 지속되었다. 이 수치를 통해 근대 교육에 관해서 의미있는 해석을 내릴 수 있었다. 즉, 재력과 서구 문물의 대한 개방성을 지닌 유산자 가정의 여아는 식민지 시기 유치원을 경험할 정도로 최상의 수혜자였던 것이다. 따라서 근대 학교교육에서는 무산자 가정의 남아보다는 유산자 가정의 여아가 더 유리했다고 볼 수 있으므로 근대 학교교육의 수혜 여부를 따질 때, '젠더'보다는 '계급'이 더 중요한 변수로 작용했다고 할 수 있겠다.

Ⅲ부에서 다룬 식민지 시기 탁아사업의 연구 내용을 정리하면 다음과 같다. 탁아소는 주로 도시 공단 주변에 세워진 도시상설탁아소로 '도시형'과 농촌지역의 일손이 한창 바쁜 농번기에 일시적으로 설치되었던 농번기탁아소로 '농촌형' 두 유형이 있었다. 탁아소를 본격적으로 다루기 전에 당시 탁아소에 대한 사회적 담론을 살펴보았다. 탁아소 설립에 대한 담론은 주로 사회주의 및 공산주의 계열에서 여성해방주의 차원에서 생산되었다. 여성의 해방은 남성으로부터의 경제적 독립으로 가능한데 이를 위해서는 가정주부도 직업을 계속 가져야 하는 바, 육아로부터의 해방을 위해서 무엇보다도 탁아소를 설립해야 한다는 논리였다. 그러나 실제로 탁아소는 여성해방 차원에서 나오지 않

3) 이상금, 위의 책, 1987, 119쪽, <표 9> 참조.

았다.

도시형의 경우 1920년대 후반부터 사료에 등장하기 시작한다. 도시형 탁아소는 식민지 한국의 공업화·도시화가 진행되는 과정에서 나온 부산물이었다. 도시 하층민들의 극도의 가난한 생활과 이로 인해 남성 단독의 수입만으로는 생계가 어려워지면서 기혼 여성들도 공장에 취업을 할 수밖에 없는 상황, 그리고 도시화로 진행되는 과정에서 이웃과의 유대관계 약화로 전통사회에서 이루어졌던 공동체적 육아방식이 붕괴되기 시작하면서 무산자 계급의 육아문제는 사회적 문제로 등장하게 되었다. 도시형 탁아소는 빈민 가정의 최저생활보호와 그 자녀들의 보육을 위해 설립되었다. 유치원과 마찬가지로 일제 당국의 무관심 속에서 주로 민간차원에서 설립되었지만, 유치원과 다른 점은 도시형 탁아소는 일제 강점기 내내 10여 개도 채 안 되었을 정도로 양적으로 굉장히 적었다는 것이다. 종교단체들이 유치원 설립에 적극적이었던 것에 비해 탁아소 설립에는 그다지 관심을 갖지 않았던 것이다. 그러나 도시형 탁아소가 정원을 거의 채웠다는 사실과 1930년대 이후 의식화된 공장 여공들이 탁아소 설치를 요구했다는 사실에서 탁아소에 대한 수요는 많았음을 알 수 있다. 일제는 전시체제로 돌입하면서, 하층민들의 사회동요에 따른 이탈을 방지·감독하고 노동력을 동원하려는 의도에서 1940년대 무렵부터 도시형 탁아소의 확충을 시도하였다.

한편, 1930년대 중반 무렵 무산자 가정이 아닌 일반 중산층 가정을 대상으로 하는 탁아소도 소수지만 설립되었는데 이 경우는 유아보다는 갓 태어난 영아를 대상으로 했으며 시설이나 환경이 상당히 좋았던 것으로 보인다. 이러한 사실에서 기존의 정설처럼 일제 강점기의 탁아소들이 빈민아동만을 대상으로 하는 탁아소만 존재했던 것은 아니었음이 드러났다. 이들 탁아소는 보육료가 상당히 비쌌다. 캐나다 여선교사가 세운 '경성탁아소'의 경우, 한 달 보육료가 주간탁아만 할 경우는 15원이었으며 주·야간 탁아를 할 경우는 25원에서 30원 정도로, 당시 최고 수준의 유치원이라 할 수 있는 '애국유치원'의 월사금이 3원이었다는 것과 비교해 보면 어느 정도 수준이었는지를 가늠할 수 있다. 시설 역시 최고 수준이었다. 이러한 호화판 탁아소를 이용할 수 있는 수요자는 극히 일부였을 것이다.

도시형 탁아소의 실상을 구체적으로 보여주는 사료의 부족으로 많은 내용을 추론하기는 어려웠지만, 분명한 사실은 단순히 아이들을 집단적으로 '수용·보호'만 한 것은 아니었다. 유치원과 비교해서 차이는 크지만, 그네, 미끄럼틀, 유희기구, 오르간 등을 구비해 놓았던 점에서 율동, 체육, 음악 등의 유아교육을 실시했던 것으로 짐작된다. 보육료는 하루단위로 지불했으며, 보육시간이 아침 8, 9시부터 오후 5, 6시까지 운영하였으며 대략 50명 정도의 아이들을 2명의 보모가 돌보는 수준이었다. 아이들의 연령은 탁아소마다 차이는 있지만 1세부터 6, 7세까지의 미취학 어린이들이었다.

농촌형 탁아소는 농번기에 일시적으로 운영되었다가 철거했던 임시방편식의 탁아소였다. 유치원이나 도시형 탁아소가 민간에서 설립했다면, 농번기탁아소는 처음부터 일제의 농업정책 및 여성정책 일환으로 추진되었던 국책사업이었다. 1930년대 초반 관제운동의 하나였던 '농촌진흥운동' 차원에서 농번기탁아소가 시행되었다. 여성농민의 노동력 확보 및 동원을 위해서 설치·운영되었으며 도시상설탁아소와 마찬가지로 일제 말기로 갈수록 강도 높게 실시되었다. 전시체제 하에서 여성의 노동력이 그 어느 때보다도 긴요했기 때문이다. 1930년대와 비교해서 1940년대 농번기탁아소는 탁아소의 운영일수 확대, 운영시간 확대, 수탁(受託)아동의 연령대 확대, 운영장소의 불문(不問) 등 강도 높게 운영하면서 여성 농민의 노동을 착취해 갔지만, 일제는 탁아소 운영을 위한 국고(國庫)지원을 거의 하지 않았다. 따라서 농번기탁아소가 얼마나 열악하게 운영되었는지 쉽게 예상할 수 있다. 당시 농번기탁아소는 수탁아동의 보육적 측면이 강조된 '고정식' 탁아소보다는 여성노동의 동원이 강조된 '이동식' 탁아소가 거의 대부분이었으며 천막, 큰 나무 밑, 숲속, 학교, 공회당과 같은 기존 건물들을 탁아장소로 이용하면서 주변의 자연물을 장난감으로 활용하는 식이었다.

농번기탁아소는 식민지 교육의 장소이기도 하였다. 탁아소가 개시되는 날 마을 주민들을 모아놓고 궁성요배, 묵도, 황국신민서사 제창을 하게 하였으며, 수탁아동들에게는 군국주의 내용을 담은 일본 동화 들려주기, 일본어로 인사하기, 스모배우기, 손 씻기 같은 위생교육을 끊임없이 주입시켰다. 일제 말기 '황국신민 만들기'라는 교육기획에서 농번기탁아소라고 예외는 아니었다.

Ⅳ부에서는 '보모'를 다루었다. '보모'란 유아보육을 담당했던 보육교사로서, 주로 유치원에서 근무했던 신여성의 한 부류였다. 보모는 최고 수준의 여성고등교육기관인 '보육학교'에서 서구의 근대 학문—보육학 등—을 공부한 엘리트 여성이었다. 그러나 보모는 상급학교 교원과는 달리, '아동의 친구' '아동의 제2의 어머니'와 같은 개념으로 상정되면서 교원으로서의 '권위'를 가지지 못했으며 따라서 사회적으로 그 영향력이 크지 못했다. 오히려 봉건적 여성이데올로기인 순종・희생・사랑・복종이 지녀야 할 덕목으로 규정되었고, '유치원 무용론(無用論)'에서 보모가 유치원 교육을 그릇되게 하는 주범으로 논의되었던 사실에서, 보모는 배운 여성임에도 불구하고 책임과 의무만을 강요당하는 어머니와 본질이 유사한 공적 영역에서의 '제2의 어머니'였다.

유치원과 탁아소는 서구사회의 근대화 과정에서 생겨난 근대의 산물이다. 식민지 한국에서도 근대화, 도시화, 산업화 과정 속에서 유치원과 탁아소가 등장하였고 근대적 보육방식의 맹아도 싹트기 시작하였다. '유아를 보육한다'는 동일한 목적으로 등장한 두 기관이지만, 그 등장배경이나 운영실태, 방식, 전개과정은 전혀 다른 이질적인 기관이었다. 두 기관을 주관했던 정부기관도 유치원은 학무국, 도시상설탁아소는 후생국, 농번기탁아소는 농림국으로 각각 달랐다. 처음부터 다르게 형성된 유치원과 탁아소는 해방 이후에도 그대로 이어지면서 고착화되었다. 서론에서 언급한 바와 같이 오늘날 유치원과 탁아소(어린이집)는 기능이나 역할면에서 서로 많이 닮아가고 있음에도 불구하고 유아교육계에서는 보육이라는 용어를 사용하지 않으며 보육계에서는 유아교육이란 용어를 사용하지 않는 등 첨예하게 대립하고 있는 현실이 하루아침에 만들어진 역사가 아니라는 것을 말해 준다.

한국인 유치원이 20세기 초부터 한국사회에 등장했지만 일제 시대뿐만 아니라 해방 이후에도 꽤 오랜 시간동안 소수의 유산자 아동들의 교육기관으로 존속되어 왔다. 도시상설탁아소도 해방 이후 오랫동안 국가차원에서 활발하게 추진된 것이 없었다. 따라서 두 기관을 경험한 아동들은 1980년대까지만 해도 전체 아동의 절반 수준에 불과했다.[4)]

그러다가 1990년대 이후 한국의 보육정책은 일찍이 그 사례를 찾아볼 수 없을 만큼 활발하게 추진되어 왔다. 그 결과 취원율이나 양적 규모 등의 외형상으로는 많은 발전을 해 왔다. 수많은 보육정책이 수립·추진되고 있지만 그럼에도 불구하고 여전히 민간보육시설의 높은 의존도와 고학력 여성의 낮은 경제활동참가율을 보여주는 현실은 무엇을 의미하는 것일까? 연구자는 이에 대한 답변을 국가의 여성관에서 찾고자 하였다. 과연 국가의 여성관이 식민지 시기의 '근대 모성이데올로기'를 극복했는지 질문을 던져본다. 근대 이후 더욱 정교하게—과학이란 이름으로, 학문이란 이름으로—만들어진 '육아의 책임은 여

---

4) 한국학술진흥재단, 『2000년을 향한 국가장기발전을 위한 학술연구보고서』, 1989, 14쪽. 이 보고서에 의하면 유아교육 취원율이 1980년에 7.3%, 1981년 17.3%, 1983년 37.9%, 1985년 53.8%, 1987년 54.8% 였다. 1981년 이후 취원율이 급증하게 된 계기는 제5공화국에서 추진한 '유아교육정책'에 있다. 여기서 유아교육기관은 유치원과 탁아소('새마을 유아원'으로 변경)를 모두 포함한 것이다. 유치원만 보면 1988년도 취원율이 27.2%에 불과했다(한국유아교육학회, 앞의 책, 2005, 48쪽).

성에게 있다'라는 사고방식이 국가의 보육정책 속에서, 그리고 우리의 의식 속에서 의심의 여지가 없는 당연한 상식으로 자리잡고 있는 한 보육정책의 패러다임 전환은 요원하다.

부록 | 개신교 6개 교파 분할지역과 각 지역의 유치원 분포(1935년 기준)

경기도 총 52園

일본인 유치원 : 경자기념경성공립(庚子記念京城公立), 인천기념공립(仁川記念公立), 용산(龍山), 창덕(彰德), 약초(若草), 용곡(龍谷),

한국인 유치원 : 경성(京城), 共學), 배화(培花), 이화(梨花), 중앙(中央; 경성부 소재), 애국부인회경성(愛國婦人會京城), 남대문(南大門), 수표(水標), 안국(安國), 태화(泰和), 삼광(三光), 갑자(甲子), 조양(朝陽), 화광(和光), 신문내(新門內), 자로(紫露), 대자(大慈; 휴원중), 덕풍(德風, 共學), 근화(槿花), 동대문(東大門 : 휴원중), 창신(昌信), 서대문(西大門), 보인(輔仁), 자광(慈光), 영화(永化), 화도(花島), 호수돈동(好壽敦東), 호수돈남(好壽敦南), 호수돈북(好壽敦北), 중앙(中央 : 개성부 소재), 개성(開城, 공학), 아현(阿峴), 이창(梨昌), 연희(延禧), 연천(漣川), 가평(加平), 여주(驪州), 아천(利川), 안성(安城), 수원(水原), 남양(南陽), 성공회진명(聖公會進明), 미도리(みどり), 영등포(永登浦), 흥화(興化), 강화(江華)

충청북도 총 7園

일본인 유치원 : 청주(清州), 영동(永同, 共學)

한국인 유치원 : 상당(上黨), 진천(鎭川), 충주(忠州), 동명(東明), 제천(堤川)

충청남도 총 14園

일본인 유치원 : 대전(大田), 강경(江景), 조치원(鳥致院, 共學), 강경(江景)

한국인 유치원 : 대덕(大德), 공주(公州), 논산(論山), 강경(江景), 대천(大川), 청양(靑陽), 홍성(洪城), 신명(新明), 천안(天安), 소화(昭和), 청신(靑新 : 휴원중)

전라북도 총 11園

일본인 유치원 : 군산(群山), 완산(完山), 무우화(無憂華)

한국인 유치원 : 영신(永信), 전주(全州), 영생(永生), 금산(錦山), 순창(淳昌), 정읍(井邑), 귀암(龜岩), 리리(裡里)

전라남도 총 21園

일본인 유치원 : 명조(明照, 공학), 공립침상고등소학교부설유치원(公立침常高等小學敎附設幼 稚園), 취영(聚英, 공학), 소화(昭和), 승우(勝友)

한국인 유치원 : 희성(希聖), 광주(光州), 양림(楊林), 금정(錦町), 송정(松汀), 중앙(中央, 광주군소재), 담양(潭陽), 여수(麗水), 순천(順天), 고흥(高興), 관리(官里), 보성(寶城), 화순(和順), 강진(康津), 기독영광(基督靈光), 중앙(中央, 제주도 소재)

경상북도 총 10園

일본인 유치원 : 대구공립유치원(大邱公立幼稚園), 포항(浦項), 금천이엽(金川二葉)

한국인 유치원 : 복명(復明), 효성(曉星), 신정(新町), 대남(大南), 의성(義城), 영덕(盈德), 금릉(金陵)

경상남도 총 28園

일본인 유치원 : 부산공립유치원(釜山公立幼稚園), 사립부산유치원(私立釜山幼稚園), 원화(元華), 목노도(牧ノ島), 초양(草梁), 부산진(釜山鎭), 구덕(九德), 국우회부산아동유원(局友會釜山兒童遊園), 마산(馬山), 진해(鎭海, 공학)

한국인 유치원 : 일신(日新), 공생(共生, 공학), 부산중앙(釜山中央), 의신(義信), 배달(倍達), 진주기독교(晋州基督敎), 진주(晋州), 함안(咸安), 밀양(密陽), 울산(蔚山), 동래(東萊), 통영(統營, 공학), 통영기독교(統營基督敎), 통영동부(統營東部), 신명(信明), 삼천리(三千里), 함양(咸陽), 거창(居昌)

황해도 총 17園
일본인 유치원 : 안서(安西), 연안(延安),
한국인 유치원 : 해주(海州), 백천(白川), 금릉(金陵), 시변리(市邊里), 남천(南川), 경애(敬愛), 경신(敬信), 재령(載寧), 사리원(沙里院), 덕성(德盛), 양재(養材), 광선(光宣), 양산(楊山), 명신(明新), 소화(小花)

평안남도 총 33園(원자료에는 32개로 誤記)
일본인 사립유치원 : 평양(平壤), 메리놀(メリーノル), 쌍엽(雙葉), 사립진남포(鎭南浦), 재단법인 진남포(鎭南浦)
한국인 유치원 : 남산(南山), 대동(大同), 중앙(中央), 의성(義成), 기성(箕城), 정의(鼎義), 창동(倉洞), 숭정(崇正), 광성(光成), 단성(檀城), 성모(聖母), 장현(章峴), 경의(景義), 비석(碑石), 득신(得信), 삼숭(三崇), 억양기(億兩機), 보성(保聖), 신창(新倉), 정융(靜戎), 동명(東明), 용강(龍岡), 삼화(三和), 덕동(德洞), 강서(江西), 함종(咸從), 개천(价川), 덕천(德川)

평안북도 총 35園
일본인 유치원 : 신의주(新義州), 정주(定州), 본원사(本願寺)
한국인 유치원 : 신명(新明), 삼일(三一), 근화(槿花), 의주(義州), 청산(靑山), 용만(龍灣), 해성(海星), 영산(永山), 비현(批峴), 북진(北鎭), 희천(熙川), 영변(寧邊), 박천(博川), 정원(定遠), 곽산(郭山), 삼희(三希), 역락(亦樂), 명신(明新), 선천(宣川), 용암포(龍岩浦), 차련관(車輦舘), 명흥(明興), 삭주(朔州), 대관(大舘), 창성(昌城), 동명(東明), 의신(義信), 신명(新明), 양성(養性), 광신(光新), 자성(慈城), 후창(厚昌)

강원도 총 31園
일본인 유치원 : 춘천(春川), 강릉(江陵), 대곡(大谷)
한국인 유치원 : 춘천(春川), 소화(小花), 인제(麟蹄), 양구(楊口), 통천(通川), 고저(庫底), 금강(金剛), 금천(錦天), 의소(義巢), 주문진(注文津), 삼성(三星), 동명(東明), 신성(新星), 평창(平昌), 금성(錦城), 정신(貞新), 화성(花城), 홍천(洪川), 삼덕(三德), 화천(華川), 금화(金化), 창도(昌道), 철원(鐵原), 배영(培英), 이천(伊川), 안협(安峽), 보경(保敬)

함경남도 총 22園
일본인 유치원 : 함흥(咸興), 대곡(大谷), 원산(元山), 흥남(興南), 청엽(靑葉)
한국인 사립유치원 : 함산(咸山), 중앙(中央), 누씨(樓氏), 해성(海星; 원산부 소재), 중앙(中央), 태산(泰山), 동광(東光), 퇴조(退朝), 주서(州西), 신상(新上), 신고산(新高山), 해성(海星; 안변군 소재), 홍성(洪城), 삼호(三湖), 이원(利原), 차호(遮湖), 군선(群仙)

함경북도 총 18園
일본인 사립유치원 : 사립나남(私立羅南), 사립웅기(私立雄基),
한국인 사립유치원 : 청진(淸進), 청송(靑松), 효성(曉星), 삼덕(三德), 함명(咸明), 보광(普光), 영안(永安), 웅성(雄城), 행정(幸町), 보신(普信), 용호(龍湖), 부령(富寧), 회령(會寧), 온성(穩城), 경원(慶源), 영옥(永玉)

*각 지역의 유치원 이름은 1935년 기준(『朝鮮諸學校一覽』, 1935년)
*共學이란 한국인 일본인이 같이 다닌 유치원을 말한다.
*公立이라 표기되지 않는 유치원은 모두 사립유치원이다.

참고문헌

1. 1차 자료

1) 관변 사료

『官報』
釜山教育會 編,『釜山教育五十年史』, 昭和2年.
朝鮮教育硏究會 編,『朝鮮教育法規』, 京城：日韓印刷株式會社, 大正6年.
朝鮮總督府學務局 編,『現行朝鮮教育法規』, 朝鮮行政學會, 昭和17年
朝鮮總督府,『調査月報』 제13권 제4호, 1942. 4, 11~14쪽.
朝鮮總督府,『朝鮮總督府時局對策調査會會議錄 諮問答申書』, 昭和13年 9月.
朝鮮總督府內務局社會課,『朝鮮社會事業要覽』, 朝鮮總督府, 昭和4年.
朝鮮總督府學務局社會課,『朝鮮の社會事業』, 朝鮮總督府, 昭和8年.
朝鮮總督府農林局農政課,『農繁期託兒所開設の手引』, 朝鮮總督府, 昭和17年.
朝鮮總督府學務局,『朝鮮諸學校一覽』.
朝鮮總督府學務局,『朝鮮の統治と基督教』, 大正10年.
朝鮮總督府學務局,『植民地朝鮮教育政策史料集成』 4, 昭和13年.
朝鮮總督府厚生局社會課內朝鮮社會事業協會,『朝鮮社會事業』 20(1)·27, 昭和17年.
朝鮮總督府學務局 編,『朝鮮總督府學事統計』, 朝鮮總督府.
朝鮮總督府學務局,『大正二年學校一覽表』.
朝鮮總督府,『第一次朝鮮總督府統計要覽』, 明治44年.
朝鮮總督府,『朝鮮教育要覽』, 大正15年.
『朝鮮彙報』.

國史編纂委員會, 『尹致昊日記』 三.

2) 신문 및 잡지

『그리스도신문』, 『동아일보』, 『매일신보』, 『조선일보』, 『조선중외일보』, 『東洋之光』, 『별건곤』, 『思想の批判』, 『신가정』, 『신여성』, 『신생활』, 『여성』, 『幼兒の教育』

3) 선교사 자료

Annual Report of Korea Woman's Conference of Methodist Episcopal Church, Seoul, 1899-1931.

Diffendorfer, R. E., *The World Service of the Methodist episcopal church*, 1923.

McKenzie, F. A., *Korea's Fight for freedom, 1920*, Reprinted in Seoul, Korea : Yonsei University Press.

Sauer, C. A., *Methodists in Korea : 1930~1960*, Seoul : The Christian Literature Society, 1973.

The Korea Magazine.

The Korea Mission Field.

The S. S. MAGAZINE, 1918. 1. 25.

Underwood, H. G., *Modern Education in Korea*, NewYork : International Press, 1926.

Woman's missionary council-9th annual Report-, Methodist Episcopal Church South for 1918-1919.

Women's Missionary Councli-sixteen annual report, Methodist Episcopal Church, South : for 1925-1925.

Woman's Missionary Friend, Boston.

4) 기타

『梨花女子專門・梨花保育學校一覽』, 昭和12年.

『이전・이보 동창회보』.

副來雲, 『어린이 진주』, 京城 : 京城梨花保育學校, 昭和11年.

副來雲, 『人之教育』, 京城 : 朝鮮耶教書會, 1923.

西村綠地 編,『朝鮮教育大觀』, 京城 : 朝鮮教育大觀社 , 昭和5年.
煙秀巳,『保育讀本』, 東亞黨版, 昭和18年.
湖南學會館,『湖南學報』, 一號~十號.
荻野順導 編,『和光教園事業要覽』, 和光教園, 昭和11年.
原實,「朝鮮の勞務資源に就て」,『朝鮮勞務』 제2권 3호, 1942.
赤木輝一,「朝鮮に於ける農繁期託兒所の概況」,『調査月報』 제13권 6호, 1942.

2. 연구논문

강인철,「한국교회 형성과 개신교 선교사들 : 1884~1960」,『한국학보』 제75집, 서울 : 일지사, 1994 여름.
강정숙,「일제말(1937~1945) 조선여성 정책－탁아정책을 중심으로」,『아시아문화』 제9호, 강원 : 한림대학교, 1993.
김경미a,「식민지교육 경험 세대의 기억」,『韓國教育史學』 27권 1호, 한국교육사학회, 2004.
김경미b,「일제하 사립중등학교의 위계적 배치」,『한국교육사학』 26권 2호, 한국교육사학회, 2004.
김상태,「평안도 기독교 세력과 친미엘리트의 형성」,『역사비평』 겨울, 1998.
김성건,「서구 기독교의 제3세계 선교」,『基督教思想』 제34권 6호, 1990.
김택현,「식민지 근대사의 새로운 인식－서발턴 연구의 시작」,『당대비평』 13·겨울, 서울 : 삼인, 2000.
김혜경,「일제하 자녀양육과 어린이기의 형성 : 1920－1930년대 가족담론을 중심으로」, 김진균·정근식 편저,『근대주체와 식민지 규율권력』, 서울 : 문화과학사, 1998.
김혜경,「가족/노동의 갈등구조와 '가족연대'전략을 중심으로 본 한국가족의 변화와 여성」,『가족과 문화』 제14집 1호, 2002.
노영택,『일제하민중교육운동사』, 서울 : 탐구당, 1979.
閔庚培,「근대 한일관계에 있어서의 미국과 그 선교사의 위치」,『基督教思想』 제14권 12호, 1970. 12.
박세훈,「구제(救濟)와 교화(教化)－일제 시기 경성부의 방면위원 제도 연구」,『사회와 역사』 61, 2002. 5.
신기욱,「농지개혁의 역사사회적 고찰」, 홍성찬 편,『농지개혁 연구』, 서울 : 연세대학교출판부, 2001.

오욱환, 「한국 여성고등교육의 분석과 해석」, 『양영학술연구논문집』 5, 1997.

오욱환, 「가부장제 국가자본주의 사회에서 성별 불평등과 '여성교육'」, 『교육사회학연구』 제7권 2호, 1997.

오욱환, 「여성교육」, 『교육학 대백과사전』, 서울대학교 교육연구소(편), 서울 : 하우동설, 1998.

윤해동, 「식민지 인식의 '회색지대'-일제의 '공공성'과 규율권력」, 『당대비평』 13, 서울 : 삼인, 2000 겨울.

이덕주, 「한국 감리교회 사회사업사(1)」, 『세계의 신학』 98, 서울 : 한국기독교연구소, 1998 여름.

이상금, 「産業社會化와 韓國幼兒敎育의 課題」, 『韓國敎育學硏究 』 제16권 2호, 韓國敎育學會 1979年度 年次學術大會, 1978.

이성전, 「선교사와 일제하 조선의 교육」, 『한국 기독교와 역사』 3호, 1994.

이연정, 「여성의 시각에서 본 '모성론'」, 심영희 외 공편, 『모성의 담론과 현실』, 서울 : 나남출판사, 1999.

이윤미, 「식민지 교육의 연속성에 대한 관점과 식민주의의 '근대성'에 대한 논의」, 『한국교육사학』 제26권 2호, 한국교육사학회, 2004.

이윤진, 「한국 영유아보육정책의 고찰과 함의(含意)」, 『연세교육연구』 제16권 1호, 2003.

이윤진, 「루소이래 아동중심교육학이 근대모성이데올로기 성립에 미친 영향」, 『한국교육학회』 제42권 3호, 2004.

이윤진, 「脫護敎論的 관점에서 본 來韓 선교사 및 선교정책」, 『한국교육사학』 제27권 1호, 한국교육사학회, 2005.

이진구, 「신사참배에 대한 조선 기독교계의 대응양상 연구」, 『종교학연구』 제7권, 1988.

임재택, 「유아교육의 현실과 개혁방안」, 『교육비평』 18호, 2002 여름.

임종운, 「우리나라 탁아사업의 발전과정」, 『사회복지』 통권83호, 1984 여름.

임종운, 「영유아보육사업의 문제점과 개선방향」, 『대한기독교신학교교수논문집』, 1995.

조상식, 「가족이데올로기와 교육문제」, 『교육비평』 제11호, 2003 봄.

조은 · 윤택림, 「일제하 신여성과 가부장제 : 근대성과 여성성에 대한 식민담론의 재조명」, 광복50주년 기념사업위원회, 『광복50주년 기념논문집』 8, 1995.

한우희, 「보통학교에 대한 저항과 교육열」, 『교육이론』 제6권 1호, 1991.

秋定嘉和, 「조선 금융조합의 기능과 구조－1930~40년대에 걸쳐－」, 『조선사 연구회논문집』 5, 1968.
Abbott, P. & Wallac, C. Ch. 3. Women and stratification, *Introduction to Sociology : Feminist Perspective*, Second Edition, London and New York : Routledge, 1997.

3. 단행본

강만길, 『日帝時代 貧民生活史硏究』, 서울 : 창작과비평사, 1987.
강이수・신경아, 『여성과 일』, 서울 : 동녘, 2001.
郭建弘, 『日帝의 勞動政策과 朝鮮勞動者』, 서울 : 신서원, 2001.
京畿女子高等學校, 『京畿女高六十年史』, 1968.
基督敎大韓監理會 敎育局 編, 『韓國監理敎會史』, 1980.
基督敎大韓監理會, 『朝鮮監理會年會錄』 2・3, 서울 : 기독교대한감리회, 1984.
김경일 편, 『북한학계의 1920-30년대 노농운동연구』, 서울 : 창작과 비평사, 1989.
김상태 편역, 『윤치호 일기』, 서울 : 역사비평사, 2001.
김성건, 『종교와 이데올로기』, 서울 : 민음사, 1991.
김성건, 『종교와 사회』, 한국학술정보, 2002.
김세한, 『培花六十年史』, 서울 : 배화여자중고등학교, 1958.
김세한, 『永化七十年史』, 인천 : 영화여자중학교, 1963.
金良善, 『韓國基督敎史硏究』, 서울 : 基督敎文社, 1971.
김인회, 『敎育과 民衆文化』, 서울 : 한길사, 1989.
김인회, 『한국교육의 역사와 문제』, 서울 : 문음사, 1996.
김인회, 『교육사・교육철학 강의』, 서울 : 문음사, 2003.
김준엽・김창순, 『韓國共産主義運動史』 1~5, 서울 : 고려대학교 아세아문제 연구소, 1967.
김진균・정근식 편저, 『근대주체와 식민지 규율권력』, 서울 : 문화과학사, 1998.
나정, 『유아교육정책 어디로, 어떻게 가야 하는가?』, 서울 : 양서원, 2001.
나정, 『OECD 보고서』, 서울 : 양성원, 2005.
노영택, 『日帝下 民衆敎育運動史』, 서울 : 探求堂, 1979.
류대영, 『개화기 조선과 미국 선교사』, 서울 : 한국기독교역사연구소, 2004.

맥킨지, 『우먼코리아보고서』, 서울 : 매일경제신문사, 2001.
민경배, 『韓國基督教會史』, 서울 : 연세대학교출판부, 1996.
민경배, 『韓國基督教會史』, 서울 : 연세대학교 출판부, 2002.
박지향, 『일그러진 근대』, 서울 : 푸른역사, 2003.
박찬일, 『숭의 60년사』, 서울 : 동아출판사, 1963.
삼성복지재단, 『어린이와 문화』, 서울 : 삼성복지재단, 2003.
손인수, 『한국근대교육사 : 1885~1945』, 서울 : 연세대학교출판부, 1984.
손인수, 『韓國近代教育史 : 1884-1945』, 서울 : 연세대학교출판부, 1992.
孫禎睦, 『日帝强占期 都市社會相研究』, 서울 : 일지사, 1996.
신주백, 『1930년대 민족해방운동론 연구 1-국내 공산주의운동 자료편-』, 서울 : 새길, 1989.
심영희 외 공편, 『모성의 담론과 현실』, 서울 : 나남출판사, 1999.
양옥승 외, 『세계의 보육제도』, 서울 : 양서원, 1998.
연세대학교 국학연구단 편, 『일제의 식민지배와 일상생활』, 서울 : 혜안, 2004.
오성철, 『식민지 초등교육의 형성』, 서울 : 교육과학사, 2000.
오욱환, 『한국사회의 교육열 : 기원과 심화』, 서울 : 교육과학사, 2002.
오천석, 『韓國新教育史(上)』, 서울 : 光明出版社, 1975.
유점숙, 『傳統社會의 兒童教育』, 대구 : 중문, 2001.
윤건차 저, 심성보 역, 『한국근대교육의 사상과 운동』, 서울 : 청사, 1987.
윤춘병, 『한국감리교회외국인선교사』, 서울 : 한국감리교회사학회, 1989.
이덕주, 『태화기독교사회복지관의 역사』, 서울 : 태화기독교사회복지관, 1993.
이만열, 『한국기독교와 민족의식』, 서울 : 지식산업사, 1991.
이상금, 『한국 근대유치원 교육사』, 서울 : 이화여자대학교 출판부, 1987.
이상금, 『사랑의 선물』, 서울 : 한림출판사, 2005.
이영석·임영희, 『한국유아교육의 회고와 전망』, 서울 : 교육과학사, 2000.
이은화 외, 『한국유아교육의 쟁점과 과제』, 서울 : 양서원, 2001.
梨花八十年史編纂委員會 編, 『梨花八十年史』, 서울 : 이화여자대학교출판부, 1967.
梨花九十年史編纂委員會 編, 『梨花九十年史』, 서울 : 이화여자대학교출판부, 1975.
이화백년사편찬위원회, 『梨花百年史』, 서울 : 이화여자대학교 출판부, 1994.
이화백년사편찬위원회, 『梨花百年史資料集』, 서울 : 이화여자대학교 출판부, 1994.

이화여자대학교 사범대학교동창회 편, 『창조와 기쁨의 歷史』, 서울 : 이화여자대학교사범대학동창회, 1962.
장병욱, 『韓國監理敎女性史 』, 서울 : 성광문화사, 1979.
정선이, 『경성제국대학 연구』, 서울 : 문음사, 2002.
정요섭, 『한국 여성운동사 : 일제치하의 민족운동을 중심으로』, 서울 : 일조각, 1971.
鄭在哲, 『日帝의 對韓國植民地敎育政策史』, 서울 : 一志社, 1985.
조성숙, 『'어머니'라는 이데올로기』, 서울 : 한울아카데미, 2002.
中央大學校 校史編纂委員會 編, 『中央大學校史』, 서울 : 中央大學校, 1970.
중앙대학교, 『中央大學校八十年史』(1918~1998), 1998.
池潤, 『社會事業史』, 서울 : 正信社, 1964.
차기벽 엮음, 『일제의 한국식민통치』, 서울 : 정음사, 1985.
車士百, 『人間過程』, 서울 : 대한예수교장로회총회 교육부, 1965.
최경숙, 『한국근대사의 이해』, 부산 : 부산대학교출판부, 2001.
최원규 편, 『일제말기 파시즘과 한국사회』, 서울 : 청아출판사, 1998.
최한수, 『서당개 읊은 교육의 소리(巨村崔漢壽博士停年紀念文集)』, 서울 : 修書院, 2003.
한국여성개발원, 『신보육정책 : 꿈나무플랜』, 서울 : 한국여성개발원, 2002.
한국여성연구소 여성사연구실, 『우리 여성의 역사』, 서울 : 청년사, 1999.
한국유아교육학회, 『한국 유아교육과 보육의 자리매김』, 한국유아교육학회 2005 창립30주년 기념식 및 정기학술대회(미간행), 2005. 10.
한국행동과학연구소 편, 『유아교육운영』, 문교부, 1983.
홍성찬 편, 『농지개혁 연구』, 서울 : 연세대학교 출판부, 2001.

강상중 저, 이경덕·임성모 역, 『오리엔탈리즘을 넘어서』, 서울 : 이산, 1997.
駒込武, 『植民地帝國日本の文化統合』, 東京 : 岩波書店, 1996.
梅根悟 외, 심임섭 역, 『근대교육사상 批判』, 서울 : 도서출판 남녘, 1988.
愼英弘, 『近代朝鮮社會事業史研究 : 京城における方面委員制度の歷史的考察』, 東京 : 綠陰書房, 1984.
신옥순 저, 염지숙 역, 『유아교육과정의 재개념화 : 그 대화의 시작』, 서울 : 창지사, 2000.
天野郁夫, 석태종·차갑부 역, 『교육과 선발』, 서울 : 양서원, 1992.
클라우디아 폰 벨로프 외, 강정숙 외 역, 『여성, 최후의 식민지』, 서울 : 도서

출판 한마당, 1987.
Aries, P., 문지영 역, 『아동의 탄생』, 서울 : 새물결, 2003.
Brown, G. T., *Mission to Korea*, Presbyterian Church in U. S. A, 1962.
Cannella, G. S., 유혜령 역, 『유아교육이론 해체하기』, 서울 : 창지사, 2002.
Collins, R., 정우현 역, 『학력주의 사회』, 서울 : 배영사, 1989.
Giesecke, H., 조상식 역, 『근대교육의 종말』, 서울 : 내일을 여는 책, 2002.
Grumet, M. R., *Bitter Milk : Women and teaching*, Amherst : University of Massachusetts Press, 1988.
Harrington, F. H., 이광린 역, 『開化期의 韓美關係』, 서울 : 일조각, 1973.
McKenzie, F. A., 신복룡 역, 『대한제국의 비극』, 서울 : 집문당, 1999.
Said, E. W., 박홍규 역, 『오리엔탈리즘』, 서울 : 교보문고, 2004.
Sasson, A. S. 편저, 한국여성개발원 역, 『여성과 국가』, 서울 : 한국여성개발원, 1998.
Scarr, S., 현은자 역, 『어머니의 양육과 타인의 양육』, 서울 : 서원, 1999.
Singer, E., *Child Care and the psychology of development*, New York : Routledge, 1992.
Therbon, G., 최종렬 역, 『권력의 이데올로기와 이데올로기의 권력』, 서울 : 백의, 1994.
Thurer, S. L., 박미경 역, 『어머니의 신화』, 서울 : 까치, 1996.
Underwood, H. G., 한동수 역, 『와서 우릴 도와라』, 서울 : 기독교문서선교회, 2000.
Warner, Judith, 임경현 역, 『엄마는 미친 짓이다』, 서울 : 프리즘하우스, 2004.
Willis, P., 김찬호・김영호 역, 『교육현장과 계급재생산』, 서울 : 민백, 1989.

4. 학위논문

김영옥, 「幼稚園의 公敎育化過程에 관한 硏究」, 이화여자대학교 석사논문, 1981.
박철희, 『植民地期 韓國 中等敎育 硏究 1920~30年代 高等普通學校를 中心으로』, 서울대학교 박사학위논문(미발행), 2002.
손영희, 「韓國幼稚園敎育發達에 관한 一硏究」, 이화여자대학교 석사논문, 1973.
오성철, 『1930年代 韓國初等敎育 硏究』, 서울대학교 박사학위논문, 1996.
정규영, 『東京帝國大學に見る戰前日本の高等敎育と國家』, 東京大學博士學

位論文, 1995.
정미경, 「일제시대 '배운여성'의 근대교육의 경험과 정체성」, 이화여자대학교 석사학위논문, 2000.
정선이, 『경성제국대학 성격 연구』, 연세대학교 박사학위논문, 1997.
최유리, 『일제말기(1938-45) '내선일체론'과 전시동원체제』, 이화여자대학교 박사학위논문, 1995.
최한수, 「韓國幼稚園敎育의 變遷過程에 關한 考察」, 중앙대학교석사학위논문, 1982.
현경미, 「식민지 여성교육 사례연구-경성여자고등학교를 중심으로-」, 서울대학교 석사학위논문, 1998.
홍양희, 「일제시기 조선의 '현모양처' 여성관의 연구」, 한양대학교 석사학위논문, 1997.

5. 인터넷

http://www.moe.go.kr
http://www.moleg.go.kr
http://www.mogef.go.kr/
http://www.nso.go.kr
http://search.naver.com

찾아보기

【ㄴ】

【ㄷ】

【ㅅ】

【ㅇ】

【ㅈ】

【ㅊ】

【ㅋ】

【ㅌ】

【ㅍ】

【ㅎ】

이윤진

서울 출생으로 연세대학교 사학과를 졸업하고, 연세대학교 대학원 교육학과에서 석사·박사 학위를 받았다. 현재 연세대학교 국학연구원 연구교수로 재직중이며, 연세대·경기대·상명대·공주교대 등에서 강의를 하고 있다.

주요 논문으로 『한국 탁아정책의 연원(淵源)과 문제 연구』(박사학위논문, 2003), 「일제 식민지 탁아사업을 통해 본 국가의 여성관」(2003), 「루소이래 아동중심 교육학이 근대모성이데올로기 성립에 미친 영향」(2004), 「1920년대 한국인 유치원의 증가 원인」(2005) 외 다수가 있으며, 근대보육사·보육철학·보육정책·유아교육과 초등교육과의 연계 등이 관심 있는 연구주제이다.

연세국학총서 74

일제하 유아보육사 연구

이 윤 진

2006년 9월 23일 초판 1쇄 발행

펴낸이 · 오일주

펴낸곳 · 도서출판 혜안

등록번호 · 제22-471호

등록일자 · 1993년 7월 30일

㉾ 121-836 서울시 마포구 서교동 326-26번지 102호

전화 · 3141-3711~2 / 팩시밀리 · 3141-3710

E-Mail hyeanpub@hanmail.net

ISBN 89-8494-279-0 93370

값 19,000원